ASSOCIATION FOR SCOTTISH LITERARY STUDIES

NUMBER FIFTY

DRÀMA NA GÀIDHLIG: CEUD BLIADHNA AIR AN ÀRD-ÙRLAR

A Century of Gaelic Drama

*

THE ASSOCIATION FOR SCOTTISH LITERARY STUDIES aims to promote the study, teaching and writing of Scottish literature, and to further the study of the languages of Scotland.

To these ends, ASLS publishes works of Scottish literature (of which this volume is an example); literary criticism and in-depth reviews of Scottish books in *Scottish Literary Review*; and scholarly studies of language in *Scottish Language*. It also publishes *New Writing Scotland*, an annual anthology of new poetry, drama and short fiction, in Scots, English and Gaelic. ASLS has also prepared a range of teaching materials covering Scottish language and literature for use in schools.

All the above publications are available as a single 'package' in return for an annual subscription. Enquiries should be sent to:

ASLS, Scottish Literature, 7 University Gardens, University of Glasgow, Glasgow G12 8QH. Telephone +44 (0)141 330 5309 or visit our website at **www.asls.org.uk**.

ASSOCIATION FOR SCOTTISH LITERARY STUDIES

DRÀMA NA GÀIDHLIG

CEUD BLIADHNA AIR AN ÀRD-ÙRLAR

A CENTURY OF GAELIC DRAMA

Edited by Michelle Macleod

GLASGOW

2021

Published in Great Britain, 2021
by the Association for Scottish Literary Studies
Scottish Literature
University of Glasgow
7 University Gardens
Glasgow G12 8QH

ASLS is a registered charity no. SC006535

www.asls.org.uk

ISBN: 978-1-906841-41-6

A catalogue record for this book
is available from the British Library.

Chuidich Comhairle nan Leabhraichean am foillsichear
le cosgaisean an leabhair seo.

ASLS acknowledges the kind support of Comhairle nan Leabhraichean
towards the publication of this book.

Set in Sabon

Typeset by ASLS, Glasgow
Printed and bound by Bell & Bain Ltd, Glasgow

PREFACE

This book is a selection of eight plays in Gaelic from the start of the twentieth century to the current era. Gaelic drama, although popular with audiences from its beginning, has not enjoyed a similar readership success and until fairly recently has not been the subject of scholarly criticism. This volume presents a selection of plays with translation for readers to enjoy on the page: it brings a little more longevity to the plays and recognition to their writers. I hope that through this publication more people will not only get to know more about Gaelic theatre and drama, but also the work of the individual writers whose skill and commitment to their art deserves much wider recognition than it currently receives.

I am grateful to all the writers who have given me permission to use their work in this book and to all the playwrights and actors I have met over the years who have shared with me their passion for Gaelic drama. *Rèiteach Mòraig* (Morag's Betrothal) and *Am Fear a Chaill a Ghàidhlig* (The Man Who Lost His Gaelic) were previously published in pamphlet form at the start of the twentieth century. I am grateful to Dr Finlay MacLeod for an inspiring conversation about his work more than twenty years ago and for permission to publish his curious and challenging *Ceann Cropic*; likewise I remember with pleasure conversations with the late Norman Malcolm MacDonald about his work: I am grateful to him for many inspiring exchanges and the permission from him (and his late widow Mairi) to publish his work. I had the pleasure of corresponding with Iain Crichton Smith about his work and am grateful to his widow Donalda Henderson for permission to publish *Tog Orm Mo Speal* (Give Me My Scythe) here. My sincere thanks and best wishes to Donald S. Murray (and Catriona Dunn) for letting me publish the success-ful *Sequamur*. Finally, I am indebted to Muireann Kelly and Frances Poet and Mairi Morrison for permission to include their work (*Scotties* and *Bana-Ghaisgich* (Heroines) respectively) in this collection and for engaging so wholeheartedly with this project. I hope that by including their work here this might in some way support them as they actively innovate and develop Gaelic drama.

CONTENTS

INTRODUCTION

Gaelic society has always enjoyed the spoken word and performance culture. In medieval Scotland and Ireland one of the most honourable professions was that of the poet who, like the harpist, could enjoy an enviable position in the employment of nobility. Performance of verse was equally valued in ordinary society as the rich body of Gaelic vernacular poetry and song demonstrates. Storytelling and storytellers have likewise been an important part of Gaelic tradition: folktales demonstrate the oral performance skill of the narrator as he winds his way along complex alliterative runs, used as a mnemonic and as a device to please the audience. Elements of performance can also be found in other aspects of Gaelic culture for example in preaching, prayer and rituals, but as I have noted elsewhere (2011) the concept of a staged play was not one that gained much traction in Gaelic society until the early twentieth century.

This book brings together examples of Gaelic plays, with translations, from the start of the twentieth century up to the modern day. It is a celebration of this often overlooked genre of Gaelic cultural expression and hopefully brings new respect to the writers, creators and performers who have developed this format in challenging sociolinguistic circumstances. This introduction delivers a history and context for Gaelic drama and introduces each of the playwrights and their work with a detailed discussion of the plays chosen for the anthology.

The history of written stage plays in Gaelic is not a particularly long one (compared to Gaelic poetry, for example): the earliest examples of Gaelic being used in drama comes from the eighteenth century by Archibald Maclaren (1755–1826) who wrote at least fifteen plays in English (Tobin 1974: 111 and Brown 2016) and included Gaelic in two of them: *The Highland Drover or Domhnul Dubh M'Na-Beinn, at Carlisle* (1790) and *The Humours of Greenock Fair or the Taylor Made a Man* (1789). Another early example is the hand-written dramatisation of Iain Òg Ìle's arrival in heaven: *Iain Óg Ìle* (John Francis Campbell), 1887, by Gaelic scholar and minister George Henderson (1866–1912). The manuscript, held by the University of Glasgow, has no stage directions and is essentially a twelve-page conversation of long utterances between Iain Òg Ìle and an angel. The staging and writing of drama did not begin in earnest until the beginning of the twentieth century and at that point it seems to have been a conscious decision of a few to artificially stimulate this art form which went on to become one of the most vibrant forms in Gaelic society of the twentieth century.

The development of Gaelic drama in a form that would be recognisable as such to a modern audience (excluding the concept of 'folk drama', for which see Newton 2011) is inextricably linked with the influx of Gaels into the Scottish cities. The social demographic distribution of Gaelic society changed significantly during the nineteenth and early twentieth centuries with significant numbers of Gaelic speakers settling in the urban areas of Scotland: particularly Glasgow and Inverness. These new situations did not lend themselves well to facilitating traditional ways of cultural expression, such as the ceilidh house or communal working tasks, so Gaels needed to organise themselves differently in order to deliver and enjoy culturally and artistically enriching experiences. There are a number of key factors which enabled Gaelic drama to develop and thrive at this time. Many Gaelic societies were established in the cities from as early as the later eighteenth century, for example the Gaelic Society of Glasgow (established in 1780), and especially during the nineteenth century, including one of the most significant: An Comunn Gaidhealach (1891). An Comunn Gaidhealach, originally established with the aims of promoting Gaelic music and literature and "home industries of the Highlands'; encouraging the teaching of Gaelic; holding an annual competitive arts gathering based on the Welsh Eisteddfod; publishing and fundraising" (Thompson 1992: 13–14), has been one of the most enduring of these organisations. An Comunn has certainly been the most prominent with a national remit which has continued to support drama until the modern day, largely, although not uniquely through its annual festival the Mòd (later Royal National Mòd). Often these societies would organise events to bring people together such as the new city ceilidh: a staged event with formal performance so unlike the traditional ceilidh but which grew in popularity. The mid to late nineteenth century also witnessed a flourishing of Gaelic publishing, including secular writing: for example between 1830 and 1900, 905 Gaelic titles were published (MacKinnon 1991: 68). This included the publication of Gaelic periodicals which in turn provided platforms in the nineteenth and early twentieth century for experimental writing which can be closely associated with the development of Gaelic playwriting (see MacLeod 1977 and Kidd 2000). Each of these initiatives fed off and supported each other creating an appetite for material: at events organised by the various Gaelic societies, audiences enjoyed listening to readings which prompted both the production of written text and the need to publish. As noted by Watson (2008) it is in this context that titles such as Henry Whyte's (1852–1913) *The Celtic Garland* (Glasgow, 1881) originate and it is in this environment that the Gaelic play begins to flourish.

The appetite for plays might in some respect be seen to follow from the popularity of the *còmhraidhean* (conversations) as a literary form in Gaelic. The *còmhraidhean*, popularised by Rev. Norman MacLeod (Caraid nan Gàidheal, 1783–1862) although he was by no means the only writer involved, were written dialogues between two or more characters and these were regularly published in the periodical magazines. Kidd maintains of the *còmhraidhean* that the characters are stereotypical and the texts are largely didactic (2000: 67). It seems that the secular *còmhraidhean*, although lacking in any kind of stage direction, were performed, or at the very least read aloud to audiences. MacLeod (1969) points to a serialised play, *Iseabail na h-Airigh* (Ishabel of the Sheiling) in the anthology *Am Bàrd* in 1901 as the first published Gaelic script (not withstanding Maclaren's plays and Henderson's play about Iain Òg Ìle noted above): we do not know when, or even if, this play was actually performed although it would seem unlikely that scripts would have been written just for the page and not for the stage. The first stand-alone Gaelic play to be published was *Rèiteach Mòraig* (Morag's Betrothal) (MacLeòid, 1911): for more information and a check-list of early publications see Susan Ross 'Identity in Gaelic Drama 1900–1949' (2016).

The periodicals of the early twentieth century are a valuable source in tracing the social history of Gaelic drama: not only do they contain serialisations, or occasionally whole plays, they also contain considerable discourse on why some authors and language activists believed it was important to promote drama in Gaelic. Ruairidh Erskine of Marr (born The Honourable Stuart Richard Joseph Erskine and known as Ruaraidh

Arascain is Mhàirr in Gaelic, 1869–1960) was one of Gaelic drama's first advocates. Born in Brighton, he learned Gaelic from his nanny. Marr was a staunch Scottish nationalist: inspired by what he saw happening in Ireland, his vision of an independent" Scotland was as a place where Gaelic language and culture thrived and this included a healthy drama movement. He formed the successful periodical *Guth na Bliadhna* (Voice of the Year) in 1904 and began publishing plays in it as early as 1912, the first being *Domhnall nan Trioblaid* (Donald of the Troubles) by Domhnall Mac na Ceàrdaich (Donald Sinclair) (1885–1932) (Mac na Ceàrdaich 1912: 151–94). In addition to publishing plays, Erskine also wrote several articles discussing why he considered Gaelic drama to be an important instrument in the language revival (Erskine 1913 & 1914). Erskine was not alone in his vision that drama could promote Gaelic culture: authors including Mac na Ceàrdaich and Iain N. MacLeòid (author of *Rèiteach Mòraig* (Morag's Betrothal), which appears in this collection) also wrote about the importance of drama, either as introductions to their plays or as stand-alone essays; various early supporters of An Comunn Gaidhealach also supported promoting Gaelic drama.

Erskine was initially critical of early efforts by An Comunn Gaidhealach to promote drama: "It has done nothing to encourage a native drama, and judging by appearances, does not contemplate doing anything with a view to that end" (Erskine 1913 & 1914: 295). Whether or not this criticism was deserved at the time, Erskine seems to have changed his mind little more than a year later when he welcomes the idea that An Comunn intend to promote Gaelic drama in their programme of activities: "I am glad to see that An Comunn Gaidhealach is now offering some encouragement to Gaelic drama, and I understand that a proposal has been made for the staging of a play at the annual Mòd" (Erskine 1914: 214). Regardless of Erskine's opinion of An Comunn's apparent inactivity or responsibility in this area, he does acknowledge that plays are being produced both in the cities and in the traditional Gaelic-speaking areas: "at present the situation of the dramatist in this respect is most unsatisfactory. From time to time Gaelic plays are staged here and there throughout the Gaidhealtachd, and in spite of non-professional acting and primitive staging, are very popular" (Erskine 1914: 212).

Despite Erskine's initial criticism, An Comunn have been central to the development of Gaelic drama since the early twentieth century. I have written elsewhere (2011) about various activities undertaken on behalf of An Comunn to promote drama at the start of the twentieth century: including their establishment of drama festivals and playwriting competitions and publishing plays in their periodicals. Although their work initially had a strong Glasgow focus, we know from An Comunn's periodicals that drama soon became popular outside of the cities: perhaps most significantly of all these is the report in 1933 of a drama festival in North Uist which attracted five teams from that island alone ('Fear na Brataich' 1934). Similarly, we learn that the first time a drama competition was held at a provincial Mòd, as opposed to the National Mòd, was in April 1935 at the Badenoch and Strathspey local Mòd ('Secretary's Notes' 1935). We do not have details of the number or names of any plays or the competitive drama teams which took part, but given that Gaelic was already by this point a minority language in the area and would all but die out as a community language after the Second World War here, this is interesting from both a literary history point as well as a sociolinguistic one. As the editor of *An Gaidheal* put it: 'The spirit of rural drama is awake throughout the country; and it would be remiss to neglect the opportunity that now offers to further this movement until great and general achievement has been attained' (Ross 1934: 179). In his history of An Comunn Gaidhealach, Thompson notes that as a result of the success of the Uist festival, in 1935 the Scottish Community Drama Association permitted Gaelic plays to compete alongside English plays in their festivals (Thompson 1992: 71). The influence of the amateur competitive arena has been very clear on the format of a significant proportion of Gaelic plays as short one-act creations.

One of An Comunn's early advocates for drama was the Rev. Dr Neil Ross, editor of *An Gaidheal* during the 1920s and 1930s. He maintained (Ross 1926b) that there were three essentials of Gaelic drama: the dramatist, the actor and the language. He also argued that although drama might appear to be a new art form in Gaelic, it was firmly rooted in the tradition. In a later issue Ross discusses the merits and practicalities of establishing a Gaelic theatre. Ross's vision, like Erskine's, emphasised the promotion of this art form not only for art's sake, but also as a vehicle for language maintenance: "a Gaelic theatre could combine healthy entertainment with the fulfilment of a noble patriotic object" (Ross 1932: 92). Ross imagined that this theatre should be established in Glasgow, because of the large number of young Gaels who inhabited the city and who already organised cultural activities. He did not ignore the heartland, however, as he believed that they would be served well by groups of performing travelling artists. Ross, like Erskine and a number of early playwrights, saw the production of plays as a way to promote and preserve Gaelic language and culture.

> We think that the idea of providing entertainment should be only one of the reasons for the attempt to realize a Gaelic theatre. Another reason, and that perhaps the reason which should hold a primary place is the preservation of the language, music and traditions of the race (Ross 1932: 92).

Of the plays contained in this volume, the early ones certainly capture this notion of retaining and retelling tradition. Ross (2016) says that the "master of this approach" was Iain N. MacLeòid (John N. MacLeod) (1880–1954), a Skye man who, like so many of the early writers, found himself in central Scotland. MacLeòid, a teacher, clearly had a passion for Gaelic culture and tradition: not only was he a playwright (with at least seven to his credit: see Ross 2016), he was the editor (and collector) of the impressive Lewis poem book *Bàrdachd Leòdhais* (1916).[1] The short play *Rèiteach Mòraig* (Morag's Betrothal) is essentially a simulation of the Gaelic betrothal tradition: for more on this tradition see Martin (2007) and MacLeod (1979). MacLeòid tells us that the play was written for Glasgow Gaelic Choir and was performed at concerts in Glasgow, at the Stirling Mòd, and also in an unspecified couple of places in the Highlands. MacLeòid acknowledges his purpose was to record an old practice quickly being forgotten by Gaels as they became more modern and Lowland-like in their ways: he is not critical of the Gaels for wanting to change, but thinks it is important to remember the old practices. MacLeòid, like Erskine, refers to the Irish Gaels whom he has noted preserve several of their traditions in the form of stage plays. More than this, MacLeòid, obviously mindful of the weakening state of the language even at the start of the twentieth century, hopes drama can help people with their language skills.

In addition to demonstrating the practice of betrothal and being a tool for developing language competency, the play is a snapshot of traditional family life. There are several characters: the dialogue mainly takes place between the parents, Iain and Seònaid (Janet), and Calum

---

1 *Rèiteach Mòraig* was originally published under the name Iain M. MacLeòid (for MacNeacail, presumably), when the author habitually uses Iain N. MacLeòid for everything else: for consistency here, I have chosen to refer to him as Iain N. MacLeòid.

and Alasdair who have come to arrange the betrothal on behalf of the man, Murchadh (Murdo). Interestingly, although Murchadh appears in the second movement, we do not hear him speak and we hear very little from Mòrag. Even though the play is short, there are two distinct parts, representing the two parts of a traditional Gaelic betrothal ceremony: the *rèiteach beag* (the first or small betrothal) and then the more formal *rèiteach mòr* (the big or main betrothal).

In this play the betrothal does not pass without a hitch as we see the mother objects strongly to the idea of her daughter marrying and leaving home. The mother is concerned about how she and her husband will manage the house and land once their last daughter moves out, but her concerns are cast aside. A modern (feminist) reading of this text might allow a reaction of horror to the oppression of the female characters in the play (there are two). The play certainly portrays an inherent patriarchal society: with the father discussing his daughter's future as though she were a commodity and the mother's views, not only her emotional reaction to losing her daughter, but her practical concerns for their long-term physical and material well-being, are disregarded. The mother's anxiety adds an authentic side to the characters on stage and through her and her interaction with those around her, MacLeòid succeeds in producing more than a simple stage re-enactment and his characters become a little more than two-dimensional. Interestingly, there is no clean ending to the play, probably as it was intended to be performed as part of a larger set of 'cèilidh' performances. Once Morag and Murchadh seal their betrothal with a kiss, the stage directions tell us: "The rest of the night was spent with music and dancing. No whisky was spared. Even Janet had a drop which went to her legs, and it wasn't long until she was reeling with the man from Osdair."

The next play in this collection also climaxes with song and jubilation, although there is at least a stage direction to indicate the end of the play. *Am Fear a Chaill a Ghàidhlig* (The Man Who Lost His Gaelic) (first written and performed in 1911 and published in 1925) by Iain MacCormaig (John MacCormick, 1860–1947), originally produced in the same year as *Rèiteach Mòraig*, once again encapsulates an awareness that the language and culture is under threat. MacCormaig, originally from Mull but who spent most of his life in Glasgow, wrote several plays (see Ross 2016), but is better known as the author of the first Gaelic novel, *Dùn-Àluinn* (1912) and as a short story writer: all of these forms were new to Gaelic writing at the time and his determination to promote and preserve the language is well represented in the play here.

The premise of the play will still be a familiar theme in Scotland: the Gael leaves his island home for employment in the city and forgets his native language. MacCormaig believed, like Erskine and MacLeòid, that the migration patterns of the Gaels were seriously threatening the Gaelic language. Ross has said of this play that it demonstrates a binary opposition of Gael and Lowlander (2016: 45–46). It is set in a Highland croft house and two of the main characters are discussing prices of wool and potatoes: moaning about how their landlords always manage to do better than them. They are happily interrupted by a visit from an old friend who has been working in Glasgow for some time. Iain has forgotten how to speak Gaelic and the interactions between the characters allows MacLeòid to develop a comic element to his play, especially as Coinneach (Kenny) tries to speak English to Iain. His frustration at being forced to attempt to speak English annoys and frustrates him:

COINNEACH And, and would you be a – Droch fàs air a' Bheurla Shasannaich! (*Curses on the English!*)

This one simple utterance in many ways sums up the diametric didactism of the play which Ross has portrayed as an internal form of imperialistic othering. There is a resolution in this play brought about by a wholly unconvincing *deux ex machina* moment at the end of the play when Iain regains his Gaelic through a comic episode which shocks his Gaelic into returning to the relief and joy of all the other characters: a sense of triumph over the dominant culture of the establishment.

There is no doubt that this setting of Gaelic culture in opposition to (mainstream) Scottish culture is a common underlying theme in some of Gaelic drama: although not always as blatantly obvious as in the early plays. Ross identifies the existence of at least seventy plays between 1901 and 1949: her checklist details those that were published, either as standalone pamphlets or serialised in periodicals. These early plays are of note now merely in the fact that they exist: while there seems to have been excitement around them when they first started appearing, by the middle of the century Gaelic drama faced criticism for being dull and predictable. Hector MacIver, writing in 1948, complained that drama was failing to contribute effectively to any kind of Gaelic revitalisation:

It is small wonder that the Gaelic Movement in Scotland has made so little progress up to the present, for we have omitted, or possibly refused, to develop the main medium to which practical men in all other countries have turned when they were heading towards a cultural renaissance: that is to say, the Drama (MacIver 1948: 40).

Donald John MacLeod, writing in the 1960s, views drama of the early twentieth century, which earlier commentators had regarded as educational and motivating, as "mummifying" (MacLeod 1969: 147) and devoid of experimentalism. This is in direct contrast with how he views the drama of the 1960s. There was little original playwriting in the 1940s or 1950s, although, as noted by Innes (2016), there was considerable translation of plays into Gaelic. Things certainly changed after the 1950s: a point well noted by MacLeod again when he says in a review of two plays by Iain Crichton Smith: "tha iad fichead uair nas fheàrr na an tramasgal bhoileiseach ris a bheil sinn cleachdte air àrd-ùrlair Ghàidhlig" (*they are twenty times better than the utter rubbish that we are used to on a Gaelic stage*) (MacLeòid 1967: 287). I have written elsewhere about how there was a renaissance of playwriting around this era. Drama was mostly still being enjoyed in the amateur competitive framework of the Mòd and the Scottish Community Drama Association festivals. This has had a significant impact on the format of Gaelic plays over the years and as noted earlier their requirements have been that plays should be one-act and no longer than half an hour. The earlier plays struggled to confine action to one location, whereas the writers of this era became masters of the genre, producing stylish and stylised pieces which show an awareness of international theatrical trends, while at the same time reflecting the culture from which they were written. Significant figures writing in the middle of the twentieth century include Alasdair Caimbeul (Campbell), Tormod Calum Dòmhnallach (Norman Malcolm MacDonald), Iain Mac a' Ghobhainn (Iain Crichton Smith), Donaidh Mac 'ill'eathain (Donnie MacLean), Pòl MacAonghais (Paul MacInnes), Fionnlagh MacLeòid (Finlay MacLeod) and Iain Moireach (John Murray). Thankfully, a number of their plays have been gathered in published form in recent years (although not all), but many of them are not easily available, although they are gathered, along with plays from earlier and later periods, in a database kept by An Comunn Gaidhealach of all plays entered into their competitions. These playwrights were open to experimentation and were very aware of contemporary literary and theatrical trends, including, for example, a clear sense of existential and absurd drama in some (as I have discussed in Macleod 2016) and as an example of these I have included Fionnlagh MacLeòid's exceptional play, *Ceann Cropic*, in this collection.

I have chosen not to give *Ceann Cropic* an English title in the translation. It refers to a fish dish traditional to fishing communities in the north of Scotland (known as 'crappit heid' in Scots) consisting of a fish head stuffed with oatmeal and fish liver. The two characters in the play are called Ceann and Cropic, perhaps a symbolic nod to Gaelic culture because, other than the language of the play, this could belong to any or no cultural background. The play was written in Aberdeen in 1963, where MacLeòid was a mature student of psychology, for Gaelic students to perform; in spite of, or perhaps because of, its avant-garde styling, it was even televised at one point. I have written elsewhere about the similarities between MacLeòid's play and Beckett's *Waiting for Godot* which Bennett has sharply noted as 'the play where nothing happens' (Bennett 2011: 27). Much the same could be said of *Ceann Cropic*: nothing happens; there are no meaningful stage directions to indicate where the action is set, what is happening or tell us anything about the characters and there is no sense of a sequential plot. This is a significant departure from the earlier plays (as typified in this edition) which contain a lot of narrative around the action: describing the settings, the characters and even the way they speak. MacLeòid's pared-back stage directions are a reflection of the simplicity of what takes place: a dialogue between two people. That dialogue, conversely, is in no way simplistic in the way that it twists and turns and meanders almost meaninglessly from one topic of conversation to another and while the characters try to converse with one another, they clearly misunderstand each other. As I have said elsewhere (2016), this use of language is clearly akin to what happens elsewhere in the Absurd, described by Succiu as:

> The experiments to which it was subjected gave rise to a language which is dislocated, disjointed, and full of clichés, puns, repetitions, non-sequiturs, stereotyped phrases, conventionalised speech . . . meant to support the parody and highlight the absurdity of language in context. (Succiu 2007: 132)

MacLeòid teases the audience with sequence after sequence of runs and repetitions: plays on words which can be non-sequiturs, but also responses to what has gone before, sometimes questioning, at other times negating or confirming what the other has said. At times he does this within a cultural context using, for example, place names or fish types (common cultural tropes in the Gaelic psyche):

CEANN Air a' chreagach?

CROPIC Air a' chreagach.

CEANN Baoit?

CROPIC Slat.

CEANN Tigh Thàbhaidh?

CROPIC Crùbag?

CEANN 'N d' fhuair thu càil?

CROPIC Fhuair.

CEANN Cudaig?

CROPIC Smalag.

CEANN Saoidhean?

CROPIC Rionnach.

CEANN Cnòdan?

CROPIC Traille.

CEANN Lèabag?

CROPIC Biorach.

CEANN Biorach!

CROPIC Biorach . . . dà sgadan . . . leth langa . . . 's pit-fhliuch.

CEANN Cha d' fhuair.

CROPIC Fhuair.

CEANN *Fishing?*

CROPIC *Fishing.*

CEANN *Bait?*

CROPIC *Rod.*

CEANN *A hand-net?*

CROPIC *Crabs?*

CEANN *Did you get anything?*

CROPIC *Yes.*

CEANN *A cuddy?*

CROPIC *A pollock.*

CEANN *A scythe?*

CROPIC *A mackerel.*

CEANN *A gurnard?*

CROPIC *Cusk.*

CEANN *A flounder?*

CROPIC *A dogfish.*

CEANN *A dogfish!*

CROPIC *A dogfish . . . two herrings . . . half a ling . . . and a sea anenomone*

CEANN *You didn't.*

CROPIC *I did.*

This questioning style of conversation is common throughout the play: when they repeatedly ask who the other one is it adds to the tension that builds throughout the play. Like *Waiting for Godot*, there is a sense of apprehension: they are cut off from the outside as all action takes place within one locked room, and fearful of what lies beyond the closed doors. The threat becomes more real when a postcard comes under the door.

Ceann and Cropic feel threatened by the unknown whereas Murchadh (Murdo), in Iain Mac a' Ghobhainn's (Iain Crichton Smith) *Tog Orm Mo Speal* (Give Me My Scythe), on the other hand, is threatened by the familiar. Mac a' Ghobhainn is a well-known literary figure in Scotland: he was prolific as a writer of novels, short stories and poetry in both English and Gaelic. He was also a playwright in Gaelic. To date only two of his plays have been published, *A' Chùirt* (The Court) and *An Coileach* (The Cockerel) (both 1966), but there are doubtless several others in addition to the one in this collection. *A' Chùirt* is a Sartre-esque rendition of Clearance factor Patrick Sellar's trial in hell (Smith has written about his story in numerous ways including in novel form in *Consider the Lilies* and in the Gaelic short story 'Am Maor') and *An Coileach* is about Peter's betrayal of Christ. In addition to the one here, at least one more play is known about through Smith's own discussion of a play he wrote about how the Trojan War was received (Smith 1986: 38). When I corresponded with him about his plays he was unsure of how many he had written or where all of his scripts went. By including *Tog Orm Mo Speal* in this book, at least one other of his plays has the chance to become better known. In contrast to the two plays discussed above, *Tog Orm Mo Speal* (written in 1979) appears superficially to be a dramatic treatment of his Murdo character seen in the serialised Gaelic novel *Murchadh* (*Gairm* 1979–80), in the English novel *Thoughts of Murdo* (1993) and in the posthumous collection *Murdo: The Life and Works* (2001). In these Murchadh / Murdo is a tragi-comic figure struggling to find sense in his bilingual and bicultural world: a theme often demonstrated in Mac a' Ghobhainn's Gaelic works (see Macleod 2001). While there is still much humour in *Tog Orm Mo Speal*, there is a real sense of hopelessness too which I have previously attributed to Murdo's sense of life as a Sisyphean exercise (Macleod 2016).

The action and dialogue are straightforward and easy to follow and the audience is introduced to the play in the first place by some kind of narrator named "Oblomov" who, after telling us about Murchadh, we never see again. Murchadh, who lives in a croft house with his sister Màiri, has stopped working the croft, and the play centres around Màiri's various attempts to find out what is wrong with him and prod him back to work. When she fails in both of these endeavours herself she enlists a series of people to help her get Murchadh functioning 'properly' according to her interpretation of societal norms. Unsurprisingly for one of Smith's female characters, the first person she turns to for help is the minister: compare for example the actions of the mother in the short story 'An Còmhradh' ('The Conversation') (Mac a' Ghobhainn 1963). The minister is quick to see that Murchadh is in fact tired of life in his daily routine, but suggests that there is no alternative to it:

MINISTEAR Tha mi a' tuigsinn dè a thachair ceart gu leòr. A' cur 's a' buain, a' tarraing na mònach chun an taighe, bliadhna an-dèidh bliadhna, fàsaidh duine sgìth den obair sin. 'S thuirt thu riut fhèin aon latha: "Rinn mi gu leòr. Tha siud gu leòr. Chan eil mi a' dol a dhèanamh car tuilleadh." Ah, nam b' urrainn dhuinn uile sin a ràdh. Nam b' urrainn dhuinn uile sin a ràdh. Nam b' urrainn dhuinn uile sin a ràdh.

MINISTER *I understand what happened right enough. Sowing and reaping, taking the peats home, year after years; a man grows tired of that work. And you said to yourself one day: "I've done enough. That's enough. I'm not going to do anymore." Oh, if only we could all say that. If only we could all say that. If only we could all say that.*

He wonders what has prompted Murchadh to become so weary and believes from something Murchadh tells him that he is reading too much.

Tha thu air a bhith a' leughadh leabhraichean a-rithist. Nach tuirt mi riut sgur a leughadh? Tha mòran leughaidh na sgìths don fheòil. Tha sin anns an fhìrinn a tha sin. Tha gach nì anns an fhìrinn.

You have been reading books again. Didn't I say to you to stop reading? A lot of reading is tiring to the flesh. That is in the Bible that is. Everything is in the Bible.

I have discussed elsewhere (Macleod 2016) how Murchadh's decision to stop work can be read as an existential expression of *ennui*: he has become numbed by the futility of his life cycle governed by routine and "functions" (Marcel 1948): Màiri, the minister, then the psychiatrist and finally his friend Tormod (Norman) all try to persuade Murchadh to adhere to his function. They are challenged when Murchadh no longer behaves as they expect him to: that his focus is not where they expect it to be, on the croft, makes him comparable to Sartre's "dreaming grocer" (1996).

Out of this challenging situation, however, Smith still finds humour in the form of the interaction between Murchadh and the psychiatrist brought in to help. Humour, on this occasion, is brought about because of Murchadh's bilingualism (as is common for this figure in other realisations of him). Smith used bilingualism both as a symbol of a broken self and as opportunity for humour; he wrote about his use of the jester figure to show just that (Smith 1986). An example of this can be found when the psychiatrist uses word association to try and understand Murchadh's problems:

PSYCHIATRIST Facal eile. "Gorm".

MURCHADH Feur.

PSYCHIATRIST Feur? Feur? 'S ann a tha am feur uaine.

MURCHADH Chan ann ann an Gàidhlig. 'S ann a tha feur gorm ann an Gàidhlig.

PSYCHIATRIST Cò chunnaic a riamh feur gorm?

MURCHADH Chunnaic muinntir na Gàidhlig feur gorm . . .

PSYCHIATRIST *Another word. "Blue".*

MURCHADH *Grass.*

PSYCHIATRIST *Grass? Grass? The grass is green.*

MURCHADH *Not in Gaelic. The grass is blue in Gaelic.*

PSYCHIATRIST *Who ever saw blue grass?*

MURCHADH *Gaelic speakers saw blue grass . . .*

The psychiatrist cannot comprehend that the Gaelic colour spectrum is different to English (see e.g. Watson 2001) and even when Murchadh cites the famous Gaelic lexicographer Dwelly, the psychiatrist remains unconvinced. At the end of the play it is simple companionship with his friend Tormod which lifts Murchadh's spirits and persuades him to get back to work, although there is a degree of giving in to the futility when he utters at the end 'tog orm mo speal' (*give me my scythe*) as he prepares to get back to reaping on the croft.

Not all of the plays of this era were influenced by existential and absurd writers: Tormod Calum Dòmhnallach's focus remained largely on his native culture, but in a way which could never be considered parochial or nostalgic. Probably a less well-known writer than Mac a' Ghobhainn, or even MacLeòid, Tormod Calum Dòmhnallach is no less of a playwright: just as Mac a' Ghobhainn sought to display uncomfortable truths through his comic figure Murchadh and through his reworkings of Partrick Sellar's trial and the betrayal of Christ, Dòmhnallach was fascinated by the truth. Dòmhnallach (1927–2000), like Mac a' Ghobhainn and MacLeòid, was also a Lewisman and experimented with other styles, but it is in drama that he did his best work. I wrote in 2008 that I believed him to be 'one of twentieth-century Gaelic literature's overlooked intellects', largely due to the fact that he wrote mostly drama which was not published in his lifetime. I continue to advocate for Dòmhnallach's status and hope to have contributed somewhat to that by bringing a volume of his short plays into print (2016). I have not been a lone voice in recognising Dòmhnallach's significant talent: Gifford, of Dòmhnallach's short novel *Calum Tod* (and Iain Crichton Smith's novel *The Village*) wrote that they are 'near to being great art' (1977: 24). Reviews of his plays reveal how well they were received both in the city and in the rural locations: Angus Peter Campbell effuses about Dòmhnallach and his play *Portrona* set and performed in the streets of Stornoway saying about that:

> I don't suppose many of you will know the name, far less the works, of Norman Malcolm MacDonald. Now in his 60s, he was publicly kissed in the narrow streets of Stornoway last month. Men shook his hands, as they might have shaken the hands of an evangelical minister in the old days.
>
> For three nights, down at the old fish-shed, he had demonstrated that their stolen lives had some significance. He had done so by writing a community drama, *Portrona,* which was a complete sell-out in its only four shows. (*The Scotsman*, 28 August 1996)

This play was about Stornoway, and most of Dòmhnallach's plays were firmly set in Gaelic culture, but in spite of this, or perhaps even because of this, they were never parochial. Dòmhnallach, like many of his contemporaries, was very aware of the community that he was working in: often writing for specific drama groups. The exchange between writer and performers encouraged a greater sense of ownership of the piece, perhaps, than of other modern literary forms. Dòmhnallach was keenly aware of the capacity of drama to reach and impact on the Gaelic community, especially because of its high non-literacy in Gaelic:

> But you can reach Gaelic people through drama, which has an immediate impact, and they don't have to be literate to be conscious of a writer's work. I feel that drama is of tremendous importance in the next few years, until a new generation of literates come on the scene. (Thompson 1978: 27)

Not only was Dòmhnallach conscious of the fact that drama had the ability to speak to a community; he also saw the potential drama had for speaking for a community. One of the transcendent refrains of his plays is the determination to represent the truth of Gaelic culture.

> We have to find the true history underlying our race before we go ahead and come to terms with the present and the future. It's an

on-going process and it's not to do with nostalgia. I would hope that, particularly in my plays, I am far from being nostalgic. (Thompson 1978: 28)

In an interview with me in 1993 he said that he wanted his drama to come from Gaelic culture: very many of his plays are clearly linked to Gaelic songs and history, but this was never at the risk of being boring or conventional. His use of Japanese Noh theatre, for example, in *Anna Chaimbeul* not only exemplifies how he innovatively reinterprets a Gaelic song to produce an excellent stage spectacle, it also demonstrates his commitment to redressing the portrayal of women in Gaelic culture. Both his ambition to redress the portrayal of Gaelic culture from one which is normally externally produced to one from an internal perspective and his desire to give a bigger presence to women in Gaelic society are seen in the play I have selected for inclusion in this publication.

There is perhaps no better image around which to focus a discourse of representation than a painting and this is exactly what Dòmhnallach does in *Òrdugh na Saorsa* (The Order of Release): written in 1991 it is the last of Dòmhnallach's short amateur plays. Ostensibly this is a dramatisation around the creation of John Everett Millais's *The Order of Release* (1852–53). Set after the Battle of Culloden, this is a painting of a woman presenting an order of release to a Redcoat: she is seeking the release of her husband, a Jacobite solider who is shown leaning on her with a bandage on one arm; she is also carrying a young child. Dòmhnallach decreed in the introduction to his play that, if at all possible, he would like a copy of the painting to be made available in the programme of any performance of this play. This play is not the only one where Dòmhnallach challenges the portrayal of Gaelic culture and Highland history which, by being portrayed through a non-native lens, are often perceived by him, and others, to distort the truth.

The main characters we meet are the painter Millais, his model Effie and her husband, the art critic John Ruskin. Throughout the play Effie questions Millais about how authentic his painting will be: she wonders, for example, why the soldier's bandage appears to be so clean and how the painter can be so sure about the colour of the woman's hair. Millais counters this with an assertion that he is being truthful and that he sourced information about the colours he uses from Johnson's *A Journey to the Western Islands of Scotland* (1775): "Tha sinn airson an sgeulachd innse le fìrinneachd" (*We want to tell the story with truth*), even though it is clear to the audience that this is not the case.

This is not only a play about how Gaelic culture is represented: it works as a love story and is a treatise on how people may not always appear as they seem. Dòmhnallach, of course, is not the only writer to have been fascinated by the lives of John and Effie Ruskin and John Everett Millais in their complex and risqué nineteenth-century love triangle (Effie divorced John Ruskin as their marriage was never consummated and she later married Millais). In this play Effie is never portrayed as a victim: she is a strong woman who challenges authoritative male figures around her. Dòmhnallach was determined that women should be represented as strong and capable individuals and, until we see more female dramatists writing in the twenty-first century, his plays certainly presented the strongest and most rounded female characters in Gaelic drama to date.

Most of Dòmhnallach's plays were written to be performed in the local community by amateur drama groups: but he also wrote longer plays for professional production. From the 1970s onwards, the Gaelic language was the focus of increased language planning initiatives in an attempt to slow down or halt the rapid decline in numbers of speakers. Some of this intervention took the form of subsidising Gaelic arts: this included funding two Gaelic theatre companies, Fir Chlis (1977–81) and Tosg (1996–2007) and the creation in 1987 of a specific Gaelic arts agency, Pròiseact nan Ealan. The existence of these professional companies paved the way for the creation of longer plays. Pròiseact nan Ealan (which ceased to exist in 2015) promoted art at the community and professional level: it made considerable contributions to the promotion of Gaelic drama including organising training for aspiring actors and writers, and commissioning and staging several large-scale productions. One of the final plays supported by Pròiseact nan Ealan is the stunning *Sequamur*: a piece set in Lewis to the background of the First World War. Originally written by Dòmhnall S. Moireach in English and translated into Gaelic by Catriona Dunn, this play could be set anywhere as it deals with universal themes of how the war impacted on individuals: both those that went and those that stayed at home.

While *Sequamur* has an international message and did indeed tour internationally (being performed in Ypres, Belgium), it is set largely in Stornoway with flashbacks to scenes from the First World War. Using the motto of the Nicolson Institute, the island's secondary school, "sequamur" (let us follow) as its title, the play considers the consequences of following and leading. The action largely focuses on the real-life former rector of the school William J. Gibson. The play opens after the war with a plaque being unveiled in the school in memory of those who were lost: Gibson is agitated when he discovers that someone's name has been left off the list. As he tries to remember the person, the play weaves back and forth between scenes where Gibson is teaching his pupils and encouraging them to leave for war, to scenes of the very same pupils at war, of them later haunting him and in the present when he is having to deal with his sudden and overwhelming sense of guilt.

Gibson, a Classics teacher, encourages his pupils to participate in the war based on his knowledge of war as reported in Classical literature. He believes that by becoming soldiers the boys have the opportunity to travel and experience a world apart from their home island and to become enriched by it.

GIBSON Sgoinneil. Sgoinneil. Sgoinneil. (*Tha a ghuth a' fas slaodach.*) Agus leis mar a tha an saoghal a' dol, cò aig tha fhios nach fhaigh sibh fhèin an cothrom sin. Gunna ga losgadh an Sarajevo agus am fuaim a' toirt sgala nan creag air feadh na Roinn Eòrpa. Cunnart ann no às, tha cothroman ann. Cothrom mairdseadh gu turaidean Troy le Illiad Homer na do phaca-droma.

GIBSON *Excellent. Excellent. Excellent. (His voice slows.) And the way this world is changing, one can see that you lads might have an opportunity to do just that. A shot is fired in Sarajevo and its echo is heard around all the cities, and Europe. For all its dangers, it brings opportunities with it. To march even to the battlements of Troy with a copy of Homer's Illiad in your knapsack.*

In his retirement, however, he is haunted by his actions: taunted in his dreams by the boys he encouraged to war, he is overcome with guilt that he encouraged these young men to a meaningless death, while he still lives:

GIBSON Why do I remain, unyielding? Why do I linger here? Why do you preserve me, wrinkled old age? Why prolong an old man's life, cruel gods, unless it is for me to view more funerals, more deaths?

His guilt is compounded not only because he recognises his role in the deaths of the young soldiers, but he sees the impact on the mothers of lost sons and wives of soldiers who have been damaged irrevocably by their experiences at war. He sees the suffering of war all around him and he feels undeserving of any of the honour that is bestowed upon him for his teaching leadership. Gibson is comparing himself to Hecuba from Ovid's *Metamorphoses* who lost nineteen of her children during the war and was changed dramatically as a result. Gibson, too, is changed by his realisation that he played a role in the suffering of others.

This and the following two plays in the collection are set around real historical events and while this play is clearly set in Lewis, it could have been set anywhere as it deals with a topic which is no way bounded in or unique to Gaelic society: rather, it is a dramatisation of events which touch people across linguistic and cultural divides. Indeed, when the play toured at the end of each performance, when Gibson unveils the plaque remembering the soldiers who had died, a roll of honour from the local area was screened as a backdrop to the final scene with the cast standing silently as a pipe lament played in a show of remembrance. *Sequamur* toured during the centenary anniversary of the start of the First World War and it was received well by large audiences across Scotland, Ireland, London and Belgium: with only limited non-Gaelic speech (largely in the English and Latin of the classroom) it was made accessible to non-Gaelic speakers by using a simultaneous interpretation system during performances (although audience members listening in English would hear only one voice, rather than multiple voices).

Modern plays and playwrights have become adept at catering to mixed language audiences: the professionalisation of the writers, directors and producers (and obviously actors) witnessed since the beginning of the twentieth century has opened up Gaelic theatre and broken down barriers. While the early playwrights wanted to create Gaelic drama for Gaels as a way of celebrating, remembering and performing culturally for a linguistically bounded audience, Gaelic drama of the twenty-first century is for all. It is never restricted linguistically and reaches out using innovative and creative methods to bigger audiences.

One of the innovators in creating drama which reaches across linguistic boundaries is the Glasgow-based professional company Theatre Gu Leòr. While *Sequamur* used simultaneous translation to reach a bigger audience than that of Gaelic speakers, Theatre gu Leòr have experimented with supertitles (for example in *Shrapnel*) and in clever translanguaging among the actors. Muireann Kelly's and Frances Poet's *Scotties* (the seventh play in this volume) is a wonderful mix of Gaelic, Irish, English and Scots with most, but not all, characters competent in at least two of the languages. While not strictly a 'Gaelic play', with only around half of the dialogue in Gaelic, I have chosen to include it here not only as an example of the outstanding work coming out of Theatre Gu Leòr, but also as an example of how Gaelic drama no longer feels the need to be strictly monolingual, and of course it is more representative of the society within which the Gaelic language has existed for a long time. Iain N. MacLeòid, the author of the first play in this collection, referred to the use of Irish in theatre at the start of the twentieth century as a positive contribution to language maintenance which needed to be emulated by his contemporary Gaels in Scotland. Had he been alive at the time of *Scotties*, he may have been excited to see this dramatisation of a historic event which used both Gaelic and Irish, although possibly disappointed to see how it was not afraid to recognise and use English and Scots as necessary functional tools. That, of course, is conjecture, but *Scotties* is one example of an increase in collaborative artistic projects in Irish and Gaelic over recent years. *Scotties* itself toured in Scotland and was also performed in Achill Island, County Mayo. The action in *Scotties* moves along without the use of any interpreters or technology, relying instead on illustrative stagecraft and carefully crafted dialogue, with characters sometimes rephrasing each other in a way that would allow a monolingual English speaker to follow; the play is richer for the mix of languages it uses. The version published here has English translations in square brackets of the Gaelic and Irish, but this was for the actors only and has been maintained here for the reader.

Again a play based on history, it tackles some uncomfortable truths, especially for a Scottish audience. The action in the play moves between the interactions of a modern-day family in Glasgow to a dream-like experience in early twentieth-century Scotland with a group of Irish farm labourers. The Glasgow family consists of a Gaelic-speaking mother, her husband, who is learning Gaelic, a grandmother whose carefully guarded identity is not revealed until the end of the play and teenager Michael, who is the link between the two eras of the play. Michael's local history school project leads him to find out about a fire which happened on a farm in Kirkintilloch in 1934 in which ten migrant workers from Achill Island lose their lives.

Michael finds himself at various points in the play transported back to witness the lives of the Irish workers: he interacts with Molly, a farm girl who only speaks Irish. Through Molly he learns of the hard lives of the itinerant workers: their long working days and how they were segregated from locals. Molly demonstrates to Michael what a fierce sense of identity she and her fellow workers have: she talks of her tribe and how closely tied up to language it is:

MICHAEL How come he hasn't got Gaelic then? Is he not from Achill?

MOLLY Is as Acaill é. Ach ní dé mo thréad é.

[Yes. But he's not from my herd.]

MICHAEL Your herd? What's that all about?

MOLLY As mo cheantar fhéin in Acaill, ó mo mhuintir fhéin.

[From my bit of Achill. From my tribe.]

MICHAEL He's from Achill but he's not your herd. You sound like my Mum. Got to know who my people are, got to speak Gaelic like my people. Seems to think the world will end if I don't speak it.

This emphasis on language as an important marker of identity is not the only parallel between the two eras. The play opens to the backdrop sound of an Orange march in modern-day Glasgow. Whereas in the modern era, violence associated with Orange walks typically involves counter-protesters rather than the wider general public, for Molly's generation it presented an imminent threat to them as Irish Catholics:

THE GAFFER And a herd of ugly lads to pick a fight with you for looking. Kirkintilloch looks a pretty green place but it's Orange to the core and don't you forget it. Now onto the trailer all of ye! Come on, the lot of ye or ye'll be left behind!

Molly and her tribe were right to be frightened as she implies the men were trapped deliberately in the barn they used for sleeping. While the play is clearly anchored in a specific moment in time, the question of how immigrant workers are treated is equally topical today.

Remembrance is very much a central theme in the final piece in this book. One hundred years after the sinking of HMS *Iolaire* on New Year's night just metres from the coast of Lewis with the devastating loss of 201 service men who were returning from war, Màiri Nic'IlleMhoire contributed her own act of remembrance in the form of this largely one-woman performance *Bana-Ghaisgich* (Heroines). Nic'IlleMhoire took the show, which was directed by Muireann Kelly as a Theatre Gu Leòr production, to London and then to Stornoway. With the exception of Mike Vass who provided the music and played the small role of the Naval accident investigator and two scenes in which local women, played by a chorus in Stornoway, chat about their absent men-folk, Nic'IlleMhoire played all the other roles. Nic'IlleMhoire, herself from Lewis, is an actor and singer who has moved into playwriting. This, her first published work, demonstrates her skill on stage as she, like Kelly and Poet, comfortably negotiates different timelines to explore women's experiences of love and loss.

The play begins with one woman, Elaine, making her way in her car to catch the ferry from Ullapool to Stornoway for the Christmas break. She is angered by the recklessness of another driver on the road and considers how much harder it would be for her family to cope with her loss at this time of year: loss dominates as the theme throughout the play. Later, on the ferry, Elaine learns that the driver of the car was an old school-friend, Maggie, who is also returning for the holidays. Elaine and Maggie catch up on each other's lives in an interesting set of alternating monologues where over the course of the play they reveal that, however superficially their lives might appear ordered and full, they have suffered their own losses and are seeking ways to heal themselves. The language of these two women is thoroughly modern: neither women live permanently on Lewis any more, although Elaine left more recently and returns more frequently and, as a result, her Gaelic is not as eroded as Maggie's. In Elaine, Nic'IlleMhoire represents the Gaelic of her own generation: happy to codeswitch for colour, but lacking in the richness of the language she demonstrates in her characters of the early twentieth century we meet later in the play:

> Nam biodh càr air a thighinn an-dràsta
> bhiodh sinne
> bhiodh sinne . . . finished.
> Ma bhreitheas mis' ort
> bidh ceannach agad air!
> Coma leatsa, anns an Range Rover agad,
> le number plate Gàidhlig
> 's tu a' fàgail pile up mòr às do dhèidh
> Is mise an teis-mheadhain!

If there had been a car coming
we'd be . . .
we'd be . . . finished
If I get a hold of you
you'll regret it
Oh never you mind, in your Range Rover
and your Gaelic number plate
as you fly off leaving a massive pile up behind
and me caught right in the middle of it

Maggie is less able: her first monologues are entirely in English. When she speaks to Elaine she uses Gaelic to try and create a bond between them, but her Gaelic is much weaker:

Ciamar a tha thu?
Eil thu staying in Leòdhas?
Tha mise in London
The twins think it's hilarious
If I speak to them in the Gaelic,
I just don't speak it,
gu leòr.
But it comes back ge-tà

How are you?
Do you stay in Lewis?
I'm in London
The twins think it's hilarious
If I speak to them in the Gaelic,
I just don't speak it
enough.
But it comes back though

As part of their interaction Elaine updates Maggie about what is happening on Lewis at the moment: she speaks about the preparations to commemorate the loss of the *Iolaire*. The action then alternates between the experiences of Elaine and Maggie and the experiences in war-time Lewis of Coleen and Peigi. Whereas the passage of time where we see Elaine and Maggie is relatively fixed (it being their journey home), we see Coleen and Peigi at various points before and after the sinking of the ship.

We first of all meet Peigi as she prepares her son for war in 1914. She is a proud mother sending her son to sea; pleased that he has escaped the attentions of Coleen. We also meet Coleen at this time as she says her farewell to Iain. When next the action in the play returns to this period, we learn that Coleen has had a child out of wedlock and is shunned as a result with Peigi being adamant the child is nothing to do with her or Iain. She only relents on this hard-line position when Iain is lost in the disaster: only then is she desperate to acknowledge Coleen's child as her grandchild.

While the story of the play, love and loss, is common enough, its setting with the *Iolaire* disaster as the background heightens the emotions. In the last two plays in this collection, there has been a return to song and music being used in the performances, but these are not the twee Gaelic anthems of the early twentieth century used as add-ons to pad out a theatre experience for the audience: these are powerful contributions, especially in the elegiac form here, which are hard to replicate and appreciate on the page. In modern and innovative stagings the songs provide a tangible link to the culture from which they come. In an interview with me the writer Norman MacDonald (author of *Òrdugh na Saorsa* (The Order of Release)) spoke of his own hope for Gaelic drama: that it should be based on the culture and unafraid to use songs and history to create powerful scenes which although rooted in a tradition are never parochial. I hope this book goes some way to illustrating how MacDonald's vision may be understood and that the cultural rootedness of the drama is one of its strengths which can be equally appreciated by an audience from outwith its cultural and linguistic boundaries.

On editing and translating

There were many challenges both in editing the texts for this book and in translating five of the eight plays: I did not translate *Sequamur*, *Scotties* or *Bana-Ghaisgich*. I largely left the language in the early plays as they were originally published: only modernising spelling where necessary to bring it in line with modern orthographic conventions. The language of these plays was rich, although the content somewhat timeworn, bringing challenges to the translation. In *Am Fear a Chaill a Ghàidhlig* (The Man Who Lost his Gaelic), in particular, the protagonist in the Gaelic version speaks in a very stilted Scottish English form. I have retained the author's unusual language in the translated version, and then rendered the Gaelic speech of the other characters in standard English. The most challenging play to translate was the absurd *Ceann Cropic*: there are numerous sections of the original which are largely nonsensical or are sequences of place-names or alliterative lists; in some instances, I have kept the place-names in the original but in order to maintain the alliterative runs I have forgone meaning to keep the alliteration. The resulting English version retains Gaelic sounds: any puzzlement for the English reader is not as a result of poor translation, it is akin to the experience of the Gaelic reader. A number of the plays contain Gaelic song lyrics; song being central to a number of the plays. In these instances, I have left the Gaelic in the English version with a translation alongside. This was done in case any group might be interested in performing an English version, as the Gaelic songs could still work in an English play in such situation. A number of the Gaelic scripts contained English stage directions: in these instances I have translated the stage directions into Gaelic. The two most modern plays contain examples of switching between languages. *Scotties* is a multilingual play with English as the dominant language: unlike the other plays in this book there is only one version of it with translations of the Irish and Gaelic given in brackets. A Gaelic or Irish reader will have no difficulty in telling the two languages apart and it is assumed that a reader without these languages will be able to tell which language is being used by the speaker: maintaining this multilingualism on the page reflects the fluidity of the languages on the stage. The modern-day characters in the Gaelic *Bana-Ghaisgich* also switch between Gaelic and English to varying degrees: in the English version the switching is not visible.

In presenting these plays with translations it was not with the belief that they could all then be rendered on stage. The translations create a way by which Gaelic drama can be better understood by a non-Gaelic speaker. They give an insight into this domain of creativity in which so much innovative and emotive practice has taken place and which has been enjoyed by relatively large audiences for a minority community.

Rèiteach Mòraig

Iain N. MacLeòid

1911

Ro-ràdh

'S ann air iarrtas Ceolraidh Ghàidhlig Ghlaschu a chaidh an dealbh-chluich ghoirid seo, *Rèiteach Mòraig*, a chur ri chèile an toiseach. Bha e air a' chlàr-eagair aca aig caochladh chuirm-chiùil an Glaschu, thug iad seachad e aig Mòd Shruighlea, agus ann an àite no dhà sa Ghàidhealtachd bha e na mheadhan air pàirt de oidhche chridheil a chur seachad.

Ged nach e nì ùr do na Gàidheil a tha ann an rèiteach, smaoinich mi gum biodh e iomchaidh an dealbh-chluich seo a chur ann an clò, do bhrìgh gu bheil an seana chleachdadh air a bheil e a' luaidh air a dhol gu mòr à fasan nar measg, mar tha iomadh deagh chleachdadh eile a bh' aig ar n-athraichean. Tha sinn uile fàs cho Gallda, tha agartasan an latha sa bheil sinn beò gar fàgail an-còmhnaidh cho dripeil 's nach eil ùine againn, eadhon aig àm rèitich 's pòsaidh fhèin, airson cumail suas ris na dòighean a bha ar sinnsirean a' cleachdadh. Gun teagamh sam bith feumaidh sinn mar Ghàidheil a bhith adhartach mar dhream eile, a bhith cumail suas ris na h-atharraichean a tha dìon-ruith nan linn a' toirt mun cuairt, ach aig a' cheart àm, 's còir dhuinn cuimhne a chumail aig gach seann chleachdadh còir ris an robh na daoine bhon tàinig sinn, fuaighte.

Tha ar càirdean an Èirinn a' dèanamh mòran sna bliadhnaichean seo airson chuspairean a bhuineas don Ghàidhlig a chur ann an cruth deilbh-chluich. Tha soirbheachadh mòr gan leantainn san obair sin. Tha mòran aig nach eil suim idir don chànain air an tarraing don ionnsaigh airson beachd a ghabhail air an dòigh anns a bheil an dealbh-chluich air a h-iomairt, agus 'n uair a tha gluasad agus snas nan cleasaichean a' taitinn riutha, tha iad a' dol dhachaigh le beachd na b' fheàrr na bh' aca roimhe air a' chànain, agus bhon àm sin tha iad a' gabhail suime dhith, agus 's dòcha a' fàs mu dheireadh glè fhileanta ann a bhith ga labhairt. Tha an uair againne cuideachd ar cànain a thoirt ri aghaidh an t-saoghail ann an deilbh-chluich. Chan eil an nì eu-comasach idir, ma bhrisear am bàire. Chan eil ann an *Rèiteach Mòraig* ach oidhirp bheag, bhochd air an nì sin a dhèanamh, ach tha sinn an dòchas gum faic sinn iomadh cuspair Gàidhealach eile ann an dealbh-chluich mun ruith mòran ùine.

Iain M. MacLeòid
Tigh-sgoile na Dòrnaidh
Cinntàile
21 den Mhàrt, 1911

RÈITEACH MÒRAIG

AN RÈITEACH BEAG

An t-àite: Taigh IAIN DHÒMHNAILL, an Gleann Hionasdail, Eilean a' Cheò.
An luchd-cèilidh: ANNA CHÌOBAIR agus GILLEASBUIG IAIN às a' Ghleann
Uachdrach.
MÒRAG Nighean Iain, a tha suirghe air MURCHADH
OSDAIR à Siadar.
CALUM PEUTAN agus ALASDAIR SHEUMAIS à Siadar ris
a bheil dùil aig Mòrag airson an rèitich bhig.
SEÒNAID CHROTACH, màthair Mòraig.

MÒRAG *A' figheadh stocain agus a' gabhail an òrain a leanas:*

Hithillean na hillean ì,
Hithillean na hillean ò,
Fàill ill èile 's ho ro ì.
Mo thruaighe mi mur faigh mi thu.

'S e mo cheist an gille bàn,
Nach leig a leannan le càch,
Teann a nall 's thoir dhomh do làmh,
Cha leig mi dàil nas fhaide leat.

Tha mi seo mar dhruid an crann,
'S ise 'n dèidh a h-eòin a chall,
Seacharan air dol ma m' cheann,
'S ged thug an tàmh cha chaidil mi.

Gur h-e mise tha fo sprochd,
'S tric, a ghaoil, mo smaointinn ort,
Tusa 'n siud 'us mise 'n seo,
'S e dh'fhàg a-nochd gun chadal mi.

'S iongantach an rud an gaol,
Seòlaidh e thar muir 'us caol;
'S thèid e seachad ri do thaobh,
'S chan fhaic na daoine sealladh dheth.

3

Gur e mise ghabh an gaol,
Cheangladh a' chlach gun an t-aol;
'S bheireadh e long mhòr a thaobh,
Ged bhiodh a' ghaoth na sacanan.

Chan e airgead 's chan e òr,
'S chan e h-aon dhiubh rinn mo leòn,
Ach thu dh'fhalbh air long nan seòl,
'S a-chaoidh ri m' bheò nach fhaic mi thu.

CALUM PEUTAN *agus* ALASDAIR: *a' gnogadh aig an doras:*

CALUM Ciamar tha daoine a-staigh?

IAIN 'S dàna bhith gearan 's daoine ag èirigh. A bheil an t-slàinte agaibh shìos an Siadar?

CALUM Tha; tapadh leibh. Dè mar a tha sibhse a' cumail, a Sheònaid?

SEÒNAID O, 's ann meadhanach. Cha mhòr nach d' rinn an samhradh fliuch a chaidh seachad an gnothach orm leis an t-siataig. Tha mi dìreach na mo chripleach leis. 'S gann is urrainn dhomh tionndadh às an leabaidh iomadh latha. 'S e rud uabhasach deuchainneach a th' ann.

ALASDAIR 'S ann aig m' athair-s' tha fhios. 'S iomadh oidhche bha e na chaithris leis. Chan eil fhios agam dè dhèanadh sibh mur biodh Mòrag.

SEÒNAID O brònag, tha i feumail gun teagamh; ach cha phàigh i am-feasta na rinn a màthair rithe mun tug i dh'ionnsaigh na h-ìre seo i.

ALASDAIR 'S fhìor sin; ach nach neònach an rud a th' ann, nach *seall* na nighcanan air sin; an uair a bhuaileas an gaol iad, cha bhi iad fada togail na h-imrich.

SEÒNAID O cha bhi, na h-òinnsichean bochda. 'S iomadh tè ghòrach a th' ann a tha dol an ceann dragha le sùilean dùinte, ach cha bhi iad fada gus an gabh iad aithreachas, air neo tha mise air mo mhealladh.

ANNA CHÌOBAIR *agus* GILLEASBUIG IAIN *a' brìodal.*

CALUM 'S beag a tha an dithis a tha sa chùl a' cur de dhiù nar còmhradh, a Sheònaid. Seallaibh cho trang 's a tha iad.

IAIN 'S math a gheibh iad sin. Dè eile nì iad, ach an latha math a ghabhail fhad 's a gheibh iad e. Chan fhada gus an cuir an saoghal boil gu leòr orra. Chan eil cuimhne sam bith aig a' chaillich agamsa, gun robh i fhèin òg uaireigin agus gum bu ghlè thoil leatha an uair sin a bhith greis ann an còmhradh gille.

SEÒNAID Cha robh mi leth cho gòrach riutsa, nuair a bha mi aig an aois sin. 'S iomadh oidhche thàinig thu fhèin a dh'amharc orm, agus cha d' fhuair thu ach an gad air an robh an t-iasg. Cha robh mi leth cho soirbh ri m' iasgach ri caileagan an latha an-diugh.

IAIN Cha robh a bhrònag, cha robh fèill ro mhòr ort agus tha mi a' creidsinn mura bitheadh gun do ghabh mi fhèin truas dhiot, gum bitheadh tu air fèill nan crognichean fhathast.

CALUM Sin sibh fhèin, Iain. Sibh fhèin a thig air na boireannaich. Ach eadar dhà sgeul, am bi sibh a' faicinn Mhurchaidh Osdair à Siadar uair sam bith sa ghleann.

IAIN Tà, bha e air chèilidh an seo bho chionn seachdain, gille gasta agus 's ann dha fhèin bu dual: bu laghach athair.

CALUM O, b' eadh gun teagamh, agus 's e gille gasta th' ann fhèin cuideachd. Feumaidh gu bheil nead aige an àiteigin sa ghleann, ma tha e a' tighinn cho fada.

IAIN 'S fheudar gu bheil, a dhuine. Tha iad ag ràdh gu bheil e a' tighinn air sàilleibh Mòraig, ach dè 'n fhios agamsa? Gu dearbh fhèin, bhithinn fhèin glè thoilichte gum faigheadh Mòrag e.

SEÒNAID Ist! Amadain. 'S ann bu chòir dhut a bhith a' feuchainn ri ciall a chur ann an ceann do nighinn, 's chan e a bhith ga leigeadh sa ghòraiche. Bu bhochd do chroit 'us d' fhàrdaich mur bitheadh Mòrag. Dh'fhalbh mo latha-sa co-dhiù, agus cha mhòr an rud do Mhòrag fuireach còmhla rium fhèin gus an cuir i fon talamh mi, agus cha bhi sin fada.

CALUM Cha tuirt mi, ma-thà, nach ann a gheibh sinn banais air sàilleibh Mhurchaidh mun falbh an geamhradh.

IAIN O, bròinean, tha e glè fheumach air bean fhaighinn. Tha e gun mhòran tacais gun teagamh.

SEÒNAID Ma tha, cha leig e leas dùil a bhith aige ri tacas a-mach às an fhàrdaich seo. Cha dioc leam na thug am bàs uam do mo thacas ged nach tigeadh an còrr orm. Oich, oich, 's mo lèireadh.

CALUM (ag èirigh) 'S fhad à seo taigh Iain Spàgaich, ge-tà, agus feumaidh sinn togail rithe, Alasdair. Gheall mi gum bitheamaid còmhla ri mo phiuthair an Earlais a-nochd, agus cuiridh sinn seachad an oidhch' ann. Oidhche mhath leibh, a Sheònaid, chan fhada gus an tig sinn a-rithist.

SEÒNAID 'S e làn dìth ur beatha tighinn air chèilidh uair sam bith, ach na cluinneam an còrr mu Mhurchadh Osdair. Soirbheas math leis.

CALUM Oidhche mhath leibh, Iain.

IAIN Mar sin leibh agus ruigheachd mhath, agus nuair a thig sibh a-rithist, thoiribh Murchadh Osdair leibh, agus bidh oidhche againn.

MÒRAG *a' dol a-mach còmhla riutha.*

RÈITEACH MÒRAIG

An t-àite: Gleann Hionasdail, Eilean a' Cheò.
A' Chàraid: MURCHADH MACFHIONGHAINN (MURCHADH OSDAIR, à Siadar, an Cille Mhoire), agus MÒRAG NICLEÒID (Mòrag Iain Dhòmhnaill) Gleann Hionasdail.

Luchd an rèitich:
IAIN DHOMHNAILL, athair Mòraig
SEÒNAID CHROTACH, màthair Mòraig
CALUM PEUTAN, à Siadar, an gille-fuachd
ALASDAIR SHEUMAIS, à Siadar
PADRAIG THORMOID BHIG, à Siadar
RAGHNALL IAIN BHÀIN, às a' Chamus Mhòr
NABAIDHNEAN MÒRAIG, am measg an robh Eòghan Pìobaire, a seanair.

'S ann air oidhche bhrèagha, gheal, ghealaich, Dihaoine an dèidh na Samhna, chruinnich gach bodach agus cailleach eadar an gleann ìochdrach agus uachdrach, ann an taigh IAIN DHÒMHNAILL, *gu fàilte a chur air* MURCHADH OSDAIR, *à Cille Mhoire, ris an robh dùil an oidhche sin airson rèiteach ri* MÒRAG. *Bha cridhealas agus aighear a' lasadh suas aodainn gach duine bha làthair, ach* SEÒNAID CHROTACH *a-mhàin. Ged a bha iad uile toilichte, agus a' beannachadh Freastail airson an nì a bha gu tachairt, bha* SEÒNAID *a' rànaich agus a' caoineadh, agus a' toirt freagairt tharsainn air gach duine a bha a-staigh, a chionn nach robh dad aicese mu dheidhinn an fhir ris an robh dùil an oidhche sin.*

CALUM PEUTAN (*agus a chuideachd a' tighinn a-staigh mu mheadhan-oidhche*) Fàilte a-staigh.

IAIN DHÒMHNAILL Fàilte oirbh fhèin, a Chaluim 's air na tha còmhla ribh. Dè mar a dh'fhàg sibh iad uile an Siadar?

CALUM Chan eil mi a' cluinntinn dad a' tighinn ri duine, ach banntrach Chaluim Iseabail. Tha ise air an leabaidh fhathast, bhon a leag tarbh a' *Chongested* i air a' chùl-chinn deireadh an earraich, 's tha mi a' creidsinn nach fhaigh i a chuid as fheàrr dheth a' chiad ghreis.

IAIN Cha b' e feum e, brònag, na seann aois. Chunnaic mise latha b' uallach a ceum a' tighinn a-nuas Druim-shlèibhte, leis a' chliabh mhònadh agus cruachadh air, mun togadh duine an Siadar ceò; ach sin mar a tha, nuair a thig aon rud thig dà rud. Bheil d' athair a' dol a dh'fhaighinn a' phension mhòir, a tha an Rìgh a' toirt seachad am-bliadhna, Raghnaill?

RAGHNALL Chuir e a-staigh am pàipear air a shon, co-dhiù. Chan eil e ro chinnteach à aois, ach chuir e sìos gum b' e fhèin agus banntrach an tàilleir às an Eileach nan co-aoisean, agus tha fhios aig a h-uile duine gu bheil ise còrr agus trì fichead bliadhna 's a deich.

IAIN Tha, agus an tè a bha ag òl a' bhròchain, agus tha d' athair-sa trì fichead agus a dhà dheug na Bealltainn seo tighinn. Tha ceithir bliadhna agamsa a bharrachd air, agus innsidh mi dhut mar tha cuimhne agam air sin cho math.

Bhàisteadh mi fhèin agus d' athair às an aon chuman leis a' Ghriogalach Mhòr a bha an eaglais an Droma-bhuidhe. Bha d' athair sia deug an uair sin, agus bha mise fichead, dìreach a' bhliadhna rinneadh am bàthadh mòr an Cille Bhrìghde. Phòs mise trì bliadhna an dèidh sin, agus rugadh Alasdair an ceann na bliadhna agus nam biodh e an-diugh air an talamh bhiodh e dà fhichead agus a h-aon deug . . .

SEÒNAID (*a' rànaich*) Nam biodh, cha bhithinn-sa air m' fhàgail gun tacas a-nochd. Oich, oich, 's iomadh rud a nì am bàs agus a' ghòraiche.

IAIN . . . agus tha sin gam fhàgail-sa trì fichead agus a sia deug na Nollaig seo tighinn. Thigeadh iadsan far a bheil mise, agus cha bhi mise fada ag innse aois d' athar dhaibh.

MÒRAG Coma leibh do ur *pension* an-dràsta, athair. Èiribh suas, a Chaluim, agus a chuideachd gu lèir. Tha an t-acras oirbh an dèidh tighinn à Siadar. Èiribh, 's gun gabh sibh rudeigin a chuireas blàths oirbh, gus am bi an t-suipeir deiseil.

A' chuideachd uile aig a' bhòrd, IAIN *aig an dara ceann,* SEÒNAID *air a thaobh chlì, agus* ALASDAIR SHEUMAIS *air a thaobh dheas:* CALUM PEUTAN *aig a' cheann eile,* MURCHADH OSDAIR *agus* MÒRAG *mu choinneamh a chèile air gach taobh de* CHALUM.

Air do IAIN *an t-altachadh a dhèanamh, dh'èirich* PÀDRAIG THORMOID *agus thuirt e:*

Tha còmhlan còir cruinn an seo a-nochd, agus bòrd brèagha far comhair, ach bu mhaith leam fhèin fios fhaighinn air an adhbhar a thug sinn cruinn a-nochd, mun tòisich sinn.

CALUM PEUTAN (*ag èirigh*) Ma-tà, fhir an taighe agus a chàirdean, thàinig mise à Siadar an Cille Mhoire a-nochd, le duine dh'iarraidh mnatha. Tha mi a' creidsinn nach eil e gun fhios dhuibhse, Iain, gur iomadh uair a thàinig mo charaid, Murchadh, a dh'aon sgrìob à Siadar, ri fuachd agus gailleann, a shealltainn air an nighinn òig agaibhse, agus cha sgeul rinn e, gun tug e a chridhe 's a chiall dhith, bhon a chunnaic e i aig comanachadh Ùige, ceithir bliadhna na tacas-sa. Tha 'mhàthair agus athair a-nis nan seann daoine, mar a tha fhios agaibh, agus air fàs lapach, agus mar sin tha e ro-fheumach air bean-taighe fhaighinn, agus creutair cùramach a bheireadh an aire air fhèin agus air a thaigh, agus a shealladh ri a phàrantan nan seann aois. Chan eil e falamh; tha crodh aige, agus fichead caora uan am Feàull, agus cha bhi dìth no deireas air Mòrag an Siadar, fhad 's a dh'fhàgas am Freastal còmhla ri chèile iad. A bharrachd air sin uile, tha an gaol ann, rud as fheàrr sam bith, agus cha bhi Murchadh ceart am-feasta gus am faigh e Mòrag do Shiadar le òrdugh daingean bhon chlèir.

A bheil sibhse, Iain, deònach air Mòrag a thoirt seachad?

IAIN Ma-tà 's mi tha. Thug mi seachad còignear nighean cheana, agus ged as mòr dhomh a ràdh, cha robh mi riamh a' toirt aon dhiubh seachad cho toilichte agus a tha mi a' dèanamh a-nochd. Carson nach bithinnsa toilichte, ma tha iad fhèin riaraichte le chèile, rud a tha mi cinnteach gu bheil, mun tigeadh a' chùis gu seo. Bheil sibhse deònach dealachadh ri Mòrag, a Sheònaid?

SEÒNAID Nam biodh gineal agad fhèin, no tùr duine bu chòir a bhith suidhe air a chèill a-nis, chan fhaighnicheadh tu a' cheist sin dhiomsa idir. Bha làn fhios agad mun do dh'fhàg thu Siadar

nach robh dad agam mu do thuras a-nochd, a thoirt m' aon tacais
uam nam shean aois. Chuir mi trì chisteachan-laighe mach an
iomlaid na bliadhna, agus phòs còig òinnsichean leam, agus is
daor a cheannaich pàirt ac' air sin, ach tha thusa airson m' aon
tacais talmhaidh a thoirt uam, agus mo chur don uaigh ron
mhithich.

IAIN Air do shocair, a Sheònaid, cha tàinig ort ach rud a thàinig air
feadhainn eile, agus cha leig thu leas a bhith smaoineachadh gun
lean Mòrag riut gu bràth – nach fheum i sealltainn a-mach air a
son fhèin cho math 's gu bheil thusa.

CALUM Dè th' agaibh an aghaidh Mhurchaidh a Sheònaid? Nach e
gille tapaidh, cliùiteach a th' ann, a tha comasach air a bheòshlàint
a thoirt thar muir 'us tìr.

SEÒNAID 'S iomadh rud sin a tha agam na aghaidh. Mar a thuirt
Anna Chìobair bhochd mu a nighinn:

"'S e 'dhol don chleamhnas shuarach,
A chuir cho luath fon fhòid thu."

agus tha eagal orm gur e sin a dh'èireas dom ghineal-sa. Cha robh
cliù ro mhath riamh air Osdairich Shiadair, agus ciamar "thig as a'
phoit ach an toit a bhios innte."

IAIN Ud, ud a Sheònaid, nì sin an gnothach.

SEÒNAID Leig thusa dhomhsa modh na bruidhne. Cha tu
dh'fhairicheas taigh gun nighinn ach mise.

CALUM Chan eil cothrom aig Murchadh bochd air na daoine bhon
tàinig e, agus 's mi fhèin nàbaidh bun na h-ursann aige, agus cha
chuala mi dad dona riamh uime.

SEÒNAID Nach cuala? Cò mharbh an ceannaiche 'n Càrn Sgòthair?
Cha b' e mo chuideachd-sa co-dhiù.

IAIN Ist, a-nis, 'Sheònaid, tha thu dol ro fhada. Coma leat a bhith ag
ùrachadh sheana chuimhneachain – chan eil e gu feum sam bith.

SEÒNAID 'S e rud glè neònach gun tigeadh fear ceàirrde òg, tapaidh
dhachaigh à Glaschu, gu tighinn beò air siolagan-buntàt an Siadar.
(*Bha* MURCHADH *fada na shaor an Glaschu.*) Cho math 's gu bheil
caoraich Fheàull, "teirgidh Cruachan Beann gun dad a chur na
ceann." Cha robh dad a dhìth air Mòrag còmhla rium fhèin agus
cha bhi i leth cho math air a dòigh an Siadar 's a bha i 'n Gleann
Hionasdail.

9

CALUM Cha leig sibh a leas eagal sam bith a bhith oirbh airson sin, a Sheònaid. Cha tèid glas no iuchair oirre feasta.

SEÒNAID Tha mi creidsinn nach bi mòran aca 's d' fhiach glas a chur air ann. 'S beag a bha chleachdadh aice air dad de sin an Gleann Hionasdail, agus ged a bhiodh i dol do lùchairt na banrighinn, cha bu bheag an deuchainn dhomh, i bhith gam fhàgail na mo shean aois a thoirt an aire air cailleach sgeotach an Osdairich, a chuir a lìon timcheall air tè no dhà roimhe seo, ach tha clìchdean Dhòmhnaill Dhuibh làidir agus tha e coltach gun do chuir e lìon timcheall air Mòrag agamsa còmhla ri càch.

IAIN (*gu feargach*) Nì siud an gnothach a Sheònaid. Tha mi seachd sgìth dhiot fhèin, 's do dhroch theanga. 'S leamsa Mòrag, agus ge mùirneach agam i, tha mi le m' uile chridhe ga toirt do Mhurchadh a-nochd, agus an gamhainn odhar agus na ceithir plaideachan a chaidh a luadh oidhche Shamhna, còmhla rithe, agus sin uile le deagh dhùrachd.

SEÒNAID (*a' rànaich*) Cha tu a dh'fhairich a togail, amadain bhochd, ach mise, ach bhon tha sibh eile nam aghaidh-sa dè math a bhith diùltadh. Tha e falbh leatha co-dhiù agus chan e nàire th' air airson sin.

CALUM Beiribh air làmhan air a' chèile.

Rug MÒRAG *agus* MURCHADH *air làmhan a chèile gu toilichte, agus sheulaich iad an cùmhnant le pòg ro mhilis.*

Chaidh an còrr den oidhche a chur seachad le ceòl agus dannsa. Cha robh caomhnadh air uisge-beatha. Chaidh boinneag dheth an ceann SEÒNAID, *agus às a sin na casan, agus cha b' fhada gus an robh i san ruidhle còmhla ris an Osdaireach.*

Morag's Betrothal

John N. MacLeod

1911

Introduction

It was at the request of the Glasgow Gaelic Musical Association that this short play, 'Morag's Betrothal', was first put together. They have had it on stage at a number of concerts in Glasgow, they presented it at the Stirling Mod, and in one or two places in the Highlands it was central to spending a happy night.

Although a betrothal is not a new thing for the Gaels, I thought it would be appropriate to publish this play, because the old custom which it mentions is largely going out of fashion among us, as are many other good practices held by our fathers. We are all becoming so Lowland-like, the demands of our daily lives always leave us so busy that we do not have time, even at betrothals and weddings, to maintain the practices our ancestors employed. Without a doubt we, as Gaels, must be progressive like everyone else, keeping up with the changes which the passage of time demands, but at the same time, we ought to remember all the dear old practices to which our ancestors were connected.

Our friends in Ireland are doing much these years to produce topics which relate to Gaelic in the form of plays. They are succeeding in that matter. There are many who are not at all interested in the language who are drawn towards them to consider the way in which the play is directed, and when they enjoy the movement and polish of the actors, they go home with a better opinion than they had before of the language, and from that time they have an interest in it, and perhaps eventually grow very fluent in speaking it. It is time for us too to take our language to the world in drama. It is not at all impossible if barriers are broken down. 'Morag's Betrothal' is only a poor, small attempt to do that, but we hope that we will see many another Gaelic subject in a play before long.

John MacLeod,
Dornie Schoolhouse,
Kintail
21 March, 1911

Morag's Betrothal

THE FIRST BETROTHAL

Place: IAIN DONALD's House, Glenhinnisdal, Skye.

The visitors: ANNE SHEPHERD and ARCHIE JOHN from the Upper Glen.

MORAG, Iain Donald's daughter, who is being courted by MURDO OSDAR from Sheader.

CALUM BEATON and ALASDAIR son of James from Sheader who Morag expects for the first betrothal.

HUMP-BACKED JANET, Morag's mother.

MORAG *Knitting socks singing the following song:*

Hithillean na hillean ì,
Hithillean na hillean ò,
Fàill ill èile 's ho ro ì.
Mo thruaighe mi mur faigh mi thu.

'S e mo cheist an gille bàn,
Nach leig a leannan le càch,
Teann a nall 's thoir dhomh do làmh,
Cha leig mi dàil nas fhaide leat.

Tha mi seo mar dhruid an crann,
'S ise 'n dèidh a h-eòin a chall,
Seacharan air dol ma m' cheann,
'S ged thug an tàmh cha chaidil mi.

Gur h-e mise tha fo sprochd,
'S tric, a ghaoil, mo smaointinn ort,
Tusa 'n siud 'us mise 'n seo,
'S e dh'fhàg a-nochd gun chadal mi.

'S iongantach an rud an gaol,
Seòlaidh e thar muir 'us caol;
'S thèid e seachad ri do thaobh,
'S chan fhaic na daoine sealladh dheth.

Gur e mise ghabh an gaol,
Cheangladh a' chlach gun an t-aol;
'S bheireadh e long mhòr a thaobh,
Ged bhiodh a' ghaoth na sacanan.

Chan e airgead 's chan e òr,
'S chan e h-aon dhiubh rinn mo leòn,
Ach thu dh'fhalbh air long nan seòl,
'S a-chaoidh ri m' bheò nach fhaic mi thu.

Hithillean na hillean ì,
Hithillean na hillean ò,
Fàill ill èile 's ho ro ì.
Poor am I without you.

This my quest the fair-haired lad,
That abandons not his love to others
Come hither and give to me your hand
I cannot delay any longer.

I am here like a starling in a tree
which has lost its birds,
Gone astray about my head,
Although left in peace, I cannot sleep.

It is I who is dejected
Often my love, I think of you,
That you are there and I am here,
Is what left me tonight sleepless.

Love is a wondrous thing,
It will sail over sea and kyle;
And it will go right to your side,
And no-one will see sight of it.

It is I who knows love which
would join the stone without mortar
and bring a ship alongside,
with only a whisper of wind.

It is not silver, it is not gold,
It is not one of them that harmed me,
But you who left on the sail boat,
And never again will I see you.

CALUM BEATON *and* ALASDAIR: *knocking at the door:*

CALUM How is everyone inside?

IAIN It would be bold to complain and everyone on the move. Is everyone well down in Sheader?

CALUM Yes; thank you. How are you keeping Janet?

JANET Och, not great. That wet summer we just had nearly finished me off with the arthritis. I'm just crippled by it. There's many a day I can hardly get out of bed. It's a horrible, soul-destroying thing.

ALASDAIR Oh yes, my father knows it well. Many a night he was up with it. I don't know what you'd do if it wasn't for Morag.

JANET Oh dear, she is indeed useful; but she will never pay back what her mother did for her up to this point.

ALASDAIR That's true; but isn't it strange, that the girls don't *look* at it like that; once they are in love they won't be long until they leave.

JANET Indeed, the poor fools. Many a stupid girl gets into tricky situations with eyes closed, but it's not long before they are sorry, if I'm not mistaken.

ANNE SHEPHERD *and* ARCHIE JOHN *are flirting.*

CALUM The two back there are hardly listening to us Janet. Look how busy they are.

IAIN It's good that they are. What else can they do, but pass time together when they get the opportunity. It won't be long until the world enrages them. My old lady has no memory whatsoever that she was once young and that she used to really enjoy then chatting to a boy for a while.

JANET I wasn't half as stupid as you when I was that age. Many a night you came to see me and you didn't get anywhere. I wasn't half as easy to hook as the girls today.

IAIN No dear, you weren't in a lot of demand and I believe that if I had not taken pity on you that you would still be on the shelf.

CALUM That's right Iain. It's yourself that's good with women. But by the way, do you ever see Murdo Osdar from Sheader here in the glen?

IAIN Yeah, he was visiting here a week ago: a nice lad and so he should be; his father was nice.

CALUM Oh, yes he was, and he's a nice lad too. He must have a nest somewhere in the glen, if he is coming so far.

IAIN He must have, man. They say he is coming because of Morag, but what do I know? Indeed, I would be very happy if Morag would land him.

JANET Wheesht! Fool. What you ought to be doing is knocking some sense into your daughter's head and not letting her be so foolish. Your croft and house would be in some state if it wasn't for Morag. My day is over anyway, and Morag should stay with me until she puts me in the ground, and that won't be long coming.

CALUM I think, though, that we will have a wedding on account of Murdo before the end of winter.

IAIN Oh, poor soul that he is, he desperately needs a wife. He doesn't have much support, right enough.

JANET If that's the case, he shouldn't expect to get much support from this house. Death has already taken enough of my family from me without enduring any more. Oh, woe is me.

CALUM (getting up) Iain Spagach's house is far from here and we better set off, Alasdair. I promised we would be with my sister in Earlish tonight, and we'll spend the night there. Goodnight, Janet, it won't be long before we come again.

JANET You're very welcome to come visit any time, but don't let me hear any more about Murdo Osdar. God speed to him.

CALUM Goodnight, Iain.

IAIN And the same to you and safe journey, and when you come again, bring Murdo Osdar with you and we'll make a night of it.

MORAG goes out with them.

MORAG'S BETROTHAL

The place: Glenhinnisdal, Skye.

The couple: MURDO MACKINNON (MURDO OSDAR, from Sheader, in Kilmuir), and MORAG MACLEOD (Morag daughter of Iain Donald) from Glenhinnisdal.

The betrothal party:
IAIN DONALD, Morag's father
HUMP-BACKED JANET, Morag's mother
CALUM BEATON, from Sheader, the companion
ALASDAIR JAMES, from Sheader
PATRICK SON OF WEE NORMAN, from Sheader
RAGHNALL SON OF FAIR IAIN, from Camus Mor
Morag's NEIGHBOURS, amongst whom is EWAN THE PIPER, her grandfather.

It's on a beautiful, bright, moonlit night, Friday after Halloween, every man and woman between the lower and upper glen gathered in IAIN DONALD's *house, to welcome* MURDO OSDAR *from Kilmuir who was expected that night for a betrothal with* MORAG. *There was rejoicing and gladness lighting up the faces of everyone who was present, except* JANET. *Although they were all happy, and thanking God for what was about to happen,* JANET *was weeping and crying and giving a curt response to everyone that was present because she didn't care for the man they were expecting that evening.*

CALUM BEATON (*and his friends come about midnight*) Hello in there.

IAIN DONALD Welcome yourself, Calum, and those who are with you. How were they all in Sheader when you left?

CALUM I haven't heard anyone's struggling, only Calum Ishabel's widow. She's still in her bed since the *Congested Board's* bull knocked her at the common grazing at the end of Spring and I don't think she is going to get any better for a while.

IAIN She didn't need that in her old age, poor soul. I remember her when her step was heavy coming down Sleat Head with a stack of peats overflowing in the creel, before anyone in Sheader had even got up; but that's how it is, when one thing comes along, a second thing is close behind. Is your father going to get the big pension that the King is giving out this year Raghnall?

RAGHNALL He sent in the paperwork for it, anyway. He's not too sure of his age, but he put down that he and the tailor's widow from Eileach are the same age, and everyone knows that she is more than seventy years old.

IAIN Yes, and the woman who drinks the gruel and your father are both seventy two this coming May day. I am four years older than him, and I'll tell you how I know that so well.

Your father and I were baptised from the same pail by Old MacGregor who had the church in Drumbuie. Your father was sixteen then, and I was twenty, the same year as the big drowning in Kilbride. I got married three years after that, and Alasdair was born by the end of the year and if he was still on earth today he would be fifty-one.

JANET (*crying*) If he was, I wouldn't be left without help tonight. Oh dear, it's many a thing that death and foolishness do.

IAIN . . . and that makes me seventy-six this coming December. Let them come and speak to me, and I wouldn't be long in telling them your father's age.

MORAG Never mind your pensions just now, father. Get up, Calum and friends. You must be hungry after coming from Sheader. Get up, and have something that will warm you up until supper is ready.

The group are all at the table, IAIN *at one end and* JANET *on his left side and* ALASDAIR JAMES *on his right side:* CALUM BEATON *is at the other end with* MURDO OSDAR *and* MORAG *opposite each either side of* CALUM.

After IAIN *has said grace,* PATRICK NORMAN *got up and says:*

There is a fine group gathered here tonight and a lovely spread in front of us, but I would like to find out why we are gathered tonight, before we begin.

CALUM BEATON (*getting up*) Well, dear man of the house and friends, I came from Sheader in Kilmuir tonight, with a man to seek a wife. I think you already know, Iain that my friend Murdo has come the same journey from Sheader many a time, through wind and hail to see your young daughter, and it's not a surprise to us that he gave his heart and mind to her since he saw her at the Uig communions four years ago. His mother and father are now old, as you know, and have grown weak, and he is very needy of getting a house wife, and a careful soul who would look after himself and his house and look after his parents in their old age. He isn't poor; he has cattle and twenty lambing sheep in Feaull and Morag will want for nothing in Sheader, as long as Providence leaves them together. Above all that, there is love, a thing better than anything else, and Murdo will never be right until he gets Morag to Sheader with a steadfast blessing of the kirk.

Are you, Iain, willing to give Morag away?

IAIN Indeed, I am. I have given away five daughters already, and although it pains me to say it, I never gave one away as happily as I am doing tonight. Why would I not be happy, if they themselves are happy, which I am sure they are, before it came to this. Are you willing to part with Morag, Janet?

JANET If you had your own family, or the judgement of a man who ought to be wise now, you wouldn't ask me that at all. You knew full well before you left Sheader that I didn't care for your journey tonight, to take my one support from me in my old age. I sent out three coffins in the course of the year, and five of my foolish daughters married, and some of them regretted it sorely, but you want to take my one true support from me and send me to the grave before my time.

IAIN Calm down Janet, nothing has happened to you that hasn't happened to others, and you shouldn't be thinking that Morag will stay with you forever – she needs to look after herself as well as you.

CALUM What have you against Murdo, Janet? Isn't he a strong, reputable lad, who is able to make a living from land and sea.

JANET I have many a thing against him. As poor Anne Shepherd said about her daughter:
"It's going into a miserable marriage,
Which sent you to the grave early."
and I am frightened that that is what will happen to my family. The Osdars from Sheader never had a great reputation, and how "you reap what you sow".

IAIN Now, now Janet, that's enough.

JANET Let me speak. You are not the one who will notice the house is missing a daughter, but I will.

CALUM Murdo can't be held responsible for the people he came from, and I am his next door neighbour and I never heard anything bad about him.

JANET Didn't you? Who killed the merchant in Carn Sgore? It wasn't my family anyway.

IAIN Wheesht now Janet, you are going too far. Don't bother dragging up old memories – that's no help at all.

JANET It's a very strange thing that a smart young tradesman would come home from Glasgow to make a living out of the poor potatoes in Sheader. (MURDO *was a joiner in Glasgow for a long time.*) As good as the Feaull sheep are, "Ben Cruachan will waste away if nothing is added to it". Morag wanted for nothing when she was with me and she won't be half as well off in Sheader as she was in Glenhinnisdal.

CALUM You don't need to worry about that Janet. She will never be locked up.

JANET I don't suppose that they have much worth locking up. She wasn't used to anything like that in Glenhinnisdal, and even if she went to the queen's palace, it would still be hard for me, her leaving me in my old age to look after the gossipy old woman in Osdar, who netted one or two before this, but the Devil's hooks are strong and it looks like he netted my Morag as well as the other.

IAIN (*angrily*) That's enough Janet. I am sick fed up of you and your evil-spirited speech. Morag belongs to me, and although I love her dearly, I gladly give her to Murdo tonight, along with the dun bullock and the four blankets which were waulked on Halloween and all that with good wishes.

JANET (*crying*) You're not the one who brought her up, poor fool, but me, but as you are all against me what is the use in arguing. He's leaving with her anyway and there is no shame on him for that.

CALUM Hold each other's hands.

MORAG *and* MURDO *grasp each other's hands happily, and they seal the contract with a sweet kiss.*

The rest of the night was spent with music and dancing. No whisky was spared. Even JANET *had a drop which went to her legs, and it wasn't long until she was reeling with the man from Osdar.*

AM FEAR A CHAILL A GHÀIDHLIG

AN GÀIDHEAL A LEIG AIR GUN DO CHAILL E A GHÀIDHLIG

Iain MacCormaig

1911

An t-àite: Taigh Choinnich Mhòir

COINNEACH

MÀIRI, bean Choinnich

IAIN, fear a bha air a' Ghalltachd seal

PEIGI, ÈILIDH agus CEIT, nighneagan òga

BANA-CHOIMHEARSNACH

COINNEACH (*a' leughadh*) Chì mi gu bheil prìs na clòimhe nuas am-bliadhna, Mhàiri. Tha mi dìreach a' leughadh mu fhaidhir an Òbain an seo. Stad thusa a-nis. (*'s e a' sealltainn air a' phàipear a-rithist*) Blackface. Tha'n dubh-cheannach air dusan tastan a' chlach. A ghràidh, a ghràidh! Nach i thuit a dh'aon phlub.

MÀIRI (*a' fighe stocainn*) Dusan tastan, an tuirt thu?

COINNEACH Seadh, dusan tastan. Seall fhèin air. Seall sin: twelve shillings.

MÀIRI (*a' sealltainn air a' phàipear*) An dà: saoil nach eil! 'S ann a tha 'n sin naidheachd mhath: gnothaichean a bhith a' fàs saor. Leòra! Feumaidh mi dol am ghleus agus tuilleadh phlaideachan a dhèanamh mun tog i a-rithist. Agus cha b' uilear dhomh beagan clò a dhèanamh cuideachd. Tha 'n deise ghlas agad air fàs lom.

COINNEACH Nach fhad on a chualas nach robh bàs duine gun ghràs duine. Ach ma tha prìs na clòimhe a' freagairt ortsa, saoil nach e Fear an t-Srath Bhàin a chuir sgiab air, agus gun aige ach dubh-cheannaich air fad. Cuiridh mi 'n geall nuair a ruigeas tu e a cheannach na clòimhe, gun dèan e ort a' cheart chleas a rinn e ort an-uiridh mun bhuntàta. Gabhaidh e air gun robh margadh am-bliadhna ann cho math 's a bha riamh ann. Ach biodh agadsa do phàipear ann ad achlais, agus dìreach cuir na prìsean ro a shròn – prìs a h-uile clò a th' ann.

MÀIRI Ach stad ort, a Choinnich. Ciod è a tha a' chlòimh Shasannach?

COINNEACH Stad, ma-tà, C-H-E-V – ciod e air thalamh am facal tha 'n sin?

MÀIRI Cheviots, a Choinnich.

COINNEACH 'S e dìreach: caoraich an Lagain. Stad, ma-tà. Cheviots, fourteen shillings. Dà thastan os cionn nan dubh-cheannach. Bheir siud sgailc air Fear an t-Srath. Biodh agadsa na prìsean air do theangaidh mun ruig thu 'n Srath-bàn, agus taom a-mach don bhèist iad mar gum biodh agad ann an Caraitse. Seo agad tè eile L-E-I-C – Tha driamlaichean a' slaodadh ris an fhear seo mar gum biodh ann giobairneach.

MÀIRI Abair fhathast e, a Choinnich.

COINNEACH L-E-I-C-E –

MÀIRI Leicesters, cuiridh mi 'n geall.

COINNEACH Chan eil mi ag ràdh nach e Leicesters, ma-tà, ochd deug a' chlach. Cha tig Fear a' Chaolais gu dona idir dheth. 'S iad na caoraich bhoga, mhaola seo a th' aige air fad. Tha coltach leamsa gun tug e deich puinnd Shasannach airson reithe Leicester an-uiridh. Tha caoraich mhatha aige.

Thig gnog don doras, agus thig IAIN MHÀRTAINN *a-steach gu spaideil, an dèidh tighinn à Galltachd.*

COINNEACH Ho, hò! Iain, a laochain; an tu th' agam?

MÀIRI Do bheatha don dùthaich, Iain. Nach ann leam is math d' fhaicinn anns a' bhaltaig anns a bheil thu. (*agus iad ga fhàilteachadh*)

COINNEACH Bha fios agam cho luath 's a chuala mi gun tàinig thu, nach biodh tu fada tighinn gam fhaicinn, a charaid. Dìreach crathadh eile de d' làimh. Suidh, agus dèan thu fhèin dìreach aig an taigh, an taigh Choinnich. Seo a-nis; saoil nach tug a' Ghalltachd atharrachadh ort, a bhalaich. Cha bhi nighean òg san dùthaich nach bi cocadh a dosain; agus na seann lasgairean air an tilgeil do chùil na mòna. 'S an robh thu gu math bhon a chunnaic sinn a chèile mu dheireadh?

MÀIRI Moire! 'S esan a bha sin; 's air a bheil a choltas.

IAIN (*a' freagairt anns a' Bheurla Shasannaich, agus* COINNEACH *is* MÀIRI *mar gum b' ann an ceò*) Oh, Ahm A1. Ahm champion. First Class.

COINNEACH An dà, charaid, bha thu riamh gaolach air buntàta; agus chan eil seòrsa ann an-diugh a bheir bàrr air an Champion bhon a dh'fhalbh am buntàta ruadh.

MÀIRI 'S am buntàta liath. Cha b' e bu mhiosa.

IAIN Man, Ahm glad tae see ye baith. But, great sticks, Kenny, ye hae a whusker on ye since Ah went awa'. I wad hardly ken ye if I didn't ken it was yourself. By jings! Ye are looking a wheen years aulder than me, though we are of an age. Great sticks! But the mustress is keeping to it weel.

COINNEACH Ciod a tha 'n seo, Iain? An e gun do chaill thu do Ghàidhlig?

MÀIRI A luaidh, a luaidh! Nach èibhinn e! Tha fios nach eil e ach ri fearas-chuideachd 's a' gabhail air.

IAIN Na, na; Ahm no swankin' a but. See you the big long years Ah was away in the Low Country hearing nosing but English all day. The Gaelic went away out of me and the English come in its place.

COINNEACH Tha fios gun tuig thu fhathast i, ge-tà. 'S i Beurla nan Sasannach a bhios mi a' bruidhinn ris a' chù, agus tuigidh e a h-uile facal ged nach bruidhinn e i. Tha fios gun tuig thusa a' Ghàidhlig ged nach bruidhinn thu i.

MÀIRI Nach eil fios gun tuig 's gum bruidhinn. Chan eil e cho beag mothachaidh.

IAIN I am understanding every word. I had a fine crack wis my mother yesterday when I come home, though she was talking the auld language all the time.

COINNEACH Agus stad seo ort. A bheil thu ag ràdh rium gu bheil do cheann mar gum biodh ann gunna sgailc, agus gun do chuir an dara cànain a-mach an tè eile, mar a chuireas an dara cuifean a-mach an cuifean eile à gunn sgailc. An ann mar siud a tha?

IAIN That's shust about the size of it.

COINNEACH And what will you be – what work – what – what – Hoch, 's ann a tha mi cho dona riut fèin. Ciod a bha thu ris bhon a dh'fhalbh thu? Tha thu air do dheagh chur umad, co-dhiù.

MÀIRI An dà, gu dearbh, 's esan a tha sin. Tha e a' fàs coltach ri Eòghan bràthair a mhàthar. Nach math na brògan a th' air.

IAIN Weel, Ah was working on deferent sings; but Ah was most of the time workin' at the fermars.

COINNEACH Aig na bodaich, a Mhàiri.

MÀIRI Tha mi a' tuigsinn.

IAIN (a' leantainn) Ah had a fine world among them, especially in the wunter. Almost every day in wunter there would be a dancing ball at night. It was splendid, splendid and the work wasna heavy neither in the wunter, for the day was so short, and sometimes it would be night in the daytime.

MÀIRI Chuala mi siud aig mo mhàthair. B' eòlach air na bodaich
Ghallda i.

COINNEACH And, and would you be a – Droch fàs air a' Bheurla
Shasannaich! Chan eil thu idir fada ceàrr, Iain, tha dùil agam fhèin.
'S ann a tha i brath dol an sàs ann an amhaich mar gum biodh an
gartan. Ach 's e bha mi a' dol a ràdh: an ann nad threabhaiche bha
thu; no ciod e?

IAIN Weel, Kenny, Ah was a plooman at last; but at furst Ah was a
hauflin. Weel, sometimes they called me a "skyte", and sometimes
a "galute", and sometimes a "ned", for Ah could do everything.

Thig a dhà no trì nigheanan a-steach; cuiridh iad fàilte air IAIN.

PEIGI Chuala mi gun tàinig thu. Ciod e mar a tha thu?

ÈILIDH Iain Mhàrtainn! Tha cuimhn' agam air an latha a dh'fhalbh e.

CEIT Chan aithinichinn iall dheth. Nach e a dh'atharraich!

MÀIRI Dh'atharraich e na chruth 's na chànain. Chan eil facal
Gàidhlig na cheann.

PEIGI, ÈILIDH is CEIT (*còmhla*) A chiall, a chiall!

IAIN Man, man! Isn't it strange, too. I am not knowing wan of these
lassies though I knowed them before. Everything is deferent. Great
sticks! It is putting a wunder on me to see Kenny himself growing
grey; and see these lassies yourself, Mary, they were shust kids
when I went away. And now I can be courting on them! What wan
is thus? She's like her mother, anyhow.

PEIGI Tha fios, Iain, gun aithnich thu mise. A bheil cuimhne agad
nuair thug thu chugam an leabhar ùr às a' chlachan? Peigi bheag?

IAIN I have mind on it; but, man alive, Peigi, how you've growed.
I would never ken you. I ken thus wan right enough: the tailor's
lassie. Many a kilt he made to me.

COINNEACH Hut, a dhuine, nach beag math a th' ort. Sin agad Èilidh
a' chùbair.

IAIN Did Ah no tell you now? Ahm bate again. But I will let thus wan
on me.

MÀIRI Ceit a' ghreusaiche. Nach coltach ri tè a h-ainm i? Ceit piuthar
a màthar.

IAIN I was sure on it: as like as two herrings. But I never saw Kate.
She was out in the Low Country. Man, man, the world is strange,

too. So she is like her auntie. (*nì a' chuideachd gàire*) Man, lassies, if you was down in the Low Country wan six months itself, it's you that would grow to be fine lassies. I am telling you it would make a man of you; and you would come home in a year or two just like leddies, and plenty English. Look; shust look at myself, the change that's on me for a few years; and I was reading *Robinson Crusoe* and Shakespeare every day.

Nì NA H-INGHNEAGAN *gàire; agus their iad "Shakespeare".*

IAIN (*a' leantainn*) Well, that's what I'm saying.

MÀIRI O, eudail, nach cuala mi naidheachd air "Robinson Crusoe" aig Alasdair Bàn; agus cha chuala mi sgeulachd riamh a b' aill leam na i. Saoil thusa a bheil i fìor?

IAIN Cho fìor – as true as I am telling you. Man, woman, it's in prent!

COINNEACH Cha chuala mi riamh iomradh air an tè eile ge-tà. Ciod ainm seo th' agad oirre?

IAIN (*'s gun e fèin cinnteach às an ainm*) Ha, ha! Try it now, Kenny, try it.

COINNEACH Hud! Droch fàs air a-nis. Bidh e aig na saoir. (*agus e ag obair le làmhan*) Nach eil; nach eil – Spokeshave! Nach sleamhainn urball! 'S duilich grèim a dhèanamh air.

IAIN (*e fèin 's* NA H-INGHNEAGAN *a' gàireachdaich*) A hà, Kenny, it's easily kent you're Heelan. Try again.

MÀIRI Spearshake. Tha mi fèin nas fheàrr na thusa.

IAIN (*agus dùil aige gu bheil* MÀIRI *ceart*) It is yourself that's clever, Mary, and you never left the glen.

NA H-INGHNEAGAN *a' gàireachdaich.*

COINNEACH Nach neònach an t-ainm a th' air: Spearshake!

NA H-INGHNEAGAN *a' gàireachdaich.*

IAIN Ha, ha, Kenny, Mary bate you. You could not say Shakespeare till you heard her. But you're right this time.

NA H-INGHNEAGAN *a' gàireachdaich agus their iad "Shakespeare, Shakespeare".*

IAIN Ho! And the girls, too, have it!

MÀIRI Chan eil dùil agam fhèin nach eil "Shakespeare" cho duilich ra ràdh ri "Sibolet" aig Cloinn Ephraim fèin.

COINNEACH Cha tèid mo theanga fèin mun cuairt air co-dhiù. 'S ann a dh'fheumas mi car-a-mhuiltean a chur dhith nam bheul mar a bhithinn a' dèanamh nam bhalach nuair a bhithinn ag ithe nam bàirneachd ròiste bharr nan èibhleag, agus dearrasan aca nam sheile. (*nì a' chuideachd gàire*) A bheil cuimhn agad air an siud, Iain?

IAIN No; I have no mind on it; and I was near no minding my mackintosh that I left outside on the dyke. She is so warm; and I am sorry I took it wis me; and I am going down to the Clachan before I turn back. I want to see if I will get otter skins from Niall Ruadh. Two of them would mak' a fine fine sealskin vest for the town. If Neil will not put them too dear on me, I will buy them at wanst. I sink seven bob, or seven and a tanner for the one each will be plenty.

MÀIRI Ciod è th' anns a' *bhob*? (IAIN *a' gàireachdaich*)

COINNEACH "Bob". Sin agad tastan; agus "tanner" sè sgillin gheal. Chuala mi a cheart rud aig an Èireannach ruadh a cheannaich craicinn nan othaisgean bhuam san Earrach seo chaidh. Faodaidh gur h-ann mun cuairt ceannach is reic chraiceann as motha tha na facail gan cleachdadh. Ciod è do bheachd, Iain?

IAIN Ah, but, you wouldn't get an otter skin for a bob or a tanner, Kenny. That's the rub.

COINNEACH But, man, you will – Ach, a dhuine, nach fhaigh thu air seachd "bobaichean" e, mun tuirt thu fèin e?

MÀIRI (*i fèin 's* NA H-INGHNEAGAN *a' gàireachdaich*) Chan eil dùil agam fhèin nach eil thu fèin a' call na Gàidhlig cuideachd, a Choinnich. Chan eil iongantas idir muinntir Ghlaschu ga call.

COINNEACH Droch fàs oirre. 'S ann a tha i a' tighinn a-steach orm a dh'aindeoin m' amhaich. Tha i mar gum biodh ann plàigh. Mar as motha tha de eagal agad roimhpe, 's ann is dòcha ga gabhail; gu sònraichte ma tha greis de ghaoith deas ann. Bhon a thàinig Iain a-steach 's ann a tha i a' dol an sàs annam mar a nì calg an eòrna nuair a bhios mi a' bualadh. Saoil, Iain, an dèanadh e feum dhomh a' bhreac a chur orm ga cumail bhuam? Seadh, mun caill mi Gàidhlig.

IAIN You're far better wisout the Gaelic, like me. You'll get far better on wis the fermars. Did you ken what an auld fermar told me wanst.

When I feed wis him I had no English; and when I met him in the
Buchts in the head of two years again, he said, "Weel, weel, Jock,
I never thocht that ye was sich a gowk as to lose a' your Gaelic in
twa years." You see, Kenny, he did not think I was so clever.

MÀIRI Seo a-nis! Nach bu ghleust e! Ghabh e beachd math ort
"Gowk": seo a-nis! (*i fhèin 's* NA H-INGHNEAGAN *a' gàireachdaich*)

COINNEACH Thalla, thalla! Chan fhaca mi fear riamh nach tàirninn
sùiste cho sgairteil ris, nach dèanainn sgrìob cho dìreach ris, 's
nach tàirninn stadh cho farsaing ris, gun facal Sasannach a labhairt
bhon a thòisichinn gus an sguirinn. 'S ann a their iad rium fèin
gun cum a' Ghàidhlig na Gàidheil air an ais; agus mòran a tha den
bheachd sin a' falbh air na sràidean 's na bailtean mòra 's gur gann
is urrainn dhaibh am beul fhosgladh a' mèananaich le laigse agus
le cion a' bhìdh. Nach iad a fhuair air an aghaidh gu dearbh! 'S
gun facal Gàidhlig nan ceann: agus 's math nach eil. Cha chuala
mi fear riamh ag ràdh gun cum a' Ghàidhlig duine air ais nach
fhaighteadh fear an inbhe os a chionn, agus Gàidhlig gu leòr aige.
Ciod è mar a bha daoine a' tighinn tron t-saoghal mun robh Beurla
Shasannach san dùthaich idir. Agus chan eil fhios agam am biodh
i fhathast an Alba mura bi an spollachdair spad chluasach Calum
a' Chinn Mhòir, a phòs a' bhan-Shasannach, agus a lean a h-uile
bleidear an Sasann i, a' pòsadh ar ban-oighreacha Gàidhealach
airson dachaigh is a' tighinn beò dhaibh fèin, a cheart dòigh mar
a tha na prionnsaichean bochda Gearmailteach a' dèanamh oirnn
an-diugh fhathast. Cuimhnich, 'ille, nach eil agad ach cànain nam
bleidearan!

MÀIRI Tha thu ceart, a Choinnich. Tha moit orm asad.

AN TRIÙIR NIGHEAN Gasta, gasta!

PEIGI Suas i, Choinnich:

COINNEACH (*a' seinn*)

Hòro, 'illean, hù o illean,
Hòro, 'illean, gu math slàn dhuibh;
Nan robh tuilleadh dhuibh nar dùthaich,
Cha do mhùch iad oirnn a' Ghàidhlig.

PEIGI Suas i, Iain!

CEIT Cha dèan thu suirghe sa ghleann air an turas seo, ma tha thu gun
Ghàidhlig.

EILIDH Chan eil e ach a' leigeil air. Ach tha h-uile cànain aig a' ghaol!

MÀIRI Leòra, chan eil. Cha chreid mi fhèin gun gabh dad cneasta a dhèanamh anns a' Bheurla Shasannaich, ach seòrsa de mhalairt. Leòra! Cha do thòisich daoine air an teaghlaichean a thogail air an t-slige gus an tàinig a' Bheurla Shasannach. Chan iongnadh idir aodainn muinntir Ghlaschu a bhith a cho bàn, nuair a tha am biadh air a thomhas dhaibh mar gum biodh ann cungaidhnean lighiche. O mo chreach, mo chreach! An t-sean aimsir, nuair nach robh tomhas no cunntas air sìon, ach dùirn a' chlò, lùb na stocainn, agus clòimh na caora.

IAIN Weel, a gentleman was telling me wanst – weel, he was no a gentleman, neither, for he had plenty of Gaelic – he was telling me there was a name for all the measures in Gaelic – for selling whusky, anyhow. I canna mind the Gaelic for "half-mutchkin"; but it's very strange –

NA H-INGHNEAGAN Half-mutchkin, half-mutchkin!

MÀIRI O, chuideachd, a chuideachd! Ciod è an t-ainm cearbach a tha an siud?

COINNEACH Half-mutchkin? Stad ort. 'S e tomhas trom air choireigin a th' ann. Rud a dh'fheumteadh a chur an cairt mar gun abradh tu. Half-mutchkin? Stad thusa a-nis. Half-mutchkin? Saoil nach e tosgaid a th' ann. Co-dhiù 's e rudeigin cudromach a th' ann.

NA H-INGHNEAGAN (*a' gàireachdaich*) Leth-bhodach, a Choinnich! Ahà, leth-bhodach!

IAIN The very thing. That's hit noo. I knowed there was something about an old man in it; but I had no mind how much.

COINNEACH O, ghràidh, a ghràidh, a Mhàiri! Leth-bhodach! "Half-mutchkin" a' Bheurla Shasannach air "leth-bhodach"! Nach eu-coltach an dà ainm ra chèile. Chan eil fhios idir ciod è a' Bheurla Shasannach a th' air bodach. Chan e Bodach a' phuirt no bodach Peigi Mhòir, ach bodach uisge-beatha, mar gun abradh tu "botal bodaich".

IAIN (*a' toirt a-mach an uaireadair*) Weel, it will be time for me to be going. I'll call again when I am returning.

MÀIRI Tud; dèan do chèil –

PEIGI Fuirich gus an gabh sinn òran math Gàidhlig. Bheir thu fèin dhuinn òran Beurla Sasannach.

CEIT (*a' bualadh a basan*) Sin e; sin e. Gabhaidh Peigi an t-òran a ghabh i aig a' Mhòd.

ÈILIDH Gabh: "'S toil leam an cìobair," a Pheigi.

MÀIRI Sin e dìreach! Seann òran grinn blasta.

COINNEACH Tha sibh dìreach a' còrdadh rium gasta. Sin agaibh cèilidh a-nis. Sin agaibh cèilidh. Agus as fheàrr dhuibh iarraidh air a' ghille eile tighinn a-steach. Na fàgaibh coigreach bochd taobh a-muigh an taighe.

MÀIRI Cò an gille?

PEIGI A bheil fear a-muigh?

ÈILIDH Chan fhaca mi duine a-muigh nuair a thàinig mi fèin a-steach.

COINNEACH Tud! Nach eil am fear a tha le Iain. Càit an do dh'fhàg thu e, Iain?

IAIN There was no wan at all wis me.

COINNEACH Nach do shaoil mi gun do dh'fhàg thu Mac-an-tòisich a-muigh aig a' ghàrradh. Nach e siud a thuirt thu? An duine bochd.

IAIN (*a' bualadh a bhasan air a chèile*) Ha, hà, Kenny! It is easy to see you are Heelan. It was no a man I left. Ho, hò! Guess it. It's for keeping your outside dry when it is wet. Try it now.

NA H-IGHNEAGAN *a' gàireachdaich*.

MÀIRI Sin agad a-nis! Nach bochd cion na Beurla Sasannaich an dèidh 's gu lèir. Mac-an-toisich! Ciod è bhochdainn a th' ann? Na am b' urrainn a bhith ann ach cuideigin?

COINNEACH Gu do chumail tioram nuair a bhios tu fliuch? 'S e searbhadair a bhios ann. Sin searbhadair. 'S ann air an taobh a-muigh a bhios sinn ga uisneachadh co-dhiù, an àm sinn fèin a thiormachadh. An e siud e, Iain?

IAIN Not yet, Kenny; but you are coming on it. Ha, ha; yourself is the boy too, Kenny. Try it wan time more now, before you let it on you.

MÀIRI Tha e agamsa, cuiridh mi 'n geall.

PEIGI Tha, is agamsa.

ÈILIDH Agus agamsa.

CEIT Tha e agamsa, cuideachd. An abair mi e, Iain?

IAIN Don't say it till Kenny lets it on him. Ha, ha, Kenny, if the girls beat you now! Dugald, the joiner, has it. I sawed it wis him coming from the Clachan yesterday. Now, that's a good sign for you, and if you will guess it you're no worse.

Nì MÀIRI *'s na* H-INGHNEAGAN *gàire, agus bidh* COINNEACH *a' sràidimeachd air feadh an taighe.*

COINNEACH Aig Dùghall Saor. Ha, hà! Tha e agam mu dheireadh. Ciod è mar air thalamh nach d' amais mi 'n toiseach air, 's a liuthad uair 's a chuala mi e. Ha, hà, Mac-an-tòisich; agus sean Mhac-an-tòisich! (*nì càch glagail ghàireachdaich*) Ha, hà; faodaidh sibh a bhith a' gàireachdaich. Thuig mise cho math ribh fèin e. Nach iomadh uair a chuir e Dùghall saor bochd an comhair mullach a chinn an dìg an rathaid mhòir nuair a bhiodh e a' tighinn às a' Chlachan. Falbhaidh tè agaibh a-mach, agus thugaibh a-steach an cliabhanach botail ud. Ha, hà! Nach robh fios agam a charaid, nach tigeadh tu gam fhaicinn an dèidh tighinn à Glaschu, gun fliuchadh mo rùchain a thoirt dhomh; agus ann an siud i, charaid.

Bidh IAIN *'s na* MNATHAN *a' sgàineadh an cridhe a' gàireachdaich.*

IAIN O, well done; well done, Kenny! You are giving on me to be laughing, and you're wronger now than before. The thing I mean is for keeping you dry outside when it is wet. But what you are saying is for keeping you wet inside when you are dry. Ha, hà! And I am tee tee, too, besides; and I wouldna have whisky.

COINNEACH Tha mise tea-tea mi fhèin, agus coffee-coffee cuideachd. Ach ge-tà, cha robh latha riamh nach còrdadh smèarsadh math de Mhac-an-tòisich rium. Ach, co-dhiù, leigidh mi orm e –

MÀIRI Tha sinn fèin nas fheàrr na thusa, Choinnich.

NA H-INGHNEAGAN (*còmhla*) Gu dearbh tha. (*agus gàire*)

COINNEACH Chan eil aig Coinneach oirbh, ma-tà.

IAIN It's a waterproof, Kenny.

MÀIRI Nach tuirt mi ribh a-nis?

PEIGI Is mise.

CEIT Is mise.

ÈILIDH Is mise, mar a h-aon 's mar a dhà –

COINNEACH O, chuideachd, a chuideachd! An e "Mackintosh" a' Bheurla Shasannach air waterproof? Ach tha 'n deagh ainm air. B' fhada 's a cheann am fear a thug air e. Bha Clann-an-tòisich riamh ri aghaidh bualaidh. 'S e mar gun abradh tu, coimeas a tha an seo. Ciod è do bharail?

BANA-CHOIMHEARSNACH (*a' tighinn a-steach na cabhaig*) A Choinnich, a Choinnich, eudail! Seall a-mach ciod è th' air a' mhart dhubh agad. Tha i suas am monadh a' leum 's a' geumanaich 's a' beucaich air inneal dearg a' chuthaich, is rud mòr glas coltach ri leth-phlaide a dh'fhàg cuideigin air a' ghàrradh ud a-muigh, mu a ceann 's mu a h-adhaircean. 'S mura dèan am fortan e, bidh i às an amhaich leis na creagan. Tha i an dèidh toirt air a h-uile mart sa bhaile a bhith bùraich 's a' tilgeil ùil le an adhaircean. Èiribh, ma-tà, a-mach gu luath feuch dè tha ceàrr!

MÀIRI A Choinnich, a Choinnich, seall a-mach. Chan eil mart sa bhaile nach bi an cliathaichean a chèile. Ciod è an aon driodairt a thàinig orra an-diugh seach latha sam bith.

COINNEACH *fad na h-ùine a' cur air a bhrògan.*

COINNEACH Ach ciod è an aon mì-fhortan a th' ann? Nach fheàrr sealltainn às a dèidh. Càit bheil am bata? Chan eil fhios fo na speuran càit an d' fhuair i grèim air an lùireach a chaidh m' a ceann mar sin.

Thèid COINNEACH *a-mach, agus leanaidh* MÀIRI *e.*

IAIN (*'s e ag èirigh na sheasamh, 's a shùilean air lasadh na cheann*) Lùireach; lùireach! Tha mo chall-sa dèanta. Mo chòta ùr nodha, air a stialladh. Nach b' e turas na bochdainne dhomh e, chuideachd, eudail? Mo chòta na ribeanan aig mart dubh Choinnich, 's nach robh e dà uair air mo dhruim riamh. Mach mi; mach mi!

Thèid IAIN *na leum a-mach. Èiridh* NA H-INGHNEAGAN *nan seasamh.*

PEIGI Ciod è tha ceàrr air a' mhart?

ÈILIDH Tha, gun deach còt-uisge Iain m' a ceann, 's i toilichte, 's i ga tachas fèin ris a' ghàrradh. Ha, hà! Tha Gàidhlig gu leòr a-nis aige!

CEIT Gu dearbh, faodaidh e a bhith toilichte mur eil càrd na dhà dheth na broinn! Mart nach fhàg seann bhròg air dùnan, nach ith i, eadar chrùidhean is thacaidean.

Nì triùir gàire.

PEIGI Tha feum agad a' chluas nach eil gad chluinntinn. Their Màiri nach eil creutair air a' mhonadh cho sìobhalta rithe.

CEIT Moladh straic Iain Mhàrtainn sin. Nach bochd ma dh'fheumas e tilleadh dhachaigh do Ghlaschu leis a' chòta rìomhach, 's gun druim idir ann. Ha hà!

AN TRIÙIR (còmhla) Ist; ist! Seo iad air tilleadh! Seo iad air tilleadh!

Thig an triùir eile a-steach, 's an còta aca eatorra.

IAIN Fhuair mi grèim aon uair eile air, agus chan earb mi a-rithist ri ceann gàrraidh e. Stadaibh, feuch an seall mi a bheil sracadh air.

MÀIRI O, mo mhart, mo mhart! Mo nàire, mo nàire! Seall, a rùin, an do mhill i do chòta ùr math?

COINNEACH Bò dhubh mo dhunach! Bò dhubh mo dhunach! Ma rinn i call mo charaid, a thàinig gu h-uasal gam fhaicinn. Seall, a laochain, a bheil e ri a chèile. Bu mhòr am beud a bhith air a mhilleadh.

IAIN (*a' sgaoileadh a chòta, 's e fèin is* COINNEACH *is* MÀIRI *ga thionndadh 's ga rùrach còmhla.* COINNEACH *air cùlaibh* IAIN, *aon làmh air a bheul a' cumail a-staigh na gàireachdaich, e a' sealltainn air* NA H-INGHNEAGAN, *'s a' cocadh na làimh eile ri* IAIN *'s e a' bruidhinn na Gàidhlig.* NA H-INGHNEAGAN *a' plucadh na gàireachdaich cuideachd*) Chan eil dad. Tha e mar a dh'fhàg mi e. (*'S e daonnan a' tionndadh 's a' crathadh a' chòta.*) Agus thèid mise 'n urras nach fhàg mi 'n urra ri mart a-rithist e. Às a dhèidh seo, far am bi mise bidh esan. (*E ga chur na achlais 's a' suidhe.*) Cha robh fear eile den t-seòrsa anns a' bhùth san do cheannaich mi e. 'S e job lot a bh' ann. Cha tuig thusa siud, a Mhàiri.

COINNEACH (*a' briseadh a-mach 's a' lùbadh leis a' ghàireachdaich*) Ho hò, Iain, Iain, nach e an ùpraid 's an t-ar-a-mach a bh' ann a rinn am feum dhut a b' fheàrr a chuala mi riamh. Thàinig do dheagh Ghàidhlig air a h-ais riut a dh'aon phlub, mar a thuit similear Eòghain Mhòir; agus chan aithnich mi a-nis gun robh thu latha riamh air falbh às a' bhaile. Ha, ha, hà! (*Nì iad gàire air fad.*)

IAIN An dà, thàinig i orm leis an excitement?

MÀIRI Nach fhaodadh a bhith?

COINNEACH Tha iad ag ràdh gu bheil preathall mar siud anabarrach math air leigheas na lòinidh; ach gu dearbh, gus an cuala mi fèin le mo dhà chluais e, cha chuala mi riamh gun robh e math air cànain aiseag dhaibh-san a chaill i. Nach tu dh'fhaodas a bhith an comain a' mhàirt dhuibh agamsa. Mun tuirt an sean mhaighstir-sgoil e: nach i am proifeasair i!

MÀIRI Tud! Nach fanadh tu sàmhach. Nach bochd nach rachadh preathall orm fhèin agus ort fhein, feuch an tigeadh Beurla Shasannach oirnn.

COINNEACH Beurla Shasannach! Chan eil fhios ciod i a' chànain a dh'fhaodadh tighinn oirnn idir nan rachadh preathall mar siud oirnn, no, ma dh'fhaoidteadh nach i 'n aon chànan a thigeadh idir oirnn. Tha feum aig Iain gum b' i a' Ghàidhlig a b' fhaisge don ursainn an uair ud, no chan eil fhios agam nach robh e an-dràsta a' siubhal na dùthcha a' ceilearadh air dhòigh 's nach tuigeadh duine aon fhacal a bhiodh e ag ràdh. 'S nach bu bhochd an gnothach, a Mhàiri, nan tigeadh Eabhra ortsa agus Greugais ormsa nach tuigeadh an dara h-aon aon fhacal a theireadh an t-aon eile. Ho hò, Mhàiri, cha bhiodh againn ach sgaoileadh air feadh an t-saoghail mar a rinn an fheadhainn a bha a' togail Tùr Bhabeil. Tha mi buidheach do Ghàidhlig a bhith agad air ais, Iain, agus ann an siud i.

IAIN Ho hò, tapadh leat!

COINNEACH Leòra! Nan robh Eòghan fìdhlear againn, dhannsainn fèin 's tu fèin "Ruidhle Thulaichean" air a thàilleamh - 's na cail[e]agan laghach againn an seo, co-dhiù. (*Nì iad gàire air fad.*) Leòra! Cha chuala tu riamh cho togarach ri Eòghan nuair a leigeas e pheirceall air an fhidhill 's a chluicheas e:

A shean chailleach ghrànda,
Cum bhuam do luideagan;
A shean chailleach ghrànda,
Cum do luideagan o m' bhiadh.

(*Aithris an rann seo.*)

Teann a nunn, fuirich thall;
Cum bhuam do luideagan;
Teann a nunn, fuirich thall;
Cum do luideagan o m' bhiadh.

(*Aithris an rann seo.*)

(*Agus e mar gum biodh e a' cluich na fìdhle.*)

MÀIRI Bheir na caileagan dhuinn òran math, bho nach eil Eòghan faisg oirnn.

34

IAIN (*a' bualadh a bhasan*) Gasta, gasta! 'S fhada o nach cuala mi òran Gàidhlig roimhe.

COINNEACH Seo a-nis, a ghalaidean! Dhuinn òran math sgiobalta. Togaidh sinn fèin am fonn.

(*Gabhaidh na caileagan, "Mo roghainn a' Ghàidhlig" [Còisir a' Mhòid, 30]. Faodaidh cuid de chòisir tighinn an làthair a sheinn cuideachd.*)

MÀIRI An dà, mo bheannachd nur cuideachd, a chlann. Chan eil dùil agam gu bheil e fon ghrèin neach nach togadh cànain anns a bheil a leithid de cheòl.

COINNEACH Ciod è do bharail fèin air an siud, a-nis, Iain? Saoil nach eil boinne beò sa Ghàidhlig bhinn, bhlasta, mhilis againn fèin fhathast? Nach beag de choltas a' bhàis a tha na gnùis? Ha, hà, bhalaich, Iain, 's ann a tha i air trusadh rithe nas fheàrr na bha i o chionn ceud bliadhna; agus air an dol sin dhith.

MÀIRI (*a' bualadh a basan*) Suas i! Suas i!

IAIN (*ag èirigh na sheasamh, an dèidh a chòta chur air*) It is not the want of the Gaelic that is on me, but –

COINNEACH Stad a-nis; stad a-nis, Iain. Cuimhnich ort fèin. Cuimhnich air a' bhò dhuibh. Cuimhnich càit a bheil thu.

IAIN Gabhaibh mo leisgeul. 'S e a bha mi a' dol a ràdh nach b' urrainn mi smaointinn, eadhan ann am bruadar, gu bheil a leithid de loinnealas ann an cànain mo dhùthcha no gum biodh e comasach a' Ghàidhlig a thighinn gu leithid de dh'inbhe 's gun gabhadh e ceòl a liùbhairt air dhòigh cho àlainn. B' e 'n coireall e da-rìreadh. Mun d' fhàg mise mo dhùthaich, bha Seònaid Bhàn air a meas mar a' bhana-sheinneadair a b' fheàrr san sgìreachd; ach chuala mi an-diugh na chuireadh fo phràmh i.

MÀIRI Bha Seònaid math r'a latha, gu dearbh.

COINNEACH Seònaid Bhàn! Cha robh, eudail, sheinn Seònaid bhochd ach mar gun cluinneadh tu srann sa ghaoith aig sean phige taobh doras sabhail, làmh ris na caileagan seo. Agus cuimhnich nach e idir an aon rud a tha iad a' seinn. Nan cluinneadh tu cuid dhiubh air leth, shaoileadh tu gur h-e dùdail Eachainn na Coille bhiodh ann, 's e a' figheadh clèibh, agus rud neònach 's a chuala tu riamh, mar is ceàrra iad 's ann is cearta iad nuair thèid na guthan an eagaibh a chèile. Am feadan 's na duais air an deagh ghleusadh. A bheil thu a' faicinn? Co-sheirm.

IAIN Cha chuala mi riamh a leithid. (*Agus e a' dol dh'ionnsaigh an dorais a dh'fhalbh.*) Ach their mi seo a thaobh na Gàidhlig, gun do thionndaidh mi duilleag mhòr leathann. Agus rud eile dheth am fad 's a bhios Iain Mhàrtainn beò, chan fhaigh a' Ghàidhlig bàs.

MÀIRI 's NA H-INGHNEAGAN Ho ré!

COINNEACH Guma fada sa bheachd sin thu, ma-tà. 'S mur an urrainn dhut dad idir a dhèanamh, seinn na h-òrain ged a chuireadh tu a h-uile searrach sa Ghalldachd bho dheothal a' seinn:

Siud mar chaidh an càl a dholaidh

(*Aithris trì uairean*).

Air na bodaich Ghallda.
Siud mar chaidh an càl a dholaidh.

(*Aithris dà uair*).

Laigh a' mhin air màs a' choire,
'S bean an tighe dannsadh.

IAIN Slàn leibh, ma-tà.

CÀCH UILE Mar sin leatsa.

COINNEACH (*agus càch a' dèanamh gu falbh*) Nach beag a bheir a' Ghàidhlig gu bàrr an uisge, cuideachd, ged a bheir cion a' mhothachaidh oirre an grunnd a ghabhail còrr uair. Ach fad 's a bhios an anail innte, thig i 'n uachdar an àiteigin.

The Man Who Lost His Gaelic

The Gael who pretended that he lost his Gaelic

John McCormick

1911

The Place   Big Kenneth's House

KENNETH
MAIRI, Kenneth's wife
IAIN, a man who has been in the Lowlands for a while
PEGGY, EILIDH and KATE, young girls
FEMALE NEIGHBOUR

KENNETH (*reading*) I see the price of wool is down this year, Mairi. I'm just reading about the fair in Oban in here. Just wait. (*reading the paper again*) The Blackface. The blackface is twelve shillings a stone. Dear, dear! Hasn't it fallen like a stone!

MAIRI (*knitting a sock*) Twelve shillings, did you say?

KENNETH Uhuh, twelve shillings. Look at it yourself. Look at that: twelve shillings.

MAIRI (*looking at the paper*) Och, no! That's good news in a way, things will get cheaper. Goodness. I better get a move on and make more blankets before it rises again. And I should make some more tweed too. Your grey suit has got a bit bare.

KENNETH It's a long time since we heard one man's misfortune was another man's gain. But if the price of wool suits you, maybe it was the Laird of Strath Ban who made it move as he only has Blackfaces. I bet when you arrive at his to buy the wool that he will play the same trick on you that he played on you last year with the potato. He'll let on that the market this year is as good as it has ever been. But you make sure you have the paper with you and just put the prices under his nose – the price of every type of wool.

MAIRI Hang on a minute, Kenneth. What is English wool?

KENNETH Hang on, C-H-E-V – what on earth is that word?

MAIRI Cheviots, Kenneth.

KENNETH It's just Laggan sheep. Hang on, though. Cheviots, fourteen shillings. Two shillings more than the blackfaces. That will be a blow to the Laird. Make sure you have the prices on your tongue before you reach Strath Ban, and reel them off to the beast as you would in Caraitse. Here's another one L-E-I-C – This one is as difficult as pulling a fishing line with a squid on it.

MAIRI Leicesters, I bet.

KENNETH I think it is Leicesters, right enough, but 18 for a stone. The Kyle Laird won't do badly with that at all. It's only those soft, hornless sheep that he has. It seems to me that he gave £10 sterling for a Leicester ram last year. He has good sheep.

There's a knock on the door, and IAIN MARTIN *comes in: he is smartly dressed and has come from the Lowlands.*

KENNETH Ho, ho! Iain, mate; is it yourself?

MAIRI Welcome back, Iain. I am so pleased to see you, just as you are. (*they welcome him*)

KENNETH I knew, as soon as I heard that you had come home, that you wouldn't be long in coming to visit us, mate. Let me shake your hand again. Sit, and make yourself at home, at Kenneth's home. There now; I wonder if the Lowlands have changed you, lad. There won't be a young girl in the country that isn't flicking her fringe and the old boyfriends thrown behind the peat stacks. And you have been well since we last saw you?

MAIRI Mary Mother! He clearly has!

IAIN (*answering in English, and* KENNETH *and* MAIRI *shocked*) Oh, Ahm A1. Ahm champion. First Class.

KENNETH Well, friend, you were always fond of potatoes; and there is none better than the Champion since we no longer have the red potato.

MAIRI And the grey potato. It wasn't the worst.

IAIN Man, Ahm glad tae see ye baith. But, great sticks, Kenneth, ye hae a whusker on ye since Ah went awa'. I wad hardly ken ye if I didn't ken it was yourself. By jings! Ye are looking a wheen years aulder than me, though we are of an age. Great sticks! But the mustress is keeping to it weel.

KENNETH What's this Iain? Have you lost your Gaelic?

MAIRI Dear, dear! Isn't he funny! You know he's only joking and pretending.

IAIN Na, na; Ahm no swankin' a but. See you the big long years Ah was away in the Low Country hearing nosing but English all day. The Gaelic went away out of me and the English come in its place.

KENNETH Surely you still understand it. It's English I speak to the dog, and he understands every word even thought he doesn't speak it. Surely you understand it even though you don't speak it.

MAIRI Surely he can understand it and speak it. He isn't so hard of understanding.

IAIN I am understanding every word. I had a fine crack wis my mother yesterday when I come home, though she was talking the auld language all the time.

KENNETH Stop now. Are you telling me that your head is like a pop-gun and that one language knocked out the other, just like one wad knocks out the second wad from a pop-gun. Is it like that?

IAIN That's shust about the size of it.

KENNETH (*trying to speak English*) And *what will you be – what work – what – what –* Och, I am as bad as yourself. What have you been up to since you left? You look good, anyway.

MAIRI Yes, indeed, he does. He is getting like Ewan his mother's brother. Aren't his shoes good.

IAIN Weel, Ah was working on deferent sings; but Ah was most of the time workin' at the fermars.

KENNETH With the farmers, Mairi.

MAIRI I understand.

IAIN (*following*) Ah had a fine world among them, especially in the wunter. Almost every day in wunter there would be a dancing ball at night. It was splendid, splendid and the work wasna heavy neither in the wunter, for the day was so short, and sometimes it would be night in the daytime.

MAIRI I heard that from my mother. She knew the Lowland farmers.

KENNETH (*speaking English*) *And, and would you be a –* Curses on the English! You're not far wrong, Iain, I expect. It's threatening to jump onto your neck as if it were a tick. But what I was going to say, is were you a ploughman, or what?

IAIN Weel, Kenneth, Ah was a plooman at last; but at furst Ah was a hauflin. Weel, sometimes they called me a "skyte", and sometimes a "galute", and sometimes a "ned", for Ah could do everything.

Two or three girls enter: they welcome IAIN.

PEGGY I heard that you had come. How are you?

EILIDH Iain Martin! I remember the day he left.

KATE I wouldn't have recognised him. Hasn't he changed!

MAIRI He's changed in appearance and language. He doesn't have a word of Gaelic in his head.

PEGGY, EILIDH and KATE (*together*) For goodness sake!

IAIN Man, man! Isn't it strange, too. I am not knowing wan of these lassies though I knowed them before. Everything is deferent. Great sticks! It is putting a wunder on me to see Kenny himself growing grey; and see these lassies yourself, Mary, they were shust kids when I went away. And now I can be courting on them! What wan is thus? She's like her mother, anyhow.

PEGGY Surely, Iain, you recognise me. Do you remember when you sent me the new book from the village? Wee Peggy.

IAIN I have mind on it; but, man alive, Peggy, how you've growed. I would never ken you. I ken thus wan right enough: the tailor's lassie. Many a kilt he made to me.

KENNETH What, oh man, you're useless. That's Eilidh, the cooper's daughter.

IAIN Did Ah no tell you now? Ahm bate again. But I will let thus wan on me.

MAIRI Kate the cobbler's daughter. Isn't she like the one she is named after? Kate, her mother's sister.

IAIN I was sure on it: as like as two herrings. But I never saw Kate. She was out in the Low Country. Man, man, the world is strange, too. So she is like her auntie. (*everyone laughs*) Man, lassies, if you was down in the Low Country wan six months itself, it's you that would grow to be fine lassies. I am telling you it would make a man of you; and you would come home in a year or two just like leddies, and plenty English. Look; shust look at myself, the change that's on me for a few years; and I was reading *Robinson Crusoe* and Shakespeare every day.

(THE GIRLS *laugh and they say "Shakespeare"*)

IAIN (*following*) Well, that's what I'm saying.

MAIRI O, my dear, haven't I heard the story about "Robinson Crusoe" by Fair-haired Alasdair; and I never heard a story I liked better than it. Do you think it's true?

IAIN As true – as true as I am telling you. Man, woman, it's in prent!

KENNETH I never heard mention of the other one though. What do you call it?

IAIN (*he's not sure of the name himself*) Ha, ha! Try it now, Kenny, try it.

KENNETH Och! Curses on it now. The joiners have it. (*he's working with his hands*) Isn't it; isn't it – Spokeshave! What a slippery word! It's difficult to grasp.

IAIN (*himself and* THE GIRLS *are laughing*) Aha, Kenny, it's easily kent you're Heelan. Try again.

MAIRI Spearshake. Even I am better than you.

IAIN (*thinking that* MAIRI *is correct*) It is yourself that's clever, Mary, and you never left the glen.

THE GIRLS *are laughing.*

KENNETH Doesn't he have a strange name: Spearshake!

THE GIRLS *are laughing.*

IAIN Ha, ha, Kenny, Mary bate you. You could not say Shakespeare till you heard her. But you're right this time.

THE GIRLS *are laughing and they say "Shakespeare, Shakespeare".*

IAIN Ho! And the girls, too, have it!

MAIRI I suppose that "Shakespeare" is as difficult to say as "Shibboleth" for the Ephraimites themselves.

KENNETH I can't get my tongue around it anyway. I would have to make it do cartwheels in my mouth just as I did when I was a boy when I would eat the cooked limpets from on top of the fire, and they were sizzling in my saliva. (*everyone laughs*) Do you remember that, Iain?

IAIN No; I have no mind on it; and I was near no minding my mackintosh that I left outside on the dyke. She is so warm; and I am sorry I took it wis me; and I am going down to the Clachan before I turn back. I want to see if I will get otter skins from Niall Ruadh. Two of them would mak' a fine fine sealskin vest for the town. If Neil will not put them too dear on me, I will buy them at wanst. I sink seven bob, or seven and a tanner for the one each will be plenty.

MAIRI What's a *bob*? (IAIN *laughs*)

KENNETH "Bob". That's a shilling; and a "tanner" is six shiny shillings. I heard the same thing from the red-haired Irishman who bought the sheepskins from me last Spring. It must be that those words are mostly used for buying and selling skins. What do you think, Iain?

IAIN Ah, but, you wouldn't get an otter skin for a bob or a tanner, Kenny. That's the rub.

KENNETH But, man, you will – Och, man, won't you get it for seven "bobs", as you said yourself?

MAIRI (*she and* THE GIRLS *are laughing*) I think you are losing the Gaelic too Kenneth. It's no surprise that the Glasgow folk are losing it.

KENNETH Curse it. It just comes over me despite myself. It's as if there were a plague. The more you fear it, more likely to take it up; especially if there is wind from the south. Since Iain came in it's going through me like a beard of barley when I beat it. What do you think Iain would it help to wear to tartan to keep it away from me? Yes, before I lose the Gaelic.

IAIN You're far better wisout the Gaelic, like me. You'll get far better on wis the fermars. Did you ken what an auld fermar told me wanst. When I feed wis him I had no English; and when I met him in the Buchts in the head of two years again, he said, "Weel, weel, Jock, I never thocht that ye was sich a gowk as to lose a' your Gaelic in twa years." You see, Kenny, he did not think I was so clever.

MAIRI Here now! Wasn't he smart! He had a good opinion of you "Gowk": well now! (*she and* THE GIRLS *laughing*)

KENNETH Away with you! I never saw a man that I couldn't pull a flail as energetically as, that I couldn't make a furrow as straight as and that I couldn't make a swathe of hay as thick as, without speaking a word of English from when I started to when I finished. They say to me that Gaelic will keep the Gaels back; and there are many of that opinion going about the streets of the big cities that they can hardly open their mouths yawning with weakness and lack of food. Didn't they get ahead, sure enough! Without a word of Gaelic in their heads: and just as well. I've never heard a man say that Gaelic keeps a man back where there wasn't a man senior to him who had lots of Gaelic. How did people get by in the world before English came to the country? And I don't know whether it would be in Scotland yet if it wasn't for that stupid dull of hearing Malcolm Kenmore who married the English woman, and who every beggar in England followed, marrying our Highland heiresses for a home and livelihood for themselves, in the same way the poor German princes are still doing to us today. Remember, lad, you only speak the language of the beggars.

MAIRI You are right, Kenny. I am proud of you.

THE THREE GIRLS Splendid, splendid!

PEGGY Keep it up, Kenny:

KENNETH (*singing*)

Hòro, 'illean, hù o illean,
Hòro, 'illean, gu math slàn dhuibh;
Nan robh tuilleadh dhuibh nar dùthaich,
Cha do mhùch iad oirnn a' Ghàidhlig.

Hòro, 'illean, hù o illean,
Hòro, 'illean, may you be well;
If there were more of you in our country,
They wouldn't smother our Gaelic.

PEGGY Sing up, Iain!

KATE There'll be no courting for you in the glen on this trip if you don't have Gaelic.

EILIDH He's only pretending. Love knows every language!

MAIRI By goodness, it doesn't. I don't think anything pleasant can be done in the Saxon English, except a kind of trade. Goodness! People didn't start raising their families by the shore until the English arrived. No wonder at all that the people of Glasgow have such pale faces when their food is measured out for them as if it is medicine. Oh dear, oh dear! In the old days nothing was measured or counted, but a fistful of tweed, a bend of a stocking and the wool of the sheep.

IAIN Weel, a gentleman was telling me wanst – weel, he was no a gentleman, neither, for he had plenty of Gaelic – he was telling me there was a name for all the measures in Gaelic – for selling whusky, anyhow. I canna mind the Gaelic for "half-mutchkin"; but it's very strange –

THE GIRLS Half-mutchkin, half-mutchkin!

MAIRI Oh, friends, friends! What strange name is that?

KENNETH Half-mutchkin? Wait. It's a heavy weight of something. Something you would probably need to put in a cart. Half-mutchkin? Wait a minute. Half-mutchkin? Is it a barrel? Anyway, it's something important.

THE GIRLS (*laughing*) A half-*bodach*,[1] Kenny! Haha, a half-*bodach*!

IAIN The very thing. That's hit noo. I knowed there was something about an old man in it; but I had no mind how much.

KENNETH O, dear, dear, Mairi! Half-*bodach*! "Half-mutchkin" is the English for "half-*bodach*"! Aren't the two names so dissimilar to each other. I have no idea what the English for *bodach* is. It's not The Old Man of the song, it's not old Peggy's old man, but a bottle of whisky, so a *bodach* is a bottle here.

IAIN (*taking out his watch*) Weel, it will be time for me to be going. I'll call again when I am returning.

MAIRI Och; visit –

PEGGY Wait until we have a good Gaelic song. And you can give us an English song.

KATE (*clapping her hands*) That's it; that's it. Peggy will sing the one she sang at the Mod.

EILIDH Sing "'S toil leam an cìobair," Peggy.

MAIRI That's the one! A lovely old song.

KENNETH I'm really enjoying your visit. That's a proper ceilidh now. That's a ceilidh. And you'd better ask the other lad to come in. Don't leave a poor stranger outside the house.

MAIRI Which lad?

PEGGY Is there a man outside?

EILIDH I didn't see anyone outside when I came in myself.

KENNETH Och! The man who is with Iain. Where did you leave him, Iain?

IAIN There was no wan at all wis me.

KENNETH I thought you said you left MacIntosh outside on the wall. Isn't that what you said? The poor man.

IAIN (*clapping his hands together*) Ha, ha, Kenny! It is easy to see you are Heelan. It was no a man I left. Ho, ho! Guess it. It's for keeping your outside dry when it is wet. Try it now.

THE GIRLS *are laughing.*

---

1 *Bodach* – is the Gaelic for old man, and much of the following humour and interaction depends on knowing this; it is also an old colloquial measurement for a bottle.

MAIRI There you have it! Isn't the lack of English a shame after all. MacIntosh! What on earth is it? It could only be someone?

KENNETH To keep you dry when you are wet? It's a towel. That's a towel. It's on the outside we use it anyway, to dry us. Is that it, Iain?

IAIN Not yet, Kenny; but you are coming on it. Ha, ha; yourself is the boy too, Kenny. Try it wan time more now, before you let it on you.

MAIRI I know, I bet.

PEGGY Yes, and me too.

EILIDH And me.

KATE I know, too. Will I say it, Iain?

IAIN Don't say it till Kenny lets it on him. Ha, ha, Kenny, if the girls beat you now! Dugald, the joiner, has it. I sawed it wis him coming from the Clachan yesterday. Now, that's a good sign for you, and if you will guess it you're no worse.

MAIRI *and* THE GIRLS *smile, and* KENNETH *paces throughout the house.*

KENNETH Dugald the joiner has one. Ha, ha! I have it at last. How on earth did I not work it out to start with, I have heard it so often. Ha, ha, MacIntosh; and old MacIntosh! (*the rest roar with laughter*). Haha, you can laugh. I understood it as well as you. Many a time it sent poor Dugald the joiner head first into the ditch at the main road when he was coming from the Inn. Right one of you go out and bring in that big bottle. Haha! Well I knew it friend, that you wouldn't come to see me after coming from Glasgow, without wetting my throat; and there it is, friend.

IAIN *and* THE GIRLS *are bursting with laughter.*

IAIN O, well done; well done, Kenny! You are giving on me to be laughing, and you're wronger now than before. The thing I mean is for keeping you dry outside when it is wet. But what you are saying is for keeping you wet inside when you are dry. Ha, ha! And I am tee tee, too, besides; and I wouldna have whisky.

KENNETH I'm all about the tea and the coffee myself. But there was never a day that I didn't enjoy a good dram of MacIntosh. But, whatever, I will pretend –

MAIRI We are better than you, Kenneth.

THE GIRLS (*together*) Indeed we are. (*and laughing*)

KENNETH Well Kenneth is no better than you.

IAIN It's a waterproof, Kenneth.

MAIRI Didn't I tell you, now?

PEGGY And me.

KATE And me.

EILIDH And me, all of us –

KENNETH Oh, friends, friends! Is "Mackintosh" another word for waterproof? But it has a good name. He was pig-headed the fellow that called it that. The MacIntoshes were always hitting. It's as you could say a comparison. What do you think?

FEMALE NEIGHBOUR (*coming in in a hurry*) Kenneth, Kenneth, dear! Look outside, what is on your black cow. She is up on the moor jumping and lowing and bellowing in a red rage, and there's something grey like a small blanket, that someone left out on the that wall, on her head and horns. If luck is not on our side, her neck will break going over the rocks. She's made every cow in the village bellow and toss their horns. Off you go quickly to see what's wrong!

MAIRI Kenneth, Kenneth, look out. There's not a cow in the village that is not distressed. What mishap has come over them today rather than any other day.

KENNETH *is putting his shoes on in the meantime.*

KENNETH But what is the one misfortune? I better look for her. Where's the stick? I have no idea where she got hold of the rag that has got stuck on her head like that.

KENNETH *goes out, and* MAIRI *follows him.*

IAIN (*getting up, and his eyes are burning in his head*) A rag; a rag! My loss is complete. My new, fashionable coat, ripped. This trip was a loss for me, eh friend, dear? My coat in shreds thanks to Kenneth's black cow, and I only ever wore it for two hours. Let me out; let me out![2]

IAIN *jumps out.* THE GIRLS *get up.*

PEGGY What's wrong with the cow?

---

2 From this point, where Iain's speech is in standard English, he has started speaking Gaelic and he continues to speak in Gaelic apart from once towards the end where he needs reminded to do so.

EILIDH Just Iain's raincoat has got stuck on her head: she's happy enough now, scratching herself on the wall. Haha! He has plenty of Gaelic now!

KATE Indeed, well he can be happy that there isn't a combing card or two inside it! A cow that won't leave an old shoe on a midden and even horse-shoes and nails uneaten.

THE THREE GIRLS *laugh.*

PEGGY You've got selective hearing. Mairi says there isn't a beast on the moor as civilised as her.

KATE It would dent Iain Martin's pride. What a shame if he has to go home to Glasgow with the coat in bits, no use to anyone. Haha!

THE THREE GIRLS (*together*) Shh; shh! Here they are back! They are back!

The other three come in with the coat.

IAIN I got it again, and I will never trust the top of a wall again. Wait till I see if it is torn.

MAIRI Oh, my cow, my cow! Shame on me, shame on me! Look, dear, did it ruin your good new coat?

KENNETH Black cow of my misfortune! Black cow of my misfortune! If she ruined it my friend, who kindly came to visit me. Look, friend, is it all in one piece. What a pity if it has been ruined.

IAIN (*spreading out his coat, he,* KENNETH *and* MAIRI *turn it over and examine it together.* KENNETH *is behind* IAIN, *one hand on his mouth stopping him from laughing, looking at* THE GIRLS, *pointing at* IAIN *who is speaking Gaelic.* THE GIRLS *are bursting with laughter as well.*) There's nothing wrong with it. It's how I left it. (*He keeps on turning over and shaking his coat.*) And I bet I will never leave it at the mercy of a cow again. After this, where I go, it goes. (*He puts it under his arm and sits down.*) There wasn't another like it in the shop where I bought it. It was "a job lot". You won't understand that, Mary.

KENNETH (*breaking down and bent over with laughing*) Hoho, Iain, Iain, this upheaval and disaster was the best thing for you ever I heard. Your good Gaelic has come back to you in an instant, just as suddenly as Big Ewan's chimney fell; and I can't tell that you were ever a day away from the village. Ha, ha, ha! (*They all laugh.*)

IAIN Wow, it came back to me with the excitement?

MAIRI It could be?

KENNETH They say that a turn like that is really good as a cure for
sciatica; but sure, until I heard it with my own two ears, I never
heard that it was good at changing a language back for those that
had lost it. You should be grateful to my black cow. As my old
school teacher said: isn't she the professor!

MAIRI Hmph! Would you not be quiet. Isn't it a shame that a turn
didn't come over me and you, to see if we could speak English.

KENNETH English! You don't know what language you'd end up with
if we had a turn like that, or perhaps it's not just one language that
we would end up with. It must have been for Iain that it was Gaelic
that was nearest to the gatepost that time, or I don't know whether
he would be travelling the country now singing in a way that
people wouldn't understand one word he said. And wouldn't it be
a shame, Mairi, if Hebrew came over you and Greek over me and
we couldn't understand a word the other one said. Ho ho, Mairi,
we would just have to go our own ways across the planet just like
the ones who built the Tower of Babel. I am delighted you've got
your Gaelic back, Iain, and that's it.

IAIN Ho ho, thank you!

KENNETH Goodness! If Ewan the fiddler were with us, you and I
would dance "The Reel of Tulloch" on account of it – and the
lovely girls with us here, anyway. (*They all laugh.*) Goodness!
You've never heard anything as lively as Ewan when he sets his
jaw on the fiddle and plays it:

KENNETH *sings a puirt-a-beul.*

A shean chailleach ghrànda,
Cum bhuam do luideagan;
A shean chailleach ghrànda,
Cum do luideagan o m' bhiadh.

Oh ugly old woman,
Keep your rags from me;
Oh ugly old woman,
Keep your rags from my food.

Repeat this verse.

Teann a nunn, fuirich thall;
Cum bhuam do luideagan;
Teann a nunn, fuirich thall;
Cum do luideagan o m' bhiadh.

Go away, stay away;
Keep your rags from me;
Go away, stay away;
Keep your rags from my food.

Repeat this verse.

As if he is playing the fiddle.

MAIRI The girls will give us a good song, since Ewan isn't near.

IAIN (*clapping his hands*) Lovely, lovely! It's a long time since I heard a Gaelic song.

KENNETH Here we are now, my lovies! Give us a good, fast song. We'll join in the chorus.

THE GIRLS *sing "Mo roghainn a' Ghàidhlig" (My Choice is Gaelic) [Còisir a' Mhòid, 30]. Some of a choir could come on and sing too.*

MAIRI Well, I am blessed to be in your company, young ones. I doubt there's a person under the sun who would pick up a language in which there is so much music.

KENNETH What do you think of that, now, Iain? Sure, isn't there a drop of life in our beautiful, eloquent, sweet Gaelic yet? Doesn't look like it's dying? Ha, ha, boy, Iain, it's stronger than it was one hundred years ago; and long may it continue.

MAIRI (*clapping her hands*) Up with the Gaelic! Up with it!

IAIN (*standing up, after putting his coat on*) (*In English*) It is not the want of the Gaelic that is on me, but –

KENNETH Stop; stop now, Iain. Remember yourself. Remember the black cow. Remember where you are.

IAIN Excuse me. What I was going to say was that I couldn't think, even in a dream, that there was such elegance in the language of my country or that it was possible for Gaelic to reach such a level that it could deliver music in such a beautiful way. It really was melodious. Before I left my home, Fair-haired Janet was judged the best singer in the area; but what I heard today would make her sad.

MAIRI Janet was good in her day, right enough.

KENNETH Fair Janet! Poor Janet's singing was only, my dear, as you would hear a whistling in the wind at the old barrel beside the door of the barn, compared to these girls. And remember that they weren't singing the same thing. If you hear some of them separately, you would think that it was the sound of Hector from the Woods while he was making a creel: the strangest thing you ever did hear, however awful they were separately, they fitted together just right when their voices came together. The chanter and the drone finely tuned. Do you see? Harmony.

IAIN I never heard the likes. (*On his way to the door to leave.*) But I will say this about the Gaelic, that I turned over a big wide leaf. And another thing, so long as Iain son of Martin is alive, Gaelic will never die.

MAIRI and THE GIRLS Hurray!

KENNETH Long may you be of that mind, then. And if you can't do anything, sing the songs even though you would distract all the foals in the Lowlands from suckling by singing:

KENNETH *sings a puirt-a-beul.*

Siud mar chaidh an càl a dholaidh

(*Repeat three times*).

Air na bodaich Ghallda.
Siud mar chaidh an càl a dholaidh.

(*Repeat twice*).

Laigh a' mhin air màs a' choire,
'S bean an tighe dannsadh.

That's how the cabbage was spoiled.

(*Repeat three times.*)

By the old Lowland men.
That's how the cabbage was spoiled.

(*Repeat twice.*)

The flour lay at the bottom of the pot,
And the woman of the house dancing.

IAIN Cheerio, then.

EVERYONE Bye.

KENNETH (*while everyone is getting ready to go*) It doesn't take much to bring Gaelic to the surface, friends, although ignoring it will send it to the bottom. But while there's breath in it yet, it will always come to the surface somewhere.

CEANN CROPIC

Fionnlagh MacLeòid

1963

CEANN Cha do chuir . . . cha do chuir mi siùcar idir innte . . . dè na
tha thu gabhail? . . . Seachd gu leth . . . ochd? Ochd a thuirt thu
an toiseach . . . 's e . . . 's e seachd gu leth. . . Cuiridh mi sia innte.
Liomaid! Nach eil fhios agad nach eil liomaid innte is sia gu leth de
shiùcar innte . . . Seo, tha sia gu leth innte . . . Liomaid na h-aonar!
Chan eil thu ag iarraidh tì? . . . Ma tha, thuirt thu gun robh . . .
Thuirt thu tì . . . Cha leig thu leas, òlaidh mi fhìn e.

Suidhidh e air a' bhogsa, aghaidh an taobh dheis.

Tha seo ro mhilis! . . . Dè na chuir thu innte? . . . Trì? . . . Dh'iarr
mi ort leth na spàine a chur innte. (*seasaidh* CEANN) Suidh . . .
Suidh sìos. Dè tha thu a' cluinntinn? . . . Càite?

Thèid CEANN *a-mach a rannsachadh, a' fàgail a' chupa air a' bhogsa.*
Thig CROPIC *a-steach, togaidh e an cupa agus suidhidh air a' bhogsa,*
aghaidh an taobh chlì. The e ag òl an tì nuair a thilleas CEANN.

CROPIC Tha seo searbh.

CEANN Searbh?

CROPIC Mar am boiteag.

CEANN Ma tha, chaidh ochd spàintean innte.

CROPIC 'S math tha fhios agad nach eil mise a' gabhail ach leth na
spàine.

CEANN (*a' suidhe air an taobh dheas*) 'S e, is tha mise.

CROPIC (*a' suidhe air an taobh chlì*) 'N e?

CEANN 'S e.

CROPIC 'S e, is tha mise.

Stad. Tha CROPIC *ag òl. (Tha iad nan suidhe druim ri druim, càirdeil)*

CEANN 'N caomh leat snèap?

CROPIC Cha chaomh.

CEANN Mur a chaomh, nì i cron ort.

CROPIC Cha dèan snèap suaineach.

Stad

Cha dèan snèap suaineach, cha chreid mi.

Stad

CEANN Cha chreid mi gun dèan.

Stad

Chunnaic mise duine bho chionn dà fhichead bliadhna.

CROPIC (*a' sealltainn air an doras airson greis*) Bheil an doras glaiste?

CEANN Chunnaic mise duine an-uiridh.

CROPIC Bheil an uinneag?

CEANN Chunnaic mise duine an-dè.

CROPIC Tha thu cinnteach nach fhaigh duine a-steach?

CEANN Chaidh e sìos an rathad is cù aige. Duine trom.

CROPIC Chan fhaigh duine a-steach?

CEANN Duine . . .

CROPIC Steach!

CEANN Duine (*nas luaithe*)

CROPIC Steach.

CEANN Duine . . . (*nas luaithe a-rithist*)

CROPIC Steach.

Stad

CEANN Bha fuaim ann a chianaibh.

CROPIC Càite? (*eagalach*)

CEANN Bha . . . Chuala mi rudeigin 's chaidh mi a-mach.

CROPIC Cha chuala mise càil. (*stad*) Na dhùin thu an doras?

CEANN Dhùin.

CROPIC Na dhùin thu an uinneag?

CEANN Dhùin.

CROPIC (*tionndaidh e*) Chan eil uinneag ann.

CEANN Chan eil.

CROPIC Nach eil?

CEANN Chan eil.

CROPIC Bha dùil agam gun robh.

CEANN Chan eil.

CROPIC Eil i glaist?

CEANN Tha.

Stad

CROPIC Ist. Dè bha siud?

Fàgaidh iad am bogsa.

CEANN Faca tu càil?

CROPIC Chan fhac'. Faca tus'?

CEANN 'N cuala tu càil?

CROPIC Cha chuala. 'N cuala tus'?

CEANN Chuala. (*na shuidhe*) Suidh.

CROPIC (*na shuidhe*) Cha do dh'fhairich mi càil.

CEANN Dh'fhairich. Dh'fhairich an damhan-allaidh tuainealach nuair
a bha e fighe.

CROPIC Fighe?

CEANN Fighe.

CROPIC Dà spàl?

CEANN Trì gu leth.

CROPIC Newall?

CEANN Coinneach Rod.

CROPIC Robh feagal air?

CEANN Cò air?

CROPIC An damhan-allaidh.

CEANN Dè ma dheidhinn?

CROPIC Robh feagal air?

CEANN Bha.

CROPIC Robh fallas air?

CEANN Bha.

CROPIC Dè rinn e?

CEANN Ghabh e pile-phlùic.

CROPIC Aon?

CEANN Dà gu leth.

CROPIC Le bùrn?

CEANN Cha b' ann.

CROPIC Le aran?

CEANN Cha b' ann.

CROPIC Le càis?

CEANN Cha b' ann.

CROPIC Le tì?

CEANN Le tì?

CROPIC Le cupa tì.

CEANN Le cupa-uighe.

CROPIC Cupa-uighe?

CEANN Cupa-uighe tì.

CROPIC Ist!

CEANN Dè rud?

CROPIC Mial.

CEANN Sneadh.

CROPIC (*nas àirde*) Mial!

CEANN (*àrd*) Mial!

CROPIC (*àrd*) Sneadh.

Stad

CEANN Chunnaic mise duine an-dè le sneadh air streang.

Stad fada

　　Fhuair mi fios gun tigeadh iad . . . fhuair mi fios gun tigeadh iad air do thòir a-nochd.

CROPIC Cha d' fhuair. (*Seasaidh iad gu math luath*)

CEANN Fhuair.

CROPIC Cò bhuaithe?

CEANN Bean phòsta.

CROPIC Aig trì uairean sa mhadainn?

CEANN Ceithir is cairteal.

CROPIC Trì cheartail.

CEANN Ceartail.

CROPIC Nad chadal?

CEANN Nam dhùisg.

CROPIC (*ris an luchd-èisteachd*) Nuair a tha mise nam chadal 's ann a tha mi nam dhùisg.

CEANN (*ris an luchd-èisteachd*) Nuair a tha mise nam dhùisg 's ann a tha mi nam chadal. (*stad*) A-nochd. (*droch-thuarach*)

CROPIC Cha tig.

CEANN Thig. Thig iad air do thòir.

CROPIC Cha tig!

CEANN Dè rinn thu? (*gu mall*)

CROPIC Cha tig!

CEANN Dè rinn thu? Dè rinn thu?

CROPIC Cha tig.

Thèid CROPIC *deiseil mun cuairt an àrd-urlair. Seasaidh* CEANN *ann am meadhan ga choimhead.*

CEANN 'N i mort? 'N e milleadh? 'N e math? 'N e misg? 'N i marag? 'N i muin? 'N i moladh? 'N e magadh? 'N i mùn? 'N e mial? 'N i maighstireachd? 'N i mìorbhailean?

Stad. Tha CROPIC *air a ghlùintean air taobh deas an àrd-urlair 's a dhruim ris an luchd-èisteachd.*

CROPIC Cha tig.

Tha CEANN *na shuidhe air taobh clì a' bhogsa.*

CEANN Cò thu? (*Chan eil* CROPIC *a' gluasad*) Cò thu? (*nas àirde*)

CROPIC Cò mi?

CEANN Cò thu?

CROPIC (*A' dol don bhogsa 's e a' cnuasachadh air a' cheist. Suidhidh e air taobh deas a' bhogsa*) Cò mi?

CEANN Cò mi? Cò thu? Cò e?

CROPIC (*nas ciùine*) Cò sinn? Cò sibh? Cò iad?

Stad. Tha an dithis a-nis air ais air a' bhogsa.

CEANN Dè an t-ainm a tha ort?

CROPIC Dè an t-ainm a tha ort?

Stad

CEANN Bha e ag ithe pile-phlùic gu leth ann an cupa-uighe tì. (*stad*) Ceann.

CROPIC Ceann.

CEANN Ceann! Dìreach Ceann.

CROPIC Dìreach Ceann. Ceann dìreach.

CEANN Chaidh an damhan-allaidh air a cheann-dìreach.

CROPIC Dè an t-ainm a th' ort?

CEANN Ceann.

CROPIC Ceann?

CEANN Seadh, Ceann.

CROPIC Cò thu?

CEANN Cò mi? Cò e? Cò thu?

Stad

Cò thu?

CROPIC Cropic.

CEANN Cropic?

CROPIC Cropic.

CEANN Propic.

CROPIC Cropic.

CEANN Cò thu? Propic?

CROPIC Cropic. Cò thu?

CEANN Ceann. Propic cò thu?

CROPIC Ceann Cropic.

CEANN Ist!

CROPIC Dè? (*Tha e na sheasamh*)

CEANN Seo iad gad iarraidh.

CROPIC Chan eil.

CEANN Tha.

CROPIC Chan eil.

CEANN Tha.

CROPIC Chan eil.

CEANN Dè rinn thu? (*Tha* CROPIC *a' dol timcheall ana-deiseil a'
coimhead air* CEANN *le uabhas.*) 'N e mì-chàirdeas. Mì-chreideas.
Mì-chliù. Mì-dhiadhachd. Mì-chòrr. Mì-chàil. Mì-mhodhalachd.
Mì-stiùireachd. Ministear. Mial.

Tha CROPIC *shìos, taobh clì an àrd-urlair agus a dhruim dhan
luchd-amharc.*

CROPIC Chan eil. (*Làmh aig a bheul le àmhghar.*)

CEANN Tha an t-àm air a thighinn. (*Na shuidhe air bogsa an taobh
dheis*) Fhuair mi fios aig seachd uairean deug sa mhadainn.

CROPIC Cha d' fhuair.

CEANN Fhuair.

Stad fada. Èiridh CROPIC *agus suidhidh e air bogsa air an taobh chlì. Druim ri druim.*

Càit an robh thu?

CROPIC Air a' chreagach.

CEANN Air a' chreagach?

CROPIC Air a' chreagach.

CEANN Baoit?

CROPIC Slat.

CEANN Taigh-thàbhaidh?

CROPIC Crùbag?

CEANN 'N d' fhuair thu càil?

CROPIC Fhuair.

CEANN Cudaig?

CROPIC Smalag.

CEANN Saoidhean?

CROPIC Rionnach.

CEANN Cnòdan?

CROPIC Traille.

CEANN Lèabag?

CROPIC Biorach.

CEANN Biorach!

CROPIC Biorach . . . dà sgadan . . . leth langa . . . 's pit-fhliuch.

CEANN Cha d' fhuair.

CROPIC Fhuair.

Stad

CEANN Càit an robh thu air?

CROPIC Vàtisga.

CEANN Carraig a' Chait?

CROPIC Palla Slàine.

CEANN Mula Hàis?

CROPIC Cleite Dhòmhnaill.

CEANN Poll Hàkeil?

CROPIC Roarmiga.

CEANN Piorr Cait?

CROPIC Gròdavig.

CEANN Spàinivig.

CROPIC Toll Priona Bibolain.

CEANN Toll cò?

CROPIC Ist!

Thig cairt-phuist gheal tron chùrtair. Thèid CEANN *ga h-iarraidh.*

CROPIC Fuirich!

Togaidh agus leughaidh CEANN *e.*

Dè th' ann?

CEANN "Fosgail." (*a' leughadh*)

CROPIC Chan fhosgail.

CEANN Chan fhosgail.

Stad. Suidhidh e.

CROPIC Fosglaidh.

CEANN Chan fhosgail.

CROPIC Chan fhosgail.

CEANN Fosglaidh.

Stad. Èiridh e.

CROPIC Chan fhosgail.

CEANN Bha fhios agam nach fhaigheadh tu às leis.

CROPIC Chan fhosgail.

Stad. Suidhidh e.

Fosgail thus' e.

CEANN Canaidh mi nach eil thu a-staigh.

CROPIC Chan fhosgail.

CEANN Thig air falach.

CROPIC Chan fhosgail!

CEANN Air chùl sin.

Thèid CROPIC *air chùlaibh a' bhogsa. Chan fhaicear an t-aoigh.*
Bruidhnidh CEANN *ris an aoigh aig an doras.*

Dè tha thu ag iarraidh?

Creididh iad gun tàinig Cas Cham a-steach agus gun do shuidh e air a'
bhogsa 's a dhruim ris an luchd-amhairc. Tha CEANN *air an taobh chlì*
dheth agus CROPIC *air an taobh dheas dheth.*

CROPIC (*na sheasamh a-nis*) Cò tha thu ag iarraidh?

CEANN Dè chuir an seo thu?

CROPIC Cò chuir an seo thu?

CEANN Dè?

CROPIC Cò?

CEANN 'Eil eagal ort?

CROPIC 'Eil cianalas ort?

CEANN 'Eil cadal ort?

CROPIC 'Eil acras ort?

CEANN Suidh sìos.

CROPIC Seas!

CEANN Suidh.

CROPIC Suidh.

CEANN Laigh.

CROPIC Suidh.

CEANN Suidh.

CROPIC Cò thu?

CEANN Carson a thàinig thu an seo?

CROPIC Dè an t-ainm a tha ort?

CEANN Cionnas a thàinig thu an seo?

CROPIC 'N e Ealasaid?

CEANN Am faca tu duine le cù?

CROPIC 'N e Seònaid?

CEANN Air sreang?

CROPIC 'N e caille-bianaidh?

CEANN Caora-mhitheag?

CROPIC Corra-ghritheach?

CEANN Clamhan?

CROPIC Clòbhar?

CEANN Cas?

CROPIC Cam?

CEANN Dìreach?

CROPIC (*ri* CEANN) Ciamar a bhiodh cas-chrom dìreach?

CEANN 'N e cas-cham d' ainm?

CROPIC 'N e dìreach?

CEANN 'N e Cropic?

CROPIC 'N e Ceann?

CEANN Ceann Cropic?

CROPIC Ceann Propic?

Stad

CEANN (*ri* CROPIC) Chunnaic mise duine, 's bha a dhà shùil air stad na cheann. Thuirt e, "Bheil thu ga coimhead?" Seall. Shuas anns na sgòthan.

CROPIC Dè bh' ann?

CEANN Submarine.

CROPIC Submarine!

CEANN Submarine . . . mhòr dhearg . . . 's i ri placadaich a sgiathan.

CROPIC Dè thachair?

CEANN Thàinig i sìos . . . 's dh'fhalbh iad leis!

CROPIC Cha do dh'fhallbh.

CEANN Dh'fhalbh.

CROPIC 'Eil an doras glaist?

CEANN Tha.

CROPIC 'Eil an uinneag?

CEANN Tha.

CROPIC 'Eil toll nan cearc?

CEANN Toll nan cearc!

Èiridh iad le clisg. Chuala Cas Cham rudeigin.

CROPIC (*ri Cas Cham*) Dè bh' ann?

CEANN Dè chuala tu?

CROPIC Dè chunnaic thu?

CEANN Dè dh'fhairich thu?

Stad beag.

CROPIC Dè fuaim?

Stad beag.

CEANN Cha b' e!

Stad beag.

CROPIC Cha robh.

CEANN Thèid thu a-mach!

CROPIC Thèid thu a-mach!

CEANN (*ri Cas Cham*) 'S tusa a tha iad ag iarraidh!

Iarraidh e air Cas Cham tighinn dhan doras a dh'fhosglas e.

   (*Ri* CROPIC *agus e na shuidhe air an toabh dheas*) Dh'fhalbh e.

CROPIC Dh'fhalbh. (*na shuidhe air an taobh dheas*) An tug iad
   leotha e?

CEANN 'S ann a bha e còmhla riutha.

CROPIC 'S math a dh'aithnich mi . . . air a bhriogais dhubh.

CEANN Cha robh a bhriogais ach dearg.

CROPIC 'S ann buidhe.

CEANN Le srianag uaine a ruith bhon dàrna cas chun na guailne eile.

CROPIC Cha b' ann. Srianag uaine a ruith bhon dàrna gualann chun
   na cois eile.

CEANN Srianag uaine.

CROPIC Srianag ghorm.

CEANN Srianag uaine.

CROPIC Gorm mar feur.

CEANN Uaine mar feur.

CROPIC Cha robh srianag ann.

CEANN Cha robh.

Stad

CROPIC Falt àlainn air.

CEANN Falt buidhe.

CROPIC 'S e. Maise-mhullaich.

CEANN 'S dà shùil bhòidheach a' coimhead a-mach às a dhà chluais.

CROPIC Às a thrì cluasan.

CEANN 'S e. Trì cluasan . . . 's trì sùilean gu leth.

CROPIC Slisinn às a chluais-thoisgeil.

CEANN 'S toll foidhpe.

CROPIC Gearradh craiceann os cionn na cluais-toisgeil.

CEANN Bha dà chluais-thoisgeal air.

CROPIC Cha robh . . . dhà chluais dheas.

CEANN Robh?

CROPIC Bha.

CEANN Bha.

CROPIC Meallan beag air a chluais dheas, is gearradh-falaich fo tè de na cluasan-toisgeal, agus sgoltadh air an t' eile.

Stad.

CEANN Cha robh cluasan air.

CROPIC Cha robh ceann air.

CEANN Cha robh briogais dhearg air le srianag bhuidhe bhon dàrna gualann chun na cois eile.

CROPIC Cha robh briogais air.

CEANN Cha robh e ann.

CROPIC Cha robh e ann.

CEANN (*ris an luchd-amhairc*) Faca sibhse càil?

CROPIC Faca iad càil?

CEANN Chan fhaca.

CROPIC Faca tus'?

CEANN Chunnaic . . . bha e a' coiseachd sìos rathad ri taobh aibhne. Bha sneachd air an talamh. Mhùin an cù anns an t-sneachd.

CROPIC Chan eil duine a-staigh ach sinn fhìn.

CEANN 'Eil mise ann?

CROPIC Chan eil. 'Eil mise?

CEANN Chan eil. Chan fhaca mi riamh thu.

CROPIC Ist. (*stad*)
An cuala tu càil.

CEANN Cha chuala . . . ach chuala *an cù* fuaim nach cuala an duine idir.

CROPIC Cha robh fuaim ann.

CEANN Bha. Chuala an cù e.

Stad

CROPIC Robh duine a-staigh an seo?

CEANN Duine dubh, le briogais gheal air 's gèimhleag aige?

CROPIC Seadh.

CEANN Bha.

CROPIC Bha mi a' smaoineachadh gun robh.

CEANN Dh'fhalbh e.

CROPIC Na dh'fhalbh?

CEANN Dh'fhalbh.

CROPIC 'Eil thu cinnteach?

CEANN Chan eil. 'Eil thus'?

CROPIC Chan eil.

CEANN Tha mis'.

CROPIC Tha 's mis'.

Stad

  Cha robh a leithid a-riamh ann.

CEANN Cha robh.

Gnogadh aig an doras.

CROPIC Dè bha siud?

CEANN Dè rud?

CROPIC An cuala tu càil?

CEANN Cha chuala.

CROPIC Cha chuala na mis'.

CEANN (*ris an luchd-amhairc*) An cuala sibhse càil?

CROPIC (*ris an luchd-amhairc gu làidir*) Cha chuala.

CEANN Ma-thà, bha gnogadh aig an doras.

CROPIC Cha robh.

CEANN Bha.

CROPIC 'Eil an doras glaist?

CEANN Tha.

CROPIC Na fosgail an doras.

CEANN Thusa!

CROPIC Chan e!

CEANN Dè rinn thu?

CROPIC Glas an uinneag.

CEANN Fosgail an doras.

Thèid iad a-mach air an taobh chlì. Tillidh CEANN *'s e a' slaodadh bogsa.*

Tha e a' toirt na mo chuimhne an duine leis a' chù . . . bha mi ga choimhead pìos bhuam is e ri dol na b' fhaide às . . . dh'aithnich . . . dh'aithnich mi e gun teagamh. 'Eil fhios agad cò bh' ann? Bha mi fhìn. Bha mi air m' fhàgail fhìn air mo chùlaibh, 's ga mo choimhead fhìn ri dol air adhart le cù air sreang, is briogais bhuidhe orm le srianag ghorm bhon a' chois dheas chun na guailne eile . . . tha . . . tha rudeigin air a thòin.

Seallaidh e anns a' bhogsa agus bheir e rudeigin a-mach (chan eil càil na làmhan.)

'Eil fhios agad dè th' ann? Nach eil? 'Eil fhios aig duine gu dè th' ann?

(*ris an luchd-amhairc*) Nach sibh a tha bodhar.

Tha "an rud", mas fhìor na làmhan gus am faic an luchd-amhairc.

Mur a chluinneas sibh sin, 's iongantach mur a deach an t-uabhas seachad oirbh an seo a-nochd . . . Na bi thusa a' smaoineachadh nach eil e ann ged nach fhaic thusa e (*ris an luchd-amhairc*) . . . Tha ma-thà Ceann-Cropic!

Tilgidh e "an rud" a-mach thairis an luchd-amhairc.

CEANN CROPIC

Finlay MacLeod

1963

CEANN I didn't . . . I didn't put sugar in it at all . . . what do you take? . . . Seven and a half . . . eight? You said eight to start with . . . yes . . . yes seven and a half . . . I'll put six in it. Lemon! Don't you know that there isn't lemon in it with six and a half spoons of sugar in it. . . . Here, there are six and a half spoons of sugar in it . . . Lemon on its own! Don't you want tea? . . . If not, you said you did . . . You said tea . . . Don't bother, I'll drink it myself.

He sits on the box, facing right.

This is too sweet! . . . How much did you put in? . . . Three? I asked you to put half a spoon in it. (CEANN *stands*) Sit . . . Sit down. What do you hear? . . . Where?

CEANN *goes out to find out, leaving his cup on the box.* CROPIC *comes in, he lifts the cup and sits on the box, facing left. He drinks the tea then* CEANN *returns.*

CROPIC This is bitter.

CEANN Bitter?

CROPIC Like a worm.

CEANN If so, there are eight spoons in it.

CROPIC Well you know that I only take half a spoon.

CEANN (*sitting on the right*) Yes, and me too.

CROPIC (*sitting on the left*) Do you?

CEANN Yes.

CROPIC Yes, me too.

Stop. CROPIC *drinks. They sit back to back, friendly.*

CEANN Do you like turnip?

CROPIC No.

CEANN If you don't, it will harm you.

CROPIC A turnip doesn't make a swede.

Pause

A turnip doesn't make a swede, I suppose.

Pause

CEANN I suppose not.

Pause

I saw a man forty years ago.

CROPIC (*looking at the door for a second*) Is the door locked?

CEANN I saw a man last year.

CROPIC Is the window?

CEANN I saw a man yesterday.

CROPIC You're sure no-one will get in?

CEANN He went down the road and he had a dog. A heavy man.

CROPIC No-one will get in?

CEANN A man . . .

CROPIC Inside!

CEANN A man . . . (*faster*)

CROPIC Inside!

CEANN A man . . . (*still faster*)

CROPIC Inside.

Pause

CEANN There was a sound a while ago.

CROPIC Where? (*frightened*)

CEANN There was . . . I heard something and I went out.

CROPIC I didn't hear anything. (*pause*) Did you close the door?

CEANN Yes.

CROPIC Did you close the window?

CEANN Yes.

CROPIC (*he turns*) There isn't a window.

CEANN No.

CROPIC Isn't there?

CEANN No.

CROPIC I thought there was.

CEANN No.

CROPIC Is it shut?

CEANN Yes.

Pause

CROPIC Shshsh. What was that?

They leave the box.

CEANN Did you see anything?

CROPIC No. Did you?

CEANN Did you hear anything?

CROPIC No. Did you?

CEANN Yes. (*sitting*) Sit.

CROPIC (*sitting*) I didn't feel anything.

CEANN I did. The spider felt dizzy when he was weaving.

CROPIC Weaving?

CEANN Weaving?

CROPIC Two shuttles.

CEANN Three and a half.

CROPIC Newall?

CEANN Kenny Rod.

CROPIC Was he afraid?

CEANN Who of?

CROPIC The spider.

CEANN What about it?

CROPIC Was he afraid?

CEANN Yes.

CROPIC Was he in a sweat?

CEANN Yes.

CROPIC What did he do?

CEANN He took a fluke tablet.

CROPIC One?

CEANN Two and a half.

CROPIC With water?

CEANN No.

CROPIC With bread?

CEANN No.

CROPIC With cheese?

CEANN No.

CROPIC With tea?

CEANN With tea?

CROPIC With a cup of tea.

CEANN With an egg-cup.

CROPIC An egg-cup?

CEANN An egg-cup of tea.

CROPIC Wheesht.

CEANN What is it?

CROPIC A louse.

CEANN A nit.

CROPIC (*louder*) A louse!

CEANN (*loud*) A louse!

CROPIC (*loud*) A nit.

Pause

CEANN I saw a man yesterday with a nit on a string.

Long pause

    I got word that they would come . . . I got word that they would come to get you tonight.

CROPIC You didn't. (*They stand up quickly*)

CEANN I did.

CROPIC Who from?

CEANN A married woman.

CROPIC At three o' clock in the morning?

CEANN Quarter past four.

CROPIC Quarter to.

CEANN Quarter past.

CROPIC Were you asleep?

CEANN Awake.

CROPIC (*to the audience*) When I am asleep I am actually awake.

CEANN (*to the audience*) When I am awake I am actually asleep. (*pause*) Tonight. (*sinister*)

CROPIC They won't come.

CEANN They will. They will come to get you.

CROPIC They won't!

CEANN What did you do? (*slowly*)

CROPIC They won't!

CEANN What did you do? What did you do? (*slowly*)

CROPIC They won't.

CROPIC *goes clockwise around the stage.* CEANN *stands in the middle, looking at him,*

CEANN Is it murder? Is it mutilation? Is it moral? Is it manipulation? Is it meat? Is it merrymaking? Is it mocking? Is it manure? Is it a mite? Is it mischief? Is it mastery? Is it miracles?

Pause. CROPIC *is on his knees at the right of the stage with his back to the audience.*

CROPIC They won't come.

CEANN *is sitting on the left of the box.*

CEANN Who are you? (CROPIC *doesn't move*)
    Who are you? (*louder*)

CROPIC Who am I?

CEANN Who are you?

CROPIC (*Going to the box, thinking about the question. He sits on the box.*) Who am I?

CEANN Who am I? Who are you? Who is he?

CROPIC (*calmer*) Who are we? Who are you? Who are they?

Pause. The two are now back on the box.

CEANN What's your name?

CROPIC What's your name?

Pause

CEANN He was eating one and a half fluke tablets in an egg-cup of tea. (*pause*) Ceann.

CROPIC Ceann.

CEANN Ceann! Just Ceann!

CROPIC Just Ceann. Ceann just.

CEANN The spider went just on his head.[1]

---

1 Ceann is the Gaelic for head.

CROPIC What's your name?

CEANN Ceann.

CROPIC Ceann?

CEANN Yes, Ceann.

CROPIC Who are you?

CEANN Who am I? Who is he? Who are you?

Pause

Who are you?

CROPIC Cropic.

CEANN Cropic?

CROPIC Cropic.

CEANN Propic.

CROPIC Cropic.

CEANN Who are you? Propic?

CROPIC Cropic. Who are you?

CEANN Ceann. Propic who are you?

CROPIC Ceann Cropic.

CEANN Wheesht!

CROPIC What? (*He stands*)

CEANN Here they are looking for you.

CROPIC No.

CEANN Yes.

CROPIC No.

CEANN Yes.

CROPIC No.

CEANN What did you do? (CROPIC *goes anti-clockwise looking at*
CEANN *with horror.*)
Is it malevolence? Malignance? Modesty? Malediction? Meagre?
Minging? Misbehaving? Misdirected? A minister? A mite?

CROPIC *is down-stage left with his back to the audience.*

CROPIC No. (*Hand to his mouth in horror.*)

CEANN The time has come. (*He sits on a box on the right.*)
I got word at seventeen o'clock this morning.

CROPIC You didn't.

CEANN I did.

A long pause. CROPIC *gets up and sits on the left of the box. Back to back.*

Where were you?

CROPIC Fishing.

CEANN Fishing?

CROPIC Fishing.

CEANN Bait?

CROPIC Rod.

CEANN A hand-net?

CROPIC Crabs?

CEANN Did you get anything?

CROPIC Yes.

CEANN A cuddy?

CROPIC A pollock.

CEANN A scythe?

CROPIC A mackerel.

CEANN A gurnard?

CROPIC Cusk.

CEANN A flounder?

CROPIC A dogfish.

CEANN A dogfish!

CROPIC A dogfish . . . two herrings . . . half a ling . . . and a sea anenome.

CEANN You didn't.

CROPIC I did.

Pause

CEANN Where were you?

CROPIC Vàtisga.[2]

CEANN Carraig a' Chait?

CROPIC Palla Slàine.

---

2 This is a list of imaginary place-names which are untranslatable.

CEANN Mula Hàis?

CROPIC Cleite Dhomhnaill.

CEANN Poll Hàkeil?

CROPIC Roarmiga.

CEANN Piorr Cait?

CROPIC Gròdavig.

CEANN Spàinivig.

CROPIC Toll Priona Bibolain.

CEANN The Cave of who?

CROPIC Wheesht.

A white post-card comes through the curtain. CEANN *goes to get it.*

CROPIC Wait!

CEANN *picks it up and reads it.*

　　What is it?

CEANN "Open." (*reading*)

CROPIC Don't open it.

CEANN I won't open it.

Pause. He sits downs.

CROPIC I am going to open it.

CEANN Don't open it.

CROPIC I won't open it.

CEANN I will.

Pause. He gets up.

CROPIC I won't open it.

CEANN I knew you wouldn't get away with it.

CROPIC I won't open it.

Pause. He sits down.

　　You open it.

CEANN I'll say you're not in.

CROPIC Don't open it.

CEANN Come and hide.

CROPIC Don't open it!

CEANN Behind that.

CROPIC *goes behind the box. We don't see the visitor.* CEANN *speaks to the visitor at the door.*

What do you want?

They believe that Cas Cham[3] has come in and that he has sat on the box with his back to the audience. CEANN *is on the left of him and* CROPIC *on the right of him.*

CROPIC (*standing up now*) Who do you want?

CEANN What sent you here?

CROPIC Who sent you here?

CEANN What?

CROPIC Who?

CEANN Are you frightened?

CROPIC Are you nostalgic?

CEANN Are you sleepy?

CROPIC Are you hungry?

CEANN Sit down.

CROPIC Stand up!

CEANN Sit.

CROPIC Sit.

CEANN Lie.

CROPIC Sit.

CEANN Sit.

CROPIC Who are you?

CEANN Why did you come here?

CROPIC What's your name?

CEANN How did you come here?

CROPIC Is it Elizabeth?

CEANN Did you see a man with a dog?

CROPIC Is it Janet?

CEANN On a string?

---

3 The imaginary Cas Cham literally means bow (or bent) legged: it is also a variation of the Gaelic 'cas-chrom' which is a foot plough.

CROPIC Is it spindrift?

CEANN Blaeberries?

CROPIC Heron?

CEANN Buzzard?

CROPIC Clover?

CEANN Steep?

CROPIC Bent?

CEANN Straight?

CROPIC (*to* CEANN) How could a bend be straight?[4]

CEANN Is Cas-cham your name?

CROPIC Is it straight?

CEANN Is it Cropic?

CROPIC Is it Ceann?

CEANN Ceann Cropic?

CROPIC Ceann Propic?

Pause

CEANN (*to* CROPIC) I saw a man, and his two eyes were stuck in his head. He said, "Do you see it?" Look. Up in the clouds.

CROPIC What was it?

CEANN A submarine.

CROPIC A submarine!

CEANN A big, red . . . submarine . . . and it was flapping its wings.

CROPIC What happened?

CEANN It came down . . . and they went away with it!

CROPIC They didn't.

CEANN They did.

CROPIC Is the door locked?

CEANN Yes.

CROPIC Is the window?

CEANN Yes.

CROPIC Is the hen hole?

---

4 This does not capture the pun on the Gaelic 'cas-cham' as an alternative for 'cas-chrom': a foot plough.

CEANN The hen hole!

They get up with a jump. Cas Cham heard something.

CROPIC (*to Cas Cham*) What was that?

CEANN What did you hear?

CROPIC What did you see?

CEANN What did you feel?

A little pause.

CROPIC What's that noise?

A little pause.

CEANN Nothing!

A little pause.

CROPIC No.

CEANN You go out!

CROPIC You go out!

CEANN (*to Cas Cham*) It's you they want!

He asks Cas Cham to the door which he opens.

   (*To* CROPIC *who is sitting on the right*) He left.

CROPIC Yes. (*sitting on the right*) Did they take him with them?

CEANN Yes. He was with them.

CROPIC I easily recognised him . . . by his black trousers

CEANN But his trousers were red.

CROPIC They were yellow.

CEANN With a green stripe that ran from one leg to the opposite shoulder.

CROPIC No. It was a green stripe that from one shoulder to the other leg.

CEANN A green stripe.

CROPIC A blue stripe

CEANN Green stripe.

CROPIC Blue like the grass.

CEANN Green like the grass.

CROPIC There wasn't a stripe.

CEANN No.

Pause

CROPIC He had lovely hair.

CEANN Blonde hair.

CROPIC Yes. Bald.

CEANN And two beautiful eyes looking out of his two ears.

CROPIC From his three ears.

CEANN Yes. Three ears . . . three and a half ears.

CROPIC With a slit out of his left ear.

CEANN And a hole underneath it.

CROPIC A cut in the skin above the left ear.

CEANN He had two left ears.

CROPIC No . . . he had two right ears.

CEANN Did he?

CROPIC Yes.

CEANN Yes.

CROPIC A little lump on his right ear, and hidden cut under one of his left ears, and an earmark on the other one.

Pause

CEANN He didn't have ears.

CROPIC He didn't have a head.

CEANN He didn't have red trousers with a yellow stripe from one shoulder to the other leg.

CROPIC He didn't have trousers.

CEANN He wasn't here.

CROPIC He wasn't here.

CEANN (*to the audience*) Did you see anything?

CROPIC Did they see anything?

CEANN They didn't.

CROPIC Did you?

CEANN Yes . . . he was walking down a road beside a river. There was snow on the ground. The dog peed in the snow.

CROPIC There's no-one here but us.

CEANN Am I here?

CROPIC No. Am I?

CEANN No. I've never seen you.

CROPIC Sshhh. (*pause*)
Did you hear something?

CEANN No . . . but *the dog* heard a sound that the man didn't hear at all.

CROPIC There wasn't a sound.

CEANN There was. The dog heard it.

Pause

CROPIC Was there someone in here?

CEANN A black man, with white trousers and did he have a crowbar?

CROPIC Yes.

CEANN Yes.

CROPIC I thought he did.

CEANN He left.

CROPIC Did he leave?

CEANN He did.

CROPIC Are you sure?

CEANN No. Are you?

CROPIC No.

CEANN I am.

CROPIC I am too.

Pause

His like was never here.

CEANN No.

Knocking at the door.

CROPIC What was that?

CEANN What?

CROPIC Did you hear something?

CEANN No.

CROPIC Neither did I.

CEANN (*to the audience*) Did you hear anything?

CROPIC (*to the audience loudly*) No.

CEANN Well, there was knocking on the door.

CROPIC There wasn't.

CEANN There was.

CROPIC Is the door locked?

CEANN Yes.

CROPIC Don't open the door.

CEANN You!

CROPIC It wasn't.

CEANN What did you do?

CROPIC Lock the window.

CEANN Open the door.

They go out on the left side. CEANN *returns pulling a box.*

It reminds me of the man with the dog . . . I was watching him a little bit away from me and he was moving further away . . . I recognised . . . I recognised him for sure. Do you know who it was? It was myself. I had left myself behind me, and I was watching myself going forward with a dog on a string, wearing yellow trousers with a blue stripe from the right leg to the other shoulder . . . there's . . . there's something on his backside.

He looks inside the box and he takes something out (there's nothing in his hands).

Do you know what it is? Don't you? Does anyone know what it is? (*to the audience*) Aren't you deaf?

He holds "the thing", allegedly in his hands, to show the audience.

If you don't hear that, it wouldn't surprise me if an awful lot went over your heads here tonight . . . don't you go thinking that it isn't here even though you don't see it (*to the audience*) . . . It is Ceann-Cropic!

He throws "the thing" out over the audience.

Tog Orm Mo Speal

Iain Mac A' Ghobhainn

1979

An t-àite   Seòmar-suidhe ann an taigh croit

An t-àm   Tràth san fhicheadamh linn

CARACTARAN

OBLOMOV   sgeulaiche

MÀIRI   piuthar a' chroiteir

MURCHADH   croitear

MINISTEAR

PSYCHIATRIST

TORMOD   caraid a' chroiteir

Thig fear gu beulaibh an àrd-ùrlair 's canaidh e na facail a leanas.

OBLOMOV Tha Murchadh air a bhith na shuidhe an siud bho chionn dà latha a-nis. 'S e a phiuthar Màiri a chì sibh a' crathadh a làmhan air mo chùlaibh 's a' coiseachd sìos is suas. O chionn dà latha thàinig Murchadh a-steach don taigh an dèidh a bhith ag obair air an arbhar 's thuirt e nach deigheadh e a-mach tuilleadh. (*Gnog aig an doras.*) Oh, 's e am ministear a bhios an seo. Chuir Màiri ga iarraidh.

    Tha mise a' falbh a-nis, taing do Dhia. 'S e Oblomov a chanas iad riumsa, Tormod Oblomov.

Priobaidh e ris na daoine 's falbhaidh e.

MÀIRI (*ris a'* MHINISTEAR) Oh tha mi cho toilichte gun tàinig sibh. (*Cuiridh i a-mach cathair air a shon.*) Faodaidh sibh ùrnaigh a chur suas.

MURCHADH (*ann an guth ath-ghairmeil*) No a chur sìos.

MINISTEAR A bheil e a' bruidhinn? Dè thuirt e?

MÀIRI Chan eil fhios. Thàinig e a-steach o chionn dà latha leis an speal 's thuirt e nach robh e a' dol a dhèanamh car tuilleadh. Chan urrainn dhomh a' *Hoover* a chur air an làr leis.

MURCHADH (*ann an aon ghuth ath-ghairmeil*) Edgar Allan Hoover!

Bheir am MINISTEAR *sùil air.*

MÀIRI (*ann an guth ìosal*) Chan urrainn dhut tuigsinn dè bha e ag ràdh.

MINISTEAR Fàg thusa còmhla riums' e.

MÀIRI Cha ghabh e a lit' nas motha. Chleachd e bhith a' gabhail a lit' a h-uile latha ach shad e an spàin chun an làir.

MURCHADH O tempora. O tores.

MINISTEAR (*gu grad*) 'S e Laideann a tha siud.

MÀIRI A bheil thu a' smaoineachadh . . . ?

MINISTEAR Droch-spiorad? Chì sinn, chì sinn.

MÀIRI Fàgaidh mi sibh còmhla ris . . . 'S canaibh ris gum feum e a lit'
a ghabhail. (*thèid i a-mach a' crathadh a làmhan*)

Greiseag nan tàmh.

MINISTEAR Mhurchaidh, a bheil thu gam chluinntinn?

MURCHADH Loud and clear. Over. Roger. Over and out.

MINISTEAR Roger? . . . Oh tha e dona. A' smaoineachadh gur e Roger
a their iad rium. (*ann an guth àrd*) Dè tha ceàrr ort, a Mhurchaidh?
'S carson nach eil thu a' gabhail do lit'? Eh? (*nì e gàire*) Feumaidh
tu rudeigin ithe. Cha dèan duine a' chùis as aonais a bhìdh. Bidh
mise ag ithe ceithir sausages a h-uile madainn 's dhà a h-uile
oidhch', 's deich air an t-Sàbaid.

MURCHADH (*anns a' ghuth ath-ghairmeil*) Tha a' bhuil sin oirbh. Tha
a' bhuil sin oirbh. Tha a' bhuil sin . . .

MINISTEAR A bheil thu a' bruidhinn?

Greiseag nan tàmh.

MURCHADH Chan eil.

Greiseag nan tàmh.

MINISTEAR Tha mi a' tuigsinn dè a thachair ceart gu leòr. A' cur 's a'
buain, a' tarraing na mònach chun an taighe, bliadhna an dèidh
bliadhna, fàsaidh duine sgìth den obair sin. 'S thuirt thu riut fhèin
aon latha: "Rinn mi gu leòr. Tha siud gu leòr. Chan eil mi a' dol
a dhèanamh car tuilleadh." Ah, nam b' urrainn dhuinn uile sin
a ràdh. Nam b' urrainn dhuinn uile sin a ràdh. Nam b' urrainn
dhuinn uile sin a ràdh.

MURCHADH Nam b' urrainn dhuinn uile sin a ràdh.

MINISTEAR Ach chan urrainn. Nach fheum mi fhìn dìtheanan a chur
anns a' phoit . . .

Seallaidh MURCHADH *ris.*

Aidh. Nach fheum mi tadhal air daoine gun sgur a dh'fhaicinn a
bheil iad beò no marbh, beò no marbh . . . 'S aig amannan tha e
duilich sin a dhèanamh a-mach . . . Tha an saoghal cruaidh oirnn.

MURCHADH Tha. Tha gu dearbh.

MINISTEAR Tha. An can mi ri do bhean Màiri gun gabh thu do lit'
a-nis?

MURCHADH Chan e mo bhean a th' innte, ach mo phiuthar, mo
phiuthar, mo phiuthar. (*greiseag na thàmh*) 'S cha chan thu rithe e.
Cha tuig i thu. Mar a thuirt Freud, chan eil i ann gu lèir. Chan eil
fhios aig an "conscious" aice dè tha a "subconscious" a' dèanamh.
Obh, obh, obh . . .

MINISTEAR (*a' sealltainn ris*) Tha thu air a bhith leughadh
leabhraichean a-rithist. Nach tuirt mi riut sgur a leughadh? Tha
mòran leughaidh na sgìths don fheòil. Tha sin anns an Fhìrinn. Tha
gach nì anns an Fhìrinn.

MURCHADH Chan eil a' bhreug anns an Fhìrinn. O chan eil, chan
eil . . .

MINISTEAR Chan eil . . . 'S e an Fhìrinn a tha sin. (*gu grad*) Cò am
Freud air a bheil thu a-mach?

MURCHADH Bha a sheanair ainmeil anns an fhoghlam, ach cha robh
a shìn-seanair cho ainmeil. No, 's e sin a tha iad ag ràdh. Ged nach
b' e mise a thuirt an-toiseach e, oir chuala mi e bho chuideigin eile.
Chuala gu dearbh, oir chan eil mise idir a' togail sgeulachdan air
daoine . . . No, 's e sin a tha iad ag ràdh.

MINISTEAR (*ris fhèin*) Tha e dona. (*gu grad*) An cuir mi suas facal
ùrnaigh dhut?

MURCHADH Cuiridh. Aon fhacal. 'S am facal a chuireas tu suas:
"Amen". (*tòisichidh e a' seinn*) "An ataireachd bhuan, cluinn
fuaim na h-ataireachd àrd." (*stadaidh e*) Bha a' chòisir timcheall
orm. Bha gu dearbh. 'S chaidh tè a-null, 's chluich i aon nota air a'
phiana. Aidh, cha do chluich i ach aon nota. 'S bha am piana mar
fhiaclan. 'S chluich i . . . aon nota . . . air . . . a' phiana. 'S an sin
dh'fhosgail i a beul.

   (*gu grad*) Carson nach eil thu anns an Space Exploration
Society?

MINISTEAR (*ag èirigh, thèid e null a dh'èigheachd ri* MÀIRI) A Mhàiri
a bheil thu an-sin? (*thig i a-steach a' tiormachadh a làmhan*) Tha
e dona, dona, dona. Chan urrainn dhomh càil fhaighinn às ach
amaideas. Chan eil mi a' tuigsinn dè tha e ag ràdh. (MURCHADH
na thàmh a' gàireachdainn air a chùlaibh) Thig mi a-steach

a-màireach ach am faic mi a bheil e nas fheàrr . . . Ach chan eil
fhios dè thachras. Tha sinn ann an làmhan . . . Tha.

A bheil e air a bhith na shuidhe an siud o chionn dà latha?

MÀIRI Cha chairich e.

MINISTEAR Na dhùisg?

MÀIRI Dè thuirt sibh?

MINISTEAR Na dhùisg o chionn dà latha?

MÀIRI Tha. Chì thu na sùilean aige mar shùilean cait air an oidhch'.

MINISTEAR 'S na thachair càil idir a thug seo air?

MÀIRI Cha do thachair. Chuir e an speal sìos 's thuirt e: "Chan eil
mise gu bhith air mo bh. . .", o tha mi duilich, a mhinisteir, 's
shuidh e sìos anns a' chathair, 's cha chairich e.

MURCHADH (a' seinn gu grad) "Tha slighe gharbh gu beanntan àrd
ar n-eilein, tha slighe gharbh tron mhòintich 's tron fhraoch . . ."
(às an òran "Èilidh") Tha gu dearbh.

MINISTEAR (a' sealltainn ris) Tha guth math aige co-dhiù. Nì sin feum dha.

MÀIRI Bha guth math aige a-riamh. Bha guth math aig athair . . .

MURCHADH 'S aig mo sheanair. Ach chan eil a-nis. Tha e marbh.
Chaochail e. Shiubhail e. 'S bu mhòr am beud. Bu mhòr am beud.

MINISTEAR Feumaidh mise falbh. Tha feadhainn agam ri phòsadh.

MÀIRI Bha dùil a'm gun robh sibh pòsta mar-thà.

MINISTEAR (a' sealltainn rithe) Tha. Tha mi sin. Boireannach
taitneach. Tha i math air doughnuts a dhèanamh. Ach chan aithne
dhi tì a dhèanamh. Bidh i a' cur deich làn a spàin don phoit. Bidh
i a' dèanamh sin a-riamh. 'S chan urrainn dhi an caochladh a
dhèanamh. 'S tha am bùrn duilich dhi cuideachd. Tha trioblaid aice
leis a' bhùrn.

MURCHADH Gu dearbha fhèin. Mar a thuirt Plato: "Chan eil mi ag
iarraidh siùcair na mo thì." 'S thuirt Aristotle rudeigin coltach ri
sin cuideachd. (cuiridh e a làmh air a cheann) O tha mo chridhe
gu briseadh.

MÀIRI Thig sibh a-màireach a-rèiste.

MINISTEAR Thig. Is seall thusa gu math às a dhèidh.

MURCHADH 'S ann bu chòir dhi sealltainn romham. Tha cus dhaoine
a' sealltainn às an dèidh. Mar a rinn bean Lot. 'S mar a thuirt i
uair: "Tha m' ainm anns a' Lot."

Bheir am MINISTEAR *sùil eile air agus falbhaidh e.*

MÀIRI Dè tha thu feuchainn ri dhèanamh? An ann a' dol a-mach air a' mhinistear a tha thu?

MURCHADH A bheil truinnsear vodka a-staigh? Tha mi a' smaoineachadh gun còrdadh truinnsear vodka rium glè mhath mus bàsaich mi. No faodaidh tu a chur ann am flat. Flat vodka! (*nì e gàire gu grad*)

MÀIRI Cò air a tha thu a-mach? Nach eil fhios agad gun tug d' athair dhomh òrdugh gun bhoinneag vodka a thoirt dhut?

MURCHADH Tha sin ceart. 'S e duine mòr a bha nam athair, ged nach robh e math air football. 'S nad athair-sa cuideachd. Agus nach eil sin reusant' gu leòr seach gur e an aon athair a bh' againn. Mar a thuirt Euclid: "Ma tha rud co-ionnan ri rud eile, tha iad co-ionnan ri chèile." Chunna mi sin uair anns a' *Pheople's Journal*, faisg air "A Word From Granny".

MÀIRI Dè ghabhas tu dha do dhinnear?

MURCHADH Gabhaidh mi sgadan-saillt is cocoa. Soupçon de chocoa is soupçon de sgadan-saillt.

MÀIRI Nach eil fhios agad nach eil cocoa a-staigh?

MURCHADH Aidh, tha fhios a'm, 's bu mhòr am beud. (*greiseag na thàmh*) A Mhàiri, a bheil cuimhn' agad air làithean ar n-òige, nuair a bha mise òg is tusa òg cuideachd? A bheil cuimhn' agad air a' ghealaich? O chan eil gealaich ann an-diugh coltach ris an fheadhainn ud. Dh'fhalbh na gealaich ud 's cha till iad tuilleadh. 'S a bheil cuimhn' agad cho teth 's a bhiodh a' ghrian. O chan eil grian ann an-diugh coltach ris an fheadhainn ud. 'S a bheil cuimhn' agad mar a thigeadh an Giblean an dèidh a' Mhàirt 's cho cinnteach ris a' bhàs gun tigeadh a' Mhàigh an dèidh sin, 's an dèidh sin – na adhbhar iongantais – an t-Og-mhìos. O cuin a thèid na làithean sin às mo chuimhne, an ainm Dhè?

MÀIRI Cha do dh'innis thu fhathast dhomh dè ghabhas tu dha do dhinnear?

MURCHADH Marbh a' bhò. Cuir às dhi. Tha i air a bhith beò ro fhada. Dè thug i dhuinn a-riamh ach bainne? Dè? Innis dhomh. Carson a tha sinn ga cumail beò? Tha i ro fhada anns an adhairc.

MÀIRI A Mhurchaidh . . .

MURCHADH A bheil thu sin fhathast? O, a Mhàiri, mar a thuirt
Donnchadh Bàn, "a bheil sin fhathast le do shùilean air dath an
sgadain, le do chneas air dath an Loch Chneas Monster . . .". A
Mhàiri, a Mhàiri . . .

MÀIRI B' fheàrr leam gun innseadh tu dhomh dè tha thu ag iarraidh
dha do . . .

MURCHADH Fosgail canastair le d' fhiaclan. Fosgail canastair gruth. O
tha mi sgìth. Thalla, thalla, thalla.

MÀIRI Nuair a dh'innseas tu dhomh dè . . .

Thig gnog chun an dorais.

Cò tha siud?

MURCHADH Ma dh'fhosglas duine an doras chì e cò a th' air an taobh
a-muigh. 'S e lagh a tha sin a gheibh duine ann an geometry.

Thèid MÀIRI *chun an dorais.*

Na fosgail e! (*togaidh e sguab*) Cuimhnich gu bheil an sguab
seo agam dìreach air do chridhe. An cuala tu mi? (*nì e seòrsa de
sgreuch*) An cuala tu mi, "Mary the Moll from Ardnamurchan"?
Cuimhnich, chan eil càil a dh'fhios agad cò tha siud. Chan eil
fhios nach ann a ghoid an Assistance a thàinig iad. Dè dhèanadh
tu mura biodh am Bòrd ann? (*greiseag bheag na thàmh*) Bhiodh tu
gun Bhòrd. (*leigidh e sìos an sguab*) Aidh, faodaidh tu an leigeal
a-steach. Ciamar a bha thu a' smaoineachadh a shoirbhicheadh leat
an dèidh briseadh a-steach don bhàthaich?

Fosglaidh MÀIRI *an doras. Thig dithis dhaoine a-steach. 'S e*
PSYCHIATRIST *a th' anns a' chiad fhear. Tha feusag bheag bhiorach air.
'S e* TORMOD, *companach do* MHURCHADH, *a th' anns an fhear eile.*

PSYCHIATRIST Càit a bheil e? Càit a bheil e?

TORMOD A Mhurchaidh, tha mi duilich . . . ach fhuair mi psychiatrist
dhut . . .

MURCHADH C.O.D.?

PSYCHIATRIST Aidh, a bheil sibh a' cluinntinn siud? An ann ag iarraidh
a bhith na phost a tha e? A bheil iarrtas aige a bhith na phost?

MURCHADH Tha mi ag iarraidh litreachan an dèidh m' ainm.

TORMOD Dè tha ceàrr ort a Mhurchaidh? Tha fhios agad gur e mise
do chompanach, gur iomadh oidhche a ghoid sinn na h-ùbhlan
còmhla ri chèile.

MURCHADH   We twa hae paddled in the Burns
frae morning sun till dine
but seas between us twae hae reared
sin auld lang swine.

Schweinhund!

TORMOD (*ris a'* PSYCHIATRIST) 'S e seòladair a th' annamsa, tha sibh a' tuigsinn. Sin is coireach gu bheil e bruidhinn mu dheidhinn na mara.

MURCHADH An gabh sibh truinnsear lit'? Cha chuala mi riamh psychaitrist nach gabhadh truinnsear lit'. Air an làimh eile, cha chuala mi riamh psychiatrist a ghabhadh truinnsear lit'.

TORMOD (*ri* MÀIRI) A bheil e càil idir nas fheàrr?

MÀIRI Chan eil. Ma tha e càil idir, 's ann nas miosa.

TORMOD Ta, fuirich thusa gus an toisich a' psychiatrist air. Fhuair mi e ann an Inbhir Nis. Bha e na shuidhe ris an loch le camera. Dh'aithnich mi air fheusag gur e psychiatrist a bh' ann. "Fuirich gus am faigh mi m' I. Q." ars esan rium, "'s falbhaidh sinn còmhla ri chèile." 'S tha sinn an seo a-nis.

MÀIRI Tha.

PSYCHIATRIST (*ri* MURCHADH) Laigh sìos.

MURCHADH An cuala mi guth? An cuala mi guth na smeòraich? (*gu grad*) Cha chuala.

PSYCHIATRIST Laigh sìos. (*ri* TORMOD) Iarr air laigh sìos.

TORMOD Fàgaidh sinn an dithis agaibh còmhla ri chèile. Tha an t-acras orm. Tiugainn a Mhàiri.

Falbhaidh iad còmhla.

PSYCHIATRIST Èist rium a-nis. Nuair a chanas mi facal riut can thusa am facal a thig a-steach ort. A bheil thu deiseil?

MURCHADH Chan eil.

Greiseag nan tàmh.

PSYCHIATRIST A bheil thu deiseil a-nis?

MURCHADH (*an dèidh ùine*) Chan eil.

Greiseag nan tàmh.

PSYCHIATRIST A bheil thu deiseil a-nis? Canaidh mi facal.

MURCHADH Facal.

PSYCHIATRIST Dè?

MURCHADH 'S e "facal" am facal a thàinig a-steach orm nuair a thuirt thusa "facal".

Tòisichidh a' PSYCHIATRIST a' glanadh a ghlainichean gu grad.

PSYCHIATRIST Tòisichidh sinn a-rithist. Seo am facal a-nis: "arbhar".

MURCHADH Donn.

PSYCHIATRIST Donn?

MURCHADH Aidh, 's ann as t-fhoghar a bhios an t-arbhar ann, 's bidh na craobhan fo dhuilleach dhonn. Leugh mi sin ann an leabhar uair, chan eil fhios nach ann anns a' Bhìoball.

Greiseag nan tàmh, 's a' PSYCHIATRIST a' sealltainn ri MURCHADH gu cùramach.

PSYCHIATRIST Facal eile: "gorm".

MURCHADH Feur.

PSYCHIATRIST Feur? Feur? 'S ann a tha feur uaine.

MURCHADH Chan ann an Gàidhlig. 'S ann a tha feur gorm uaine ann an Gàidhlig.

PSYCHIATRIST Cò chunnaic a-riamh feur gorm?

MURCHADH Chunnaic muinntir na Gàidhlig feur gorm. An duine a rinn suas am faclair ainmeil ud – Dwelly – chunnaic e feur gorm 's tha sin ri fhaicinn anns na seanfhacail cuideachd. O chan ann a' toirt a' char asad a tha mi. Feur sùghmhor gorm.

Tha a' PSYCHIATRIST a' fàs luaisgeanach.

PSYCHIATRIST Na bi ag innse dhomh gu bheil am feur gorm. Chunnaic mise feur 's tha e uaine. Chan fhaca mòran dhaoine uimhir a dh'fheur riumsa, 's tha e uaine. Tha e cho uaine, ris . . .

MURCHADH An t-adhar. Tha feur na Gàidhlig cho gorm ris an adhar ann am Beurla. Sin aon atharrachadh eadar an dà chànan. Tha atharrachaidhean eile ann cuideachd, ach 's e seo atharrachadh cho mòr 's a th' ann.

PSYCHIATRIST (*gu grad*) Seallaidh mi dhut gu bheil am feur uaine. Chan eil càil agad ri dhèanamh ach a dhol chun na h-uinneig. (*nì e sin 's seallaidh e a-mach*) Am feur ris a bheil mi a' sealltainn an-dràsta, tha e uaine.

MURCHADH (*a' crathadh a chinn*) Cha chuir mise an aghaidh Dwelly. Anns a' Ghàidhlig, chan urrainn dhut cur na aghaidh. Tha na h-innealan, 's an cànan fhèin air cùl an fhacail ud, 's tha am feur gorm. 'S e a th' ann lagh.

PSYCHIATRIST Uaine.

MURCHADH Gorm.

PSYCHIATRIST Uaine.

MURCHADH Gorm.

Greiseag nan tàmh. Fosglaidh a' PSYCHIATRIST *a cholair.*

PSYCHIATRIST Facal eile.

MURCHADH Lean ort. Tha mi deiseil. Cha robh mi cho deiseil a-riamh 's cha bhi mi cho deiseil a-chaoidh.

PSYCHIATRIST Seo am facal: "taigh dubh".

MURCHADH Taigh pinc.

PSYCHIATRIST Haggis.

MURCHADH Agus.

PSYCHIATRIST Feasgar.

MURCHADH Easgann.

PSYCHIATRIST Speal.

MURCHADH Stad.

PSYCHIATRIST Stad?

MURCHADH Aidh. Stad. Tha thu a' dol ro luath. 'S tha rudeigin a' tighinn gu m' inntinn. Speal. (*smaoinichidh e*) Bha speal na mo làimh 's chunnaic mi cho cam 's bha an saoghal, mar a' ghealach nuair a bha sinn òg.

PSYCHIATRIST Ah! Seall rium. (*Bheir e a-mach uaireadair, tòisichidh e ga ghluasad a-null 's a-nall air beulaibh sùilean* MHURCHAIDH.) A bheil thu a' coimhead an uaireadair?

MURCHADH Tha. A bheil e 'g obair?

PSYCHIATRIST Tha e a' gluasad. Lean e le do shùilean.

MURCHADH Tha mi ga leantainn. (*nì e seòrsa de sgreuch*) O, tha e cho luath. Tha d' uaireadair a' dol ro luath.

PSYCHIATRIST (*a' cur a chinn faisg air* MURCHADH) Ann am mionaid, bidh thu nad chadal. Ann am mionaid bidh thu nad chadal. Ann am mionaid bidh thu . . . (*crathaidh e fhèin a cheann mar gum biodh e a' dol a thuiteam na chadal*)

MURCHADH Thuirt thu sin mar-thà.

PSYCHIATRIST Ann am mionaid. (*seallaidh e ris an uaireadair*) Tha a' mhionaid seachad. Ann an dà mhionaid, tuitidh tu nad chadal. Ann an dà mhionaid . . . 'S bidh thu air ais aig aois dà bhliadhna . . . A bheil thu a' cluinntinn?

MURCHADH Tha mi nam chadal, amadain na galla . . . (*dùinidh e a shùilean*)

PSYCHIATRIST Ah, tha thu nad chadal . . . Dè 'n aois a tha thu?

MURCHADH (*ann an guth leanabail*) Chan eil fhios a'm. Tha mi ro òg. Cha do dh'innis iad dhomh.

PSYCHIATRIST Tha thu dà bhliadhna dh'aois. Chan aithne dhut coiseachd. Ach 's aithne dhut bruidhinn. Dè tha thu ag iarraidh?

MURCHADH Mo lit'. Tha mi ag iarraidh mo lit'. (*tòisichidh e a' sgreuchail 's a' bualadh a dhùirn air a' chathair*)

PSYCHIATRIST Chan fhaigh thu do lit'. Dè bha tha thu a' dèanamh an-diugh?

MURCHADH Bha mi a' leughadh Karl Marx.

PSYCHIATRIST Chan fhaigh thu do lit'. Can "Màiri".

MURCHADH Màiri.

PSYCHIATRIST Can: "Cha toir Màiri dhomh mo lit'."

MURCHADH Cha toir Màiri dhomh mo lit'. Màiri na b . . .

PSYCHIATRIST Cò air a tha thu a' smaoineachadh?

MURCHADH Tha mi a' smaoineachadh air mo lit' 's nach toir Màiri na b . . . dhomh mo lit'.

Greiseag nan tàmh.

Tha mo chasan goirt.

PSYCHIATRIST Cha do thòisich thu a' coiseachd fhathast.

MURCHADH Tha an t-siatag orm.

PSYCHIATRIST Chan eil thu aost' gu leòr. (*a' tiormachadh a mhaoil*) Ma gheibh mi a-mach sàbhailt às an àite seo.

MURCHADH (*a' sgreuchail*) Speal!

PSYCHIATRIST Speal? Speal? Dè thachair? Càit an robh an speal?

MURCHADH Spell "psychiatrist".

PSYCHIATRIST Tha an dà chànan aige. Sin is coireach. An dà chànan. A' Bheurla agus a' Ghàidhlig. Tha inntinn tro chèile. Chuir an dà chànan inntinn tro chèile.

MURCHADH Speal!

PSYCHIATRIST Ah.

MURCHADH Thuit mi tarsainn air speal. Sin bu choireach gu bheil mo chasan goirt 's nach toir Màiri dhomh mo lit', Màiri na b . . .

PSYCHIATRIST Ist, ist, ist.

MURCHADH (*a' sgreuchail*) Cha b' e mise bu choireach ris. Cha b' e mise bu choireach ris.

PSYCHIATRIST Ah, tha mi a' tuigsinn.

Thèid MURCHADH *sìos air a ghlùinean 's tòisichidh e a' sporghail timcheall.*

MURCHADH Chunnaic mi spàin air an làr.

PSYCHIATRIST Càit?

MURCHADH Thall an siud. An siud. Spàin air an làr.

Thèid a' PSYCHIATRIST *air a ghlùinean cuideachd. Tòisichidh esan a' sporghail cuideachd. Cuiridh* MURCHADH *a-mach a theanga air cùl a'* PSYCHIATRIST. *Thèid e null far a bheil e air a ghlùinean. Tòisichidh e ga phatadh.*

Rover. Rover. Laigh sìos. Rover. Rover. Faigh an spàin. Faigh an spàin.

Tòisichidh e a' comhartaich. Leumaidh a' PSYCHIATRIST *gu a chasan, 's teichidh e air falbh bhuaithe. Tha* MURCHADH *a' comhartaich. Stadaidh e.*

Faigh an spàin. Mo lit'. Mo lit'.

Bualaidh e a dhùirn air an làr. Bheir a' PSYCHIATRIST *aon sùil air, 's ruithidh e a-mach. Èiridh* MURCHADH *'s suidhidh e gu dòigheil air a' chathair a-rithist.*

Thig MÀIRI *agus* TORMOD *a-steach.*

MÀIRI Dè bha siud? Dè thachair?

TORMOD Chan eil duine an seo ach e fhèin.

MÀIRI Càit a bheil an truaghan bochd leis an fheusaig?

Thèid TORMOD *a-null chun na h-uinneig.*

TORMOD Tha e na ruith sìos an rathad. Dè rinn thu air?

MURCHADH "O tha an saoghal a' tighinn gu a cheann," arsa Ceiteag Mhòr, 's i a' bruidhinn ri Oppenheimer an-dè. "Dè rinn sibh air an atom? Carson a chuir sibh dragh air an atom? . . . Tha mi air mo nàireachadh gun do chuir sibh dragh air an atom."

TORMOD Uill, chan eil fhios dè nì sinn a-nis. Ministear agus psychiatrist – chan eil an còrr air fhàgail.

MÀIRI Chan eil. Chan eil.

Greiseag nan tàmh.

MURCHADH 'S na bi bruidhinn riumsa mu dheidhinn Phlato, cha robh e math air a' ghràp, air a' ghràp.

TORMOD Am bi e mar seo an-còmhnaidh?

MÀIRI Bidh, bidh.

MURCHADH Bidh. Bidh mi mar seo an-còmhnaidh. Dè shàbhaileas mi? (*greiseag na thàmh, tòisichidh e a' seinn*) "Hioram, haram, hioram, haram . . ." Dè tha a' tighinn an dèidh siud, a Thormoid? An e "hioram" no an e "haram" no an e "hioram haram"? Aidh, tha latha na pìoba mòire seachad. Tha latha na pìoba-bige a' tighinn. Nam b' urrainn dhomh samhla a thoirt air an t-saoghal a tha ri teachd, an saoghal ùr anns am bi sinn beò; chanainn gur e saoghal na pìoba-bige a bhios ann. Chanadh.

MÀIRI Mhurchaidh?

MURCHADH Eh?

MÀIRI A bheil thu ag èisteachd rium?

MURCHADH Tha mi ag èisteachd riut ach chan eil mi gad chluinntinn.

MÀIRI Mhurchaidh, dè tha thu a' dol a ghabhail dha do theatha?

MURCHADH Lit' is leann. Cuir an leann ann an cupan, 's cuiridh mi mo spàin don lit' 's a-rithist don leann. Ach cha chaomh leam siùcair na mo lit'.

Tòisichidh TORMOD *a' gàireachdainn 's chan fhaigh e air stad.*

MÀIRI Carson a tha thusa a' gàireachdainn?

TORMOD Lit' is leann. Tha mi a' smaoineachadh gu bheil sin mìorbhaileach. 'S chan eil e ag iarraidh siùcair na lit'. Tha sibh air an duine a chur às a chiall. Cò riamh a chuala càil cho èibhinn ri siud? O, a Mhurchaidh, carson a dh'fhàg mi thu 's a chaidh mi seòladh? Carson a dh'fhàg mi thu am measg na Philistich, carson a thug mi Canada is Timbuctoo is Tiriodh orm . . . ?

MÀIRI Chan ann a' dol a thòiseachadh a tha thusa a-nis?

MURCHADH Mar a thuirt Chun Yan Sen, a thàinig à Tobair Mhoire: "Nuair a thèid na solais às bidh sinn anns an dorchadas." Tha iad ag ràdh gun tuirt Maois sin cuideachd. No mar a sgrìobh an Sasannach: "Neuroses round the Door". (*tòisichidh e a' seinn*) Ho-ro mo chuid cuideachd thu . . . (*stadaidh e*) Tha an talamh air a bhith ann bho riamh 's bha daoine a' dol a-mach le spealan, ach thuirt mise rium fhìn aon latha: "Cha tèid mi a-mach le speal tuilleadh. Tha làithean mo spealaidh seachad." Cuiridh mi geall gur e mise a' chiad fhear a thilleas air ais le speal. Cuiridh mi romham gun can mi ris an speal: "Chan eil mi a' dol gad leantainn tuilleadh. Oir an e mise a bha a' toirt a-mach na speala, no an e an speal a bha gam thoirt-sa a-mach?" O, 's e ceist mhòr a tha sin. Ceist cho mòr 's a dh'fhaighnich duine a-riamh ged nach d' fhuair e freagairt air a son. Cò am maighstir, mise no an speal? Innis dhomh.

MÀIRI Chan eil mi a' tuigsinn facal a tha thu ag ràdh.

MURCHADH No an sguab. Cò a' bhana-mhaighstir, thusa no an sguab? "Lean mise," arsa an sguab. "Lean mise," arsa an speal.

TORMOD Fàg thusa sinn.

MÀIRI Eh?

TORMOD Fàg sinn. Tha fhios a'm dè tha ceàrr air Murchadh. Cha dèanadh ministear no psychiatrist a' chùis, ach tha fhios dè nì.

MÀIRI An e an fhìrinn a th' agad?

TORMOD 'S e an fhìrinn a th' agam ceart gu leòr. Fàg sinn.

Falbhaidh MÀIRI. *Dùinidh i an doras. Cuiridh* TORMOD *cathair ri cùl an dorais. Bheir e a-mach leth-bhotal uisge-beatha.*

Ah, a Mhurchaidh, an gabh thu glainne mar a bhiodh sinn a' gabhail uair air cùl na cruaich?

MURCHADH Gabhaidh Murchadh glainne. Chan eil càil coltach ris a' ghlainne mar a tha an Fhìrinn fhèin a' teagasg dhuinn.

Gheibh TORMOD *copan.*

TORMOD Seo dhut. (*bheir e dha glainne 's an dèidh sin lìonaidh e tè dha fhèin*) Ah! . . . Tha mi duilich nach eil botal slàn agam, ach sin mar a tha an saoghal. Tha botail slàn ann, 's tha leth-bhotail ann, agus 's e an leth-bhotal a th' agamsa.

Òlaidh MURCHADH *na tha anns a' chopan. Lìonaidh* TORMOD *copan dha a-rithist.*

MURCHADH Na leugh thu leabhar Gàidhlig ris an can iad *The Grapes of Wrath*? Leabhar mòr. Leabhar mòr.

TORMOD Cha do leugh. Chan eil mi a' smaoineachadh gun do leugh.

MURCHADH Tha thu ceart. Cha do leugh . . . Am b' urrainn dhut an leth-bhotal-sa a thoirt dhomh gun thu fhèin boinneag a thoirt às?

TORMOD Airson companach, dhèanainn dìreach sin.

Bheir e dha am botal. Cuiridh MURCHADH *copan eile a-mach dha fhèin.*

MURCHADH Aidh, a Thormoid, 's e duine math a th' annad, duine math, a leig sìos d' uisge-beatha airson do chompanaich. Nuair a chanas daoine eile gur duine dona a th' annad, 's e a chanas mise: "Duine math, duine math. Nuair a bhios a chompanach ann an trioblaid, thig an duine math le obair na spiorad, ga ath-nuathachadh." 'S e sin a their mise. 'S cha bhi mi gad àicheadh, gad àicheadh, cha bhi.

TORMOD Innis dhomh a Mhurchaidh, dè tha ceàrr ort?

MURCHADH Mar a thuirt Mac Mhaighstir Alasdair: "Chuir an talamh dragh orm." 'S ciamar a tha thu fhèin, a Thormoid? A bheil thua air a bhith fada aig an taigh?

TORMOD Seachdain.

MURCHADH 'S cuin a tha thu a' falbh? Cuin a thàinig thu? Carson nach do dh'fhuirich thu? 'S ciamar a tha d' obair a' còrdadh riut? 'S an do thachair duine riut a dh'aithnicheadh tu? No an do thachair duine riut nach do dh'aithnich thu? (*òlaidh e copan eile gu grad*) Carson nach do phòs thu fhathast? Tha thu eu-coltach ri d' athair. 'S a bheil Canada fhathast far na chleachd e bhith? . . . 'S dè am pàigheadh a th' agad?

Greiseag nan tàmh.

Tha thu ceart a Thormoid. Chan eil càil coltach ri Old Haig. Tha mi duilich nach eil boinneag agad dhut fhèin. Ach sin mar a tha an saoghal.

TORMOD 'S ann.

MURCHADH Aidh, 's ann.

Greiseag nan tàmh.

TORMOD 'S chaidh thu a-mach aon latha 's thuirt thu riut fhèin nach leanadh tu an speal tuilleadh. 'S cha do rinn am ministear feum dhut, 's cha do rinn a' psychiatrist feum dhut. Dè thuirt thu ris a' psychiatrist?

MURCHADH Tha an saoghal mòr air thoiseach ort, arsa mise, saoghal mòr. Bha argamaid againn mu dheidhinn dathan, 's mu dheidhinn na Gàidhlig. (*tòisichidh e a' seinn*) "Horo mo chuid chuideachd thu." (*thèid e a-null gu mall chun na h-uinneig*) A Thormoid, tha uiseag a' seinn. (*èistidh e*) Chan e uiseag a th' ann; 's e th' ann plèan no pterodactyl. 'S e th' ann mo sheanmhair a' seinn anns an t-seann nòs. (*nì e gàire*)

Mar a thuirt Coinneach Odhar, bidh TV is Scottish Dance Music ann an Leòdhas nuair a thug maighdeann-mhara a-mach canastair soup. (*togaidh e am botal gu a bheul*)

'S mar a thuirt Coinneach Odhar a-rithist: "Nuair a bhios uisge ann bidh e fliuch." Eh? (*seinnidh e*) "Bha mi an-dè 'm Beinn Dobhrain, 's na còir cha robh mi aineolach."

Thuirt Lenin nach biodh lit' againn gun sgur a-chaoidh.

TORMOD Dè a' Ghàidhlig air pterodactyl?

MURCHADH Dè a' Ghàidhlig air psychiatrist? Càit an d' fhuair thu e?

TORMOD Bha e na shuidhe ri taobh loch.

MURCHADH Bha. Gabhaidh mi mo lit' a-nis. Oir chunnaic mi psychiatrist ri taobh loch. Cuiridh mi orm mo bhreacan.

TORMOD Nach tuirt mi riut gun dèanadh Haig feum dhut.

MURCHADH "Don't be vague. Ask for White Horse."

"Horo mo chuideachd thu."

Thalla, is can ri Màiri gu bheil mi deiseil airson mo lit'.

Can rithe gu bheil am feur air gabhail orm.

Mar a their iad anns a' Bheurla, dè thàinig ceàrr orm? Chan eil fhios, chan eil fhios. 'S can rithe mo speal a ghleusadh oir tha fonn na mo cheann.

'S can rithe cheque eile a chur na mo sporan.

TORMOD (*a' gàireachdainn*) 'S e duine damaichte a th' annad.

MURCHADH Cha tuirt thu facal a-riamh cho fìor. Mar a thuirt Dante: "'s e duine damaichte a th' annam". Ach nach fheum sinn a bhith gàireachdainn? Tha mi deiseil a-nis airson a dhol a-mach don t-saoghal airson am feur a spealadh. Can sin riutha. Thoir an

naidheachd sin thuca. Can riutha gur e na facail mu dheireadh
a thuirt mi: "Tog orm mo speal". Oir 's e MacCrimmon a their
iad rium.

TORMOD Tha thu ceart gu leòr a-nis?

MURCHADH Tha. Tha mi ceart gu leòr. Chunnaic mi saoghal ùr anns
am bithinn a' suidhe a-chaoidh air cathair. Saoghal ùr is cathair ùr.
Ach bha e ro mhath dhomh.

TORMOD Mo mhionnan, saoilidh duine gu bheil d' M.A. agad mar a
bhios tu a' bruidhinn.

MURCHADH Tha aon rud eile agam ri dhèanamh mus tèid mi a-mach
le mo speal.

TORMOD Dè tha sin?

MURCHADH Feumaidh sinn "duet" a ghabhail còmhla ri chèile. An
gabh thu "duet" còmhla rium oir chan urrainn dhomh "duet" a
ghabhail nam aonar. Tha lagh an aghaidh sin.

TORMOD Dè 'm fear a tha sinn a' dol a ghabhail?

MURCHADH Thig e thugam. (*smaoinichidh e*) Thig e thugam. Aig a'
cheann thall. Trobhad an seo. Seas ri mo thaobh. Cuir do chasan
ri chèile. Cum do bhrògan ri chèile. Siuthad a-nis. Cuir do cheann
air ais. Cuir a-mach do shròin. A bheil thu deiseil? Cuir do
bhroilleach a-mach cuideachd. Leigidh sinn oirnn nach do leig iad
am boma fhathast 's ma leig gu bheil umbrella againn. Chan eil do
chasan ri chèile.

Èist riumsa a-nis 's tog am fonn. Chan iarr mi ort seo a
dhèanamh tuilleadh. Siuthad a-nis. Tha Venus anns an adhar, is
Mars. Tha na planaidean ag èisteachd ris an duet-sa.

Tòisichidh e a' gluasad a bhotail.

> Soraidh leibh is oidhche mhath leibh
> Oidhche mhath leibh 's beannachd leibh
> Guidheam slàint a ghnàth bhith math ribh
> Oidhche mhath leibh 's beannachd leibh.

Agus an dèidh sin, tog orm mo speal.

GIVE ME MY SCYTHE

Iain Crichton Smith

1979

Place   A croft-house living room
Time   Early twentieth century

CHARACTERS

OBLOMOV   narrator
MAIRI   crofter's sister
MURDO   crofter
MINISTER
PSYCHIATRIST
NORMAN   crofter's friend

A man comes to the front of the stage and says the following words.

OBLOMOV Murdo has been sitting there for two days now. That's his sister Mairi you see wringing her hands behind me and walking back and fore. Murdo came into the house two days ago after working at the corn and said that he wouldn't go out any more. (*Knock at the door.*) Oh, this is the minister. Mairi sent for him.

I am going now, thank God. They call me Oblomov, Norman Oblomov.

He waves to the people and leaves.

MAIRI (*to the* MINISTER) Oh I am so happy you came. (*She puts out a seat for him.*) You can send up a prayer.

MURDO (*in a monotonous voice*) Or send down.

MINISTER Is he speaking? What did he say?

MAIRI I don't know. He came in two days ago with the scythe and he said he wasn't going to do anymore. I can't hoover the floor with him here.

MURDO (*in the same monotonous voice*) Edgar Allan Hoover!

The MINISTER *looks at him.*

MAIRI (*in a quiet voice*) You can't understand what he said.

MINISTER You leave him with me.

MAIRI He won't take his porridge either. He used to take porridge every day but he threw the spoon to floor.

MURDO O tempora. O tores.

MINISTER (*suddenly*) That's Latin.

MAIRI Do you think . . .?

MINISTER A bad spirit? We'll see, we'll see.

MAIRI I'll leave you with him . . . And tell him that he has to eat his porridge. (*She goes out wringing her hands*)

They are quiet for a while.

MINISTER Murdo, do you hear me?

MURDO Loud and clear. Over. Roger. Over and out.

MINISTER Roger? . . . Oh, he is bad. Thinking that I am called Roger. (*in a loud voice*) What's wrong with you Murdo? Why aren't you eating your porridge? Uh? (*he smiles*) You have to eat something. Man can't survive without food. I eat four sausages every morning and every night and ten on the Sabbath.

MURDO (*in a repetitive voice*) That's obvious. That's obvious. That's . . .

MINISTER Are you saying something?

They are quiet for a while.

MURDO No.

They are quiet for a while.

MINISTER I understand what happened right enough. Sowing and reaping, taking the peats home, year after year; a man grows tired of that work. And you said to yourself one day: "I've done enough. That's enough. I'm not going to do anymore." Oh, if only we could all say that. If only we could all say that. If only we could all say that.

MURDO If only we could all say that.

MINISTER But we can't. Don't I myself have to plant flowers in the pot . . .

MURDO *looks at him.*

Aye. Don't I have to visit people non-stop to see if they are alive or dead, alive or dead . . . At times it is difficult to make that out . . . The world is hard on us.

MURDO Yes. Yes indeed.

MINISTER Yes. Can I say to your wife Mairi that you will take your porridge now?

MURDO She's not my wife, but my sister, my sister, my sister. (*short pause*) And you can't tell her. She won't understand you. As Freud said, she's not all there. Her conscious doesn't know what her subconscious is doing. Oh dear, oh dear, oh dear . . .

MINISTER (*looking at him*) You've been reading books again? Didn't I say to you to stop reading? Much reading is a weariness to the flesh. That's in the Bible. Everything is in the Bible.

MURDO There are no lies in the Bible. Oh no, no . . .

MINISTER No . . . That's the truth. (*suddenly*) Who is this Freud you are on about?

MURDO His grandfather was famous in education, but his great-grandfather wasn't so famous. Or, that's what they say. Although I wasn't the first to say it, as I heard it from someone else. I did indeed, because I don't ever make up stories about people . . . or, that's what they say.

MINISTER (*to himself*) He's in a bad way. (*suddenly*) Shall I send a word of prayer up for you?

MURDO Yes. One word. The word you should send up is "Amen". (*he starts singing a Gaelic song*) "An ataireachd bhuan, cluinn fuaim na h-ataireachd àrd." ("*The everlasting swell of the sea, hear the sound of the high swelling.*") (*he stops*) The choir was around me. Yes, indeed. And a woman went over and played one note on the piano. Yes, she only played one note. And the piano was like teeth. And she played . . . one note . . . on . . . the piano. And then she opened her mouth. (*suddenly*) Why aren't you in the Space Exploration Society?

MINISTER (*getting up, he goes over to shout on* MAIRI) Mairi are you there? (*she comes in drying her hands*) He's in a really bad way. I can't get anything out of him – just nonsense. I don't understand what he is saying. (MURDO *is still laughing behind him*) I'll come in tomorrow to see if he is better . . . But I don't know what will happen. We are in the hands of . . . Yes.

Has he been sitting there for two days?

MAIRI He won't move.

MINISTER Awake?

MAIRI What did you say?

MINISTER Awake for two days?

MAIRI Yes. You can see his eyes are like a cat's eyes at night.

MINISTER And did anything happen that made him like this?

MAIRI No. He put the scythe down and said: "I can't be a . . .", oh, I'm sorry minister, and he sat in the chair and he won't move.

MURDO (*suddenly singing*) "Tha slighe gharbh gu beanntan àrd ar n-eilein, tha slighe gharbh tron mhòintich 's tron fhraoch . . ." (*"The way is hard to the high mountains of our island, the way is hard over the moor and the heather" from the Gaelic song "Èilidh"*) Yes indeed.

MINISTER (*looking at him*) He has a good voice. That will help him.

MAIRI He always had a good voice. His father had a good voice . . .

MURDO And my grandfather. But not now. He is dead. He died. He passed away. More's the pity. More's the pity.

MINISTER I have to go. I have to marry someone.

MAIRI I thought you were married already.

MINISTER (*looking at her*) Yes. I am that. A lovely woman. She is good at making doughnuts. But she can't make tea. She puts ten full spoons into the pot. She always does that. She can't do any differently. And water is difficult for her. She has problems with water.

MURDO Good grief. As Plato said: "I don't want sugar in my tea." And Aristotle said something like that as well. (*he puts his hand on his head*) Oh, my heart is breaking.

MAIRI You'll come tomorrow then.

MINISTER Yes. And you look after him well.

MURDO She ought to look in front of me. Too many people look after them. As Lot's wife did. And as she once said: "My name is in the Lot."

The MINISTER looks at him again and he goes.

MAIRI What are you trying to do? Are you trying to fall out with the Minister?

MURDO Is there a bowl of vodka in? I think that I would enjoy a bowl of vodka very much before I die. Or you could put it in a saucer. A saucer of vodka. (*he laughs suddenly*)

MAIRI What are you on about? You know full well that your father ordered me never to give you a drop of vodka?

MURDO That's right. My father was a big man, although he wasn't good at football. And your father too. But isn't that reasonable enough since we have the same father. As Euclid said: "If one thing is the same as another thing, they are the same as each other." I saw that once in the *People's Journal*, near "A Word From Granny".

MAIRI What will you have for your dinner?

MURDO I will have salt herring and cocoa. A soupçon of cocoa and a soupçon of salt herring.

MAIRI Don't you know there is no cocoa in?

MURDO Yes, I know, more's the pity. (*quiet a while*) Mairi, do you remember the days of our youth, when I was young and you were young too? Do you remember the moon? Oh, there's no moons today like those. Those moons have gone and they won't return again. And do you remember how hot the sun used to be. Oh, there is no sun today like those ones. And do you remember how April used to come after March and as sure as death May would come after that, and after that – amazingly – June. Oh when will those days go out of my memory, in the name of God?

MAIRI You didn't tell me yet what you want for your dinner?

MURDO Kill the cow. Kill her. She has been alive too long. What has she ever given us except milk? What? Tell me. Why do we keep her alive? She's too long in the horn.

MAIRI Murdo . . .

MURDO Are you still there? Oh Mairi, as the poet Duncan Bàn said, "is it still thus that your eyes are the colour of herring, with your skin the colour of the Loch Ness Monster . . .". Mairi, Mairi . . .

MAIRI I would much prefer it if you would tell me what you want for your . . .

MURDO Open a tin with your teeth. Open a tin of crowdie. Oh I am tired. Go away, go, go.

MAIRI When you tell me what . . .

There is knock at the door.

Who's that?

MURDO If one opens the door one will see who is outside. That's a rule you get in geometry.

MAIRI *goes to the door.*

Don't open it! (*he picks up a broom*) Remember that I have this broom pointed right at your heart. Did you hear me? (*he makes a kind of screech*) Did you hear me "Mairi the Moll from Ardnamurchan"? Remember, you don't know who that is. You don't know that they didn't come to steal the Assistance. What would you do without the Board? (*short pause*) You would be without a Board. (*he puts the broom down*) Ok, you can let them in. How did you think you would get on after the byre had been broken into?

MAIRI *opens the door. Two men come in. The first man is a* PSYCHIATRIST. *He has a small pointy beard. The other one is* NORMAN, *a friend of Murdo's.*

PSYCHIATRIST Where is he? Where is he?

NORMAN Och Murdo, I'm sorry . . . but I got a psychiatrist for you . . .

MURDO C.O.D.?

PSYCHIATRIST Yes, do you hear that? Does he want to be a postman? Does he have a desire to be postman?

MURDO I want letters after my name.

NORMAN What's wrong with you Murdo? You know I am your friend; didn't we spend many a night stealing the apples together?

MURDO We twa hae paddled in the Burns
  frae morning sun till dine
  but seas between us twae hae reared
  sin auld lang swine.
Schweinhund!

NORMAN (*to the* PSYCHIATRIST) I'm a sailor, you understand. That's why he is talking about the sea.

MURDO Will you have a bowl of porridge? I never heard of a psychiatrist that wouldn't take a bowl of porridge. On the other hand, I never heard of a psychiatrist who would take a bowl of porridge.

NORMAN (*to* MAIRI) Is he any better at all?

MAIRI No. If anything, he is worse.

NORMAN Och, just wait until the psychiatrist starts on him. I got him in Inverness. He was sitting by the loch with a camera. I recognised by his beard that he was a psychiatrist. "Wait till I get my I.Q." he said to me, "and we'll go together." And here we are now.

MAIRI Yes.

PSYCHIATRIST (*to* MURDO) Lie down.

MURDO Did I hear a voice? Did I hear the voice of the thrush? (*suddenly*) No.

PSYCHIATRIST Lie down. (*to* NORMAN) Ask him to lie down.

NORMAN We'll leave the two of you together. I'm hungry. Come on Mairi.

They leave together.

PSYCHIATRIST Listen to me now. When I say a word to you, you say the first word that comes to mind. Are you ready?

MURDO No.

PSYCHIATRIST Are you ready now?

MURDO (*after a while*) No.

They are quiet for a while.

PSYCHIATRIST Are you ready now? I'll say a word.

MURDO Word.

PSYCHIATRIST What?

MURDO "Word" was the first word I thought of when you said "word".

The PSYCHIATRIST *starts cleaning his glasses irritably.*

PSYCHIATRIST We'll start again. This is the word now: "corn".

MURDO Brown.

PSYCHIATRIST Brown?

MURDO Yes, corn appears in autumn and the leaves on the trees are all brown. I read that in a book once, perhaps it was in the Bible.

They are both quiet for a while with the PSYCHIATRIST *looking at* MURDO *carefully.*

PSYCHIATRIST Another word: "blue".

MURDO Grass.

PSYCHIATRIST Grass? Grass? But grass is green.

MURDO Not in Gaelic. Grass is blue green in Gaelic.

PSYCHIATRIST Who ever saw blue grass?

MURDO Gaelic speakers saw blue grass. The man who made that famous dictionary – *Dwelly* – he saw blue grass and you find it in proverbs too. Now, I'm not teasing you. Luscious blue grass.

The PSYCHIATRIST *is getting fidgety.*

PSYCHIATRIST Don't tell me that grass is blue. I have seen grass and it is green. There's not many people who have seen as much grass as me, and it's green. It's as green, as . . .

MURDO The sky. Gaelic grass is as blue as the sky in English. That's one difference between the two languages. There are other differences, but this is one of the biggest differences.

PSYCHIATRIST (*suddenly*) I'll show you that grass is green. You only need to go to the window. (*he does that and he looks out*) So the grass that I am looking at now: it's green.

MURDO (*shaking his head*) I won't go against *Dwelly*. In Gaelic, you can't disagree with him. The mechanics, the language itself is behind that word and the grass is blue. That's the law.

PSYCHIATRIST Green.

MURDO Blue.

PSYCHIATRIST Green.

MURDO Blue.

They are quiet for a while. The PSYCHIATRIST *opens his collar.*

PSYCHIATRIST Another word.

MURDO Carry on. I'm ready. I was never more ready and I won't be as ready again.

PSYCHIATRIST Here's the word: "black house".

MURDO Pink house.

PSYCHIATRIST Haggis.

MURDO Maggots.

PSYCHIATRIST Afternoon.

MURDO Aftershock.

PSYCHIATRIST Scythe.

MURDO Stop.

PSYCHIATRIST Stop?

MURDO Yes. Stop. You are going too fast. And something is coming to mind. Scythe. (*he thinks*) There was a scythe in my hand and I saw how bent the world was, like the moon when we were young.

PSYCHIATRIST Ah! Look at me. (*He takes out his watch, he starts moving it to and fro in front of* MURDO's *eyes*) Do you see the watch?

MURDO Yes. Is it working?

PSYCHIATRIST It's moving. Follow it with your eyes.

MURDO I'm following it. (*he makes a kind of screeching noise*) Oh, it's too fast. Your watch is going too fast.

PSYCHIATRIST (*putting his head close to* MURDO) In a minute, you will be asleep. In a minute you will be asleep. In a minute you will be . . . (*he shakes his head as though he was falling asleep*)

MURDO You said that already.

PSYCHIATRIST In a minute. (*he looks at his watch*) The minute is past. In two minutes, you will fall asleep. In two minutes . . . and you will back to being two years old . . . Do you hear?

MURDO I'm asleep, stupid idiot . . . (*he closes his eyes*)

PSYCHIATRIST Ah, you're asleep . . . how old are you?

MURDO (*in a childish voice*) I don't know. I'm too young. They didn't tell me.

PSYCHIATRIST You're two years old. You don't know how to walk. But you can talk. What do you want?

MURDO My porridge. I want my porridge. (*he starts screaming and hitting his fists on the chair*)

PSYCHIATRIST You're not going to get your porridge. What were you doing today?

MURDO I was reading Karl Marx.

PSYCHIATRIST You're not going to get your porridge. Say "Mairi".

MURDO Mairi.

PSYCHIATRIST Say: "Mairi won't give me my porridge."

MURDO Mairi won't give me my porridge. The b . . .

PSYCHIATRIST What are you thinking about?

MURDO I am thinking about my porridge and that Mairi the b . . . won't give me my porridge.

They are silent for a while.

My legs are sore.

PSYCHIATRIST You haven't started walking yet.

MURDO I have rheumatism.

PSYCHIATRIST You aren't old enough. (*drying his brow*) If I get out of this place safely.

MURDO (*screaming*) Scythe!

PSYCHIATRIST Scythe? Scythe? What happened? Where was the scythe?

MURDO Spell "psychiatrist".

PSYCHIATRIST He's bilingual. That's the problem. The two languages. English and Gaelic. His mind is all muddled. The two languages made his brain all muddled.

MURDO Scythe.

PSYCHIATRIST Ah.

MURDO I fell over a scythe. That's why my legs are sore and Mairi won't give me my porridge, Mairi the b . . .

PSYCHIATRIST Shhh, shhh, shhh.

MURDO (*screaming*) It wasn't my fault. It wasn't my fault.

PSYCHIATRIST Ah, I understand.

MURDO *drops to his knees and he starts rummaging around.*

MURDO I saw a spoon on the floor.

PSYCHIATRIST Where?

MURDO Over there. There. A spoon on the floor.

The PSYCHIATRIST *drops to his knees too. He starts rummaging around too.* MURDO *sticks out his tongue behind the psychiatrist. He goes over towards him on his knees and starts petting him.*

Rover. Rover. Lie down. Rover. Rover. Get the spoon. Get the spoon.

He starts barking. The PSYCHIATRIST *jumps to his feet and flees from him.* MURDO *is barking. He stops.*

Get the spoon. My porridge. My porridge.

He beats his fists on the floor. The PSYCHIATRIST *glances at him and runs out.* MURDO *gets up and sits contentedly in his chair again.*

MAIRI *and* NORMAN *come in.*

MAIRI What was that? What happened?

NORMAN There's no-one here but himself.

MAIRI Where's the poor guy with the beard?

NORMAN *goes to the window.*

NORMAN He's running down the road. What did you do to him?

MURDO "Oh the world is coming to an end," said Old Katy when she was talking to Oppenheimer yesterday. "What did you do to the atom? Why did you bother the atom? . . . I am ashamed that you harassed the atom."

NORMAN Well, I don't know what we'll do now. A minister and a psychiatrist – there's no-one else left.

MAIRI No. No.

They are quiet for a while.

MURDO Don't be speaking to me about Plato, he was no good with the hay-fork at all.

NORMAN Is he always like this?

MAIRI Yes.

MURDO Yes. I am always like this. What will save me? (*he is quiet for a while and then starts to sing*) "Hioram, haram, hioram, haram . . ." What comes after that Norman, is it "hioram" or "haram" or is it "hioram, haram"? Aye, the age of the bagpipe is over. The age of the small pipe is coming. If I could give a symbol of the world in the future, the world in which we will live; I'd say it would be the world of the small pipe. Yep.

MAIRI Murdo?

MURDO Uh?

MAIRI Are you listening to me?

MURDO I'm listening to you, but I don't hear you.

MAIRI Murdo, what will you have for your tea?

MURDO Porridge and beer. Put the beer in a cup and I'll put my spoon in the porridge and back in the beer. But I don't like sugar in my porridge.

NORMAN *starts laughing and he can't stop.*

MAIRI Why are you laughing?

NORMAN Beer and porridge. I think that's wonderful. And he doesn't want sugar in his porridge. You've made the man demented. Who ever heard anything as funny as that? Och Murdo, why did I leave you to go to sea? Why did I leave you amongst the Philistines, why did I go to Canada and Timbuktoo and Tiree . . .?

MAIRI You're not going to start now are you?

MURDO As Chun Yan Sen, from Tobermory, said: "When the lights go off we will be in darkness." They say that Moses said that too. Or, as the Englishman said: "Neuroses round the door." (*he starts singing "NicCoiseam" by the poet Duncan Bàn MacIntyre*) "Ho-ro mo chuid cuideachd thu . . ." (*he stops*) The earth has always been there and people were going out with scythes, but I said to myself one day: "I'm not going out with a scythe anymore. The days of my scything are over." I bet I am the first man to come back with a scythe. I propose to say to the scythe: "I am not going to follow you anymore. Because do I control the scythe, or does the scythe control me?" Oh, that's a big question. It's as big a question as man ever asked, even though he didn't get an answer to it. Who is the master, me or the scythe? Tell me.

MAIRI I don't understand a word you are saying.

MURDO Or the broom. Who is the mistress, you or the broom? "Follow me," said the broom. "Follow me," said the scythe.

NORMAN You leave us.

MAIRI Uh?

NORMAN Leave us. I know what's wrong with Murdo. A minister or psychiatrist are no use, but I know what will help.

MAIRI Is that the truth?

NORMAN Yes, I'm telling the truth. Leave us.

MAIRI *goes away. She shuts the door.* NORMAN *puts his chair behind the door. He takes out a half-bottle of whisky.*

Now Murdo, will you have a glass like we used to behind the peat stack?

MURDO Murdo will have a glass. There's nothing like a glass as the Good Book itself teaches us.

NORMAN *gets a cup.*

NORMAN Here you are. (*he gives him a glass and after that he fills one for himself*) Ah! . . . I'm sorry that I don't have a full bottle, but that's life. There are full bottles and there are half-bottles, and I have a half-bottle.

MURDO *drinks what is in his cup.* NORMAN *fills his cup again.*

MURDO Did you read the Gaelic book called *The Grapes of Wrath*? A big book. A big book.

NORMAN No. I don't think I did.

MURDO You're right. You didn't . . . Could you give me this half-bottle without you taking a drop from it?

NORMAN For a friend, I would do just that.

He gives him the bottle. MURDO *pours himself another cup from it.*

MURDO Aye, Norman you're a good man, a good man who gave up his whisky for a friend. When other people say you are a bad man, I'll say "He's a good man, a good man. When his friend is in trouble, the good man will come with vigour in his spirit, to renew him." That's what I will say to them. And I won't deny it, won't deny it at all, no.

NORMAN Tell me, Murdo, what's wrong with you?

MURDO As the poet Alistair MacDonald said: "The earth annoyed me." And how are you, yourself Norman? Have you been long at home?

NORMAN A week.

MURDO And when will you be leaving? When did you come? Why didn't you stay? How do you like your work? Did you meet anyone you know? Or did you meet anyone you didn't know? (*he drinks a cup quickly*) Why aren't you married yet? You're not like your father. And is Canada still where it used to be? . . . And what are you paid?

Quiet for a while.

You're right Norman. There is nothing like Old Haig. I am sorry that you don't have a drop yourself. But that's life.

NORMAN It is.

MURDO Yeah, it is.

Quiet for a while.

NORMAN So you went out one day and you said to yourself that you wouldn't follow the scythe anymore. And the minister didn't help you and the psychiatrist didn't help you. What did you say to the psychiatrist?

MURDO There's a big world out there for you, I said, a big world. We had an argument about colours and about Gaelic. (*he starts singing*) "Horo mo chuid chuideachd thu." (*he goes over slowly to the window*) Norman, a lark is singing. (*he listens*) It's not a lark;

it's a plane or a pterodactyl. Actually it's my grandmother singing old-style. (*he smiles*)

As Kenneth Mackenzie, the Brahan Seer, said there will be TV and Scottish Dance music in Lewis when a mermaid brought out a can of soup. (*he raises the bottle to his mouth*)

And as the Brahan Seer said again: "When it rains it will be wet." Uh? (*he sings Duncan Bàn's "Cead Deireannach nam Beann" – "Last Farewell to the Bens"*) "Bha mi an-dè 'm Beinn Dobhrain, 's na còir cha robh mi aineolach."(*I was on Beinn Dorain yesterday, no stranger in her bounds was I.*)

Lenin said that we would have endless amounts of porridge.

NORMAN What's the Gaelic for pterodactyl?

MURDO What's the Gaelic for psychiatrist? Where did you get him?

NORMAN He was sitting by a loch.

MURDO Yes. I'll have my porridge now. Because I saw a psychiatrist beside a loch.

I'll put on my tartan.

NORMAN Didn't I tell you that Haig would do you good.

MURDO "Don't be vague. Ask for White Horse."

"Horo mo chuideachd thu."

Away and tell Mairi that I am ready for my porridge now.

Tell her that the grass has struck me.

As they say in English, what came over me? I don't know, I don't know. And tell her to sharpen my scythe because there is music in my head. And tell her to put another cheque in my wallet.

NORMAN (*laughing*) You're an awful man.

MURDO You never said a truer word. As Dante said: "I am an awful man." But we must laugh, mustn't we? I am ready now to go out into the world to scythe the grass. Tell them that. Give them that news. Tell them that the last words I said were: "Give me my scythe." Because they call me MacCrimmon.

NORMAN You're all right now?

MURDO Yes. I'm fine now. I saw a new world where I would forever sit in a chair. A new world and a new chair. But it was too good for me.

NORMAN Jeez, anyone would think you had your M.A. the way you are speaking.

MURDO There's one other thing I need to do before I go out with my
scythe.

NORMAN What's that?

MURDO We have to sing a duet together. Will you sing a duet with me
because I can't sing a duet by myself. There's a law against it.

NORMAN What will we sing?

MURDO It'll come to me. (*he thinks*) It'll come to me. Eventually.
Come here. Stand by my side. Put your feet together. Put your
shoes together There now. Put your head back. Stick your nose
out. Are you ready? Stick your chest out too. Are you ready? We'll
pretend that they haven't dropped the bomb yet and if they have
that we have an umbrella. Your feet aren't together.

Listen to me now and follow the tune. I won't ask you to do this
again. Come on now. Venus is in the sky, and Mars. The planets
are listening to this duet.

He starts moving his bottle (*singing farewell song Soraidh Leibh is
Oidhche Mhath Leibh*).

Soraidh leibh is oidhche mhath leibh
Oidhche mhath leibh 's beannachd leibh
Guidheam slàint a ghnàth bhith math ribh
Oidhche mhath leibh 's beannachd leibh.

Farewell and goodnight to you
Goodnight and blessings upon you
I wish health always to be with you
Goodnight and blessings upon you.

And after that, give me my scythe.

Òrdugh na Saorsa

Tormod Calum Dòmhnallach

1991

NA PEARSACHAN

JOHN EVERETT MILLAIS	peantair Ro-Raphaelite
IAIN RUSGAIN	sgrùdair ealain agus fear-leasachaidh
OIGHRIG	bean Iain Rusgain
AN GÀIDHEAL	gille trusgain agus fear-teichidh bhon Arm (Westall)
BEATHAG	piuthar òg Oighrig
DÀ SHAIGHDEAR DEARG	

Feumaidh iadsan a thèid an sàs anns an deilbh-chluich seo eòlas fhaotainn air an dealbh-peantaidh *The Order of Release* a nochd anns a' bhliadhna 1853.

Trealaichean: Trì cumaidhean-tàilleir bho aois Bhictoria
    Canabhas mòr deasaichte air eachan-dealbhaidh: a chùl ris an luchd-èisteachd
    Sgàthan mòr èididh (air seasamh)
    Poit chrèadha le bruisean peantair agus bòrd-peantaidh le dathan eadar-dhealaichte

Èideadh: Dìreach mar a bha e san dealbh.

Air na trì cumaidhean-tàilleir tha an t-aodach a leanas airson nan cleas-aichean orra an toiseach:
    1) Casag an t-soighleir, crios geal agus ad
    2) Seacaid ghlas a' Ghàidheil agus am bann mòr
    3) Gùn purpaidh Oighrig agus seàla mhòr ghorm

(Chan fhaic sinn an dealbh-peantaidh ach feumaidh gun nochd e air a' phrògram.)

Thig MILLAIS *a-staigh ann am briogais agus peitean an t-soighleir, a' toirt leis iuchraichean.*

Caraichidh e an canabhas agus an sgàthan a bhios freagarrach dha nuair a tha e a' peantadh oir 's e fhèin modail an t-soighleir. Tuigidh e ma bhios e a' peantadh le a làmh dheis gum feum e na h-iuchraichean a chumail na làimh chlì, ach san dealbh tha iad ann an làimh dheis an t-soighleir. Às dèidh feuchainn, tuigidh e gun ceartaich ìomhaigh an sgàthain an duilgheadas aige. Cuiridh e air a' chasag agus an ad agus coimheadaidh e air fhèin san sgàthan.

Thig OIGHRIG *a-steach ann an gùna le gàirdeanan a tha teann agus glas sìos gu a calpan, 's i cas-rùisgte.*

Bheir MILLAIS *dheth ad a' cromadh beagan dhi (a' dèanamh umhlachd dhi) agus cuiridh e air a' chumadh-tàilleir aige i.*

Sgrùdaidh MILLAIS OIGHRIG *gu proifeiseanta.*

Stad

MILLAIS Chan e sin an dath a dh'fheumas a bhith air d' fhalt.

Clisgidh OIGHRIG.

Cuimhnich gur e bana-Ghàidheal a th' annad!

OIGHRIG Chan eil thu a' dol a dhathadh m' fhalt, a bheil?

Togaidh MILLAIS *a bhòrd-pheantaidh agus gheibh e bruis agus tha e coltach gu bheil e a' measgadh peant.*

MILLAIS Seo mar a chuireas mi dath eile air d' fhalt.

OIGHRIG Falt donn dualach. Is toil leam fhìn na Gàidheil, agus bidh m' athair air a dhòigh. Tha fhios aige gur e Iacobite a th' annam!

MILLAIS Thug mi greis a' rannsachadh nan tartan gus am biodh iad fìor cheart agam.

OIGHRIG Gòrdanach agus Drumanach. Gòrdanach air a' Ghàidheal agus Drumanach air an leanabh?

MILLAIS Tha sin ceart. Thug mi à dealbhan MhicIain iad.

OIGHRIG Chan eil iad sin air an fheadhainn as Gàidhealaich. Carson a thagh thu iad?

MILLAIS Chòrd na dathan rium!

Tha an dithis a' gàireachdainn.

Bidh thu air an seo (*a' bualadh air a' chanabhas*) a cheart cho nàdarrach 's a tha thu an sin an-dràsta. Ach dath eile air d' fhalt.

Stad

OIGHRIG Ach càite bho shealbh a bheil an duine sin?

MILLAIS An duine agadsa? Mgr Rusgain?

OIGHRIG O tha làn fhios a'm càite a bheil an duine agamsa. Tha e
am measg a chuid leabhraichean mar as àbhaist. 'S e th' agam, an
Gàidheal. Càit a bheil an Gàidheal?

MILLAIS Tha e fadalach. Bidh e ri seachnadh saighdearan nan
còtaichean-dearga.

OIGHRIG Seachnadh nan saighdearan?

MILLAIS Seadh . . . Tha mi a' tuigsinn gu bheil e air ruith air falbh.

OIGHRIG Fear-teichidh!

*Cha fhreagair e. Thèid e dhan chumadh-tàilleir aice agus bheir e an
seàla dhi; cuidichidh e i ga chur ceart (tha e ro nearbhach an aon rud
a dhèanamh fhathast leis a' ghùn aice). Cuiridh iad an seàla mar a
tha iad ga iarraidh airson an deilbh. Seasaidh e air ais agus bheir e
sùil oirre.*

Stad fada

MILLAIS Bheil do chasan fuar?

OIGHRIG Chan eil.

Thig WESTALL *a-staigh. 'S e saighdear cumanta a th' ann nach buin
don t-suidheachadh seo. Tha e mì-chofhurtail ann am fèileadh,
stocainnean agus brògan nach àbhaist dha.*

MILLAIS Trobhad!

Cuiridh MILLAIS *an t-seacaid air* WESTALL *agus cuiridh e ceart am
bann air a ghàirdean. An uair sin seallaidh e dha ciamar a bu chòir
dha a bhith na sheasamh le a cheann air guaileann* OIGHRIG *agus
a làmh chlì timcheall air* OIGHRIG, *mar a tha e san dealbh. Cuiridh*
OIGHRIG *an gùn ceart oirre. Tha* OIGHRIG *agus* WESTALL *a' strì gus
faighinn thairis air a' chaidreabh aca mar bana-mhaighstir agus
searbhant airson ealan.*

Tha MILLAIS *nas coltaiche ri stiùiriche dealbh-chluich aig an ìre seo
na peantair.*

MILLAIS Cuimhnich. Tha sinn airson an sgeulachd innse le
fìrinneachd!

OIGHRIG Sgeulachd? 'N e sgeulachd a th' ann? Dùil a'm gur e dealbh?

Tha iad a' bruidhinn gun chasg orra: chan eil an cànan aig WESTALL.

MILLAIS Bidh an sgeulachd ga innse anns an dealbh. Nì a h-uile neach
a chì an dealbh suas an sgeulachd dha fhèin.

OIGHRIG Dìreach mar gum faiceadh tu dealbh-chluich?

MILLAIS Dealbh-chluich nach gabh atharrachadh.

Thèid na modailean nan tost agus togaidh MILLAIS *a chuid bhruisean
agus tòisichidh e a' peantadh. Às dèidh greiseag, gluaisidh e gus
sealladh nas fheàrr fhaighinn dha fhèin san sgàthan mar a thòisicheas
e ag obair air pàirt an t-soighleir sa chanabhas. Tha e gu tur air
beò-ghlacadh leis an obair aige. Bu chòir gur urrainn dhuinn fhaicinn
san sgàthan. Tha an dithis modail fhathast gu tur gun ghluasad.*

Coisichidh RUSGAIN *gu beulaibh an àrd-ùrlair agus fosglaidh e
pàipear-naidheachd. (Tha còta dubh, grinn àbhaisteach agus crabhat
ghorm air an-còmhnaidh.) Air a chùlaibh, tha am peantadh a' dol air
adhart gun fhacal.*

RUSGAIN (*ris an luchd-èisteachd*) Trì colbhan sa phàipear an-diugh!
Taobh ri taobh . . . Tha a' chiad fhear ag innse dhuinn . . .
(*a' leughadh*) Fhuaras boireannach òg, bliadhna air fhichead a
dh'aois. Bha i air a bhith na laighe a-muigh air an talamh fad na
h-oidhche. Bha leanabh marbh air a bhith aice . . .

Stad

An dara colbh . . .
(*a' leughadh*) Seo agaibh na fasanan ùra a bhios aig na
boireannaich an ath-mhìos. Sgiortaichean mòra spaideil, air
an cruthachadh bho aodach sròl a thàinig dhachaigh bho
thìrean cèin.

Stad

An treas colbh . . .
(*a' leughadh*) Bhàsaich leanabh òg an-dè, air sgàth 's gun do
dhiùlt an dotair a dhol a-mach ga fhaicinn gun òrdugh bhon
Pharraist.

Stad

Seo agaibhse, bun-stèidh na h-ùpraid mòire poilitigich a th' againn
ann an Sasainn an-diugh. 'S e na daoine beartach fhèin is coireach,
is mura dèan iad rudeigin ma dheidhinn, is math an airidh.

Falbhaidh RUSGAIN *agus tha an sealladh leis an dealbh a' dol ma sgaoil.*

Tha OIGHRIG *na h-aonar air an àrd-ùrlar nuair a thig* BEATHAG *air.*

OIGHRIG O Bheathag, tha mi nam chaileag trusgain aig Mgr Millais. Bho mhoch gu dubh. Tha mi sgìth agus tha m' amhach goirt.

BEATHAG Carson a tha thu seasamh dha, ma tha e cho doirbh?

OIGHRIG O, tha mi airson a chuideachadh cho math 's as urrainn dhomh. 'S e ceann a' Bhana-Ghàidheil an rud as cudromaiche anns an dealbh.

Ga cur ann an cruth fhèin.

Tha e a' faighinn an ceann agamsa uabhasach duilich.

BEATHAG Dè seòrsa ìomhaigh a tha e ag iarraidh ort?

OIGHRIG Fiamh ghàire.

BEATHAG Fiamh ghàire?

OIGHRIG Gun a bhith fanaid air an t-Sasannach.

BEATHAG Ach fiamh ghàire.

OIGHRIG Gun a bhith fanaid air an t-Sasannach – ach gun eagal a bhith agam roimhe nas motha. Tha Everett ag ràdh nach do pheant duine eile mi idir fhathast.

BEATHAG Ach peantaidh esan.

OIGHRIG O, peantaidh!

BEATHAG O, nach innis thu dhomh ma dheidhinn, Oighrig!

Tha OIGHRIG *ag aithris nam pàirtean anns an dealbh anns na leanas.*

OIGHRIG An Gàidheal anns an dealbh – tha e uasal da-rìribh. Tha ceann a' Ghàidheil air mo ghualainn.

Cuiridh OIGHRIG *a ceann air gualainn* BEATHAIG *agus a gàirdean clì timcheall oirre.*

A ghàirdean timcheall orm. Tha e leònta anns a' ghàirdean eile. Tha seacaid ghlas Ghàidhealach ma ghualainn. Fèileadh beag de thartan nan Gòrdanach. Stocainnean snàth purpaidh.

BEATHAG Tha sin brèagha! Dè an t-aodach a th' ort fhèin? 'N e sin e?

OIGHRIG Gùn purpaidh clòimh. Bidh còta bàn gorm mu mo cheann. Tha mi cas-rùisgte! Is mi sìneadh a-mach Òrdugh na Saorsa. Chun an t-Sasannaich. Everett a tha sin, an Sasannach.

BEATHAG Abair dealbh Sheumasaich!

OIGHRIG Is toil leam e!

BEATHAG Nì Dadaidh gàire nuair a dh'innseas mi dha!

OIGHRIG 'N e a bhith ann an Lunnainn as fheàrr leat na bhith aig
Mamaidh ann am Peairt?

BEATHAG O, 's e!

Thig RUSGAIN *a-steach.*

RUSGAIN Tha mi toilichte gu bheil thu seasamh airson an deilbh ùir
aig Millais.

OIGHRIG Uill, chan e a h-uile fear-pòsta a dh'iarradh air a bhean a
dhol a sheasamh airson peantair!

RUSGAIN Òrdugh na Saorsa – thug mi dhut!
Tha dòchas gum foghlam mi mach gu dè an dìomhaireachd a
tha ceangailte ri inntinn an fhir-ealain.

OIGHRIG Dìomhaireachd inntinn an fhir-ealain? 'S e sin a tha a'
dèanamh dragh dhut, an e?
Ealain mo chridhe!

RUSGAIN Bu chòir fios a bhith agad gur e na h-ealain an rud as
cudromaiche ann am beatha an duine. Na h-ealain. Agus an
Diadhachd.

OIGHRIG Na h-ealain agus an Diadhachd. An cuir thu còmhla ri
chèile iad?

Tha OIGHRIG *a' smèideadh air* BEATHAG *gus falbh.*

Ciod aca as motha? Nad bheachd-sa?

RUSGAIN Tha iad air an aon ràmh. Na h-ealain agus an Diadhachd.
Tha na h-ealain agus an Diadhachd a cheart cho cudromach ri
chèile. Ged nach tuig mòran sin.

OIGHRIG Na h-ealain! Dè tha sin, ach clachan, is peant, is facail!

RUSGAIN Nach iad sin nas seasmhoir na gùnaichean is dannsaichean?
Bidh na clachan-snaighte ri moladh ann an Venice, nuair nach bi
sgeul ortsa na ormsa.

OIGHRIG Na bi cur Venice na mo chuimhne idir.

RUSGAIN Bha thu toilichte ann an Venice, nach robh? Dannsan is
operas, levees gun sgur.

OIGHRIG Bha mise cho toilichte thall ann an Venice, is gu bheil mi an
seo ann an Lunnainn gus bàsachadh leis a' chianalas.

RUSGAIN An cianalas, an e? A bheil an cianalas ort airson an fhir a
ghoid do chuid ghrìogagan?

OIGHRIG Chan eil cinnt sam bith ann cò fear de na h-oifigearan a dh'fhalbh le mo ghrìogagan!

RUSGAIN Bha am poileas den làn bheachd gun robh fios aca cò ghoid na grìogagan agad. An Sasannach! Nach robh e ag iarraidh orm a dhol a shabaid ris?

OIGHRIG Bu dìomhain dha, e ag iarraidh ortsa a dhol a shabaid!

RUSGAIN 'N e mise? Dol an sàs ann an còmhrag-dithis, le amadan de dh'oifigear gun dad eadar an dà chluas aige!

OIGHRIG Bha na h-oifigearan ann an Venice glè mhath dhomhsa. Mura biodh oifigearan an Airm ann an Venice, is iomadh latha a bha mise air m' fhàgail a-staigh leam fhèin! Thusa a' falbh air do spògan am measg clachan a' bhaile!

RUSGAIN Chan fhaic an saoghal a leithid clachan Venice a-chaoidh tuilleadh!

Tha OIGHRIG *ga fhàgail mar a nochdas an dealbh sa chùl le* MILLAIS *agus* WESTALL *agus* OIGHRIG.

RUSGAIN (*ris an luchd-èisteachd, mar òraid*) Tha sibh airson gum bruidhinn mise air na h-ealain. Ach 's e an rud as cudromaiche a th' agamsa ri ràdh ribh mu dheidhinn nan ealan . . . – chan eil gnothach againn a bhith bruidhinn air na h-ealain idir.

Carson?

Cha do bhruidhinn peantair ceart a-riamh mu dheidhinn a chuid pheantadh. Cho luath 's as urrainn do fhear-ealain a chuid obrach a dhèanamh, tha e a' sgur a bhruidhinn air.

Am bruidhinn eun mu dheidhinn an nead a tha e a' togail? Am mol eun an nead a thog e? Cha bhruidhinn is cha mhol! Nas motha a bhruidhneas iadsan a tha fìor mhath air rud a dhèanamh.

Tha e annta. Agus nì iad e.

Falbhaidh RUSGAIN.

Rèitichidh WESTALL *a chuid aodach a' cleachdadh an sgàthain agus feuchaidh e mar a bhios e na sheasamh airson an deilbh.*

Bruidhnidh MILLAIS *agus* OIGHRIG.

MILLAIS (*ri* OIGHRIG) Am faca tu mar a chaidh mo chàineadh?

OIGHRIG Carson, a bhrònain, a chaidh do chàineadh?

MILLAIS Airson an deilbh a pheant mi mu dheireadh.

OIGHRIG Dè fear?

MILLAIS "Crìost an Taigh a Phàrantan."

OIGHRIG Chunnaic mi e.

MILLAIS Dè do bheachd fhèin air?

OIGHRIG Tha e eadar-dhealaichte bho chàch.

MILLAIS Tha còir sin aige.

OIGHRIG Dè thuirt na britheamhan?

MILLAIS "Is gann as urrainn do dhuine beachdachadh air rud nas grànda, gun ghrinneas, cho mì-chàilear ris an dealbh aig Mgr Millais, 'Crìost an Taigh a Phàrantan'."

OIGHRIG Tha an duine agamsa ga mholadh, ge-tà. Tha Iain Rusgain air do thaobh co-dhiù.

MILLAIS Tha mi fada, fada an comain an duine agad airson na tha e a' dèanamh dhomh fhìn is do chàch a tha a' feuchainn ri peantadh a rèir Nàdair.

OIGHRIG O Everett, cha bhi iad ri càineadh an fhir seo, ge-tà!

MILLAIS Fiù 's nach robh Dickens fhèin gam chàineadh? Thuirt e gun robh a' Mhaighdeann agam coltach ri siùrsach! Smaoinich! Teàrlach Dickens!

Bheir an dithis dhiubh sùil air WESTALL *agus e ag aithris a phàirt.*

OIGHRIG Tha pàirt dhe na thachair dhomhsa nam bheatha, Everett, tha e aig amanan dhomh mar gum b' e dealbh-chluich a bh' ann.

MILLAIS Nuair a bhios mise ri cur m' ainm ri cùmhnant sam bith, 's ann a shaoileas mi gum bu chòir dhomh am peann a shadadh air falbh agus faighneachd dhaibhsan a tha ag iarraidh m' ainm – "Gu dè an dealbh-chluich a tha seo, anns a bheil mise a' cur m' ainm ri pàipear?"

Anns na tha leanas tha iad a' sgrùdadh an aodaich.

OIGHRIG An dùil, Everett, an dùil a bheil an rud a tha sinn a' dèanamh an seo coltach ri dealbh-chluich?

MILLAIS Dealbh-peantaidh a tha seo. Agus dealbh làn fìorachas!

OIGHRIG Ge-tà, thachair sgeul an deilbh còrr air ceud bliadhna air ais?

MILLAIS Is ann as fheàrr a chì sinn fìorachas an sgeòil. Gàidheal ga leigeil a-mach às a' Phrìosan, le Òrdugh Saorsa a fhuair a bhean dha.

OIGHRIG Ach seall an t-aodach a th' againn? Cho glan!

MILLAIS Tha an t-aodach sin cho ceart 's a ghabhas. Nach do rannsaich mi anns na leabhraichean e.

OIGHRIG Leabhraichean! Seall air a' bhann a th' agad airson gàirdean a' Ghàidheil. Seall cho glan 's a tha e! Chan eil fiù boinne fala ri fhaicinn air.

MILLAIS Ah! Ge-tà, Oighrig, cuimhnich thusa gu bheil còrr is bliadhna bho chaidh an Gàidheal a leòn aig Blàr Chùil Lodair! Is iomadh bann glan a fhuair e san àm sin!

OIGHRIG Is mi nach creid e!

Tha MILLAIS *a' cur* OIGHRIG *còmhla ri* WESTALL *airson an deilbh.*

MILLAIS A bheil thusa cinnteach gu bheil Mgr Rusgain toilichte thu bhith seasamh dhomhsa airson an deilbh seo?

OIGHRIG O tha, mise cinnteach. Chan eil eud sam bith ann.

MILLAIS Mhothaich mi nach eil e a' toirt mòran feart ort aig amannan. Ged is tu a' bhean aige.

OIGHRIG Tha Iain Rusgain pòsta gun teagamh. Ach 's ann ris na h-ealain!

MILLAIS Dh'fhaodadh mise boireannach òg eile fhaotainn airson an deilbh?

OIGHRIG Bidh cuid ag ràdh nach eil na caileagan trusgain cho moralta 's a bu chòir dhaibh a bhith?

MILLAIS Chan eil teagamh nach eil cuid de na caileagan mar sin. Agus na gillean mar an ceudna.

OIGHRIG Agus bidh iad ag iarraidh pàigheadh, nach bi?

MILLAIS O, feumaidh duine am pàigheadh. Cha dèan iad an gnothach gun airgead.

OIGHRIG Cha leig thu leas mise a phàigheadh!

MILLAIS O chan e sin an t-adhbhar a dh'iarr mi oirbh seasamh dhomh idir!

OIGHRIG Tha fios a'm nach e!

MILLAIS Air an làimh eile, tha e gu leòr dhomhsa an Gàidheal a phàigheadh. 'S ann bochd a bhios am fear-ealain, tha e coltach, co-dhiù.

OIGHRIG Thig latha eile ort fhathast. Fuirich thusa gus am bi Òrdugh na Saorsa deiseil!

Cuirear "Òrdugh na Saorsa" air dòigh sa chùl. Thig RUSGAIN *agus* BEATHAG *air sa bheulaibh.*

BEATHAG Fuirich gus an leugh mi dhuibh an rud a tha Alasdair Mac Gille Mhìcheil ag ràdh mu dheidhinn an Rusgain:
(*a' leughadh*) "Nuair a chaidh Iain Ruadh nan Cath a-mach sa bhliadhna 1715 thug e leis fear de na Rusgain. Chaidh an gille seo a leòn gu dona aig Blàr Sliabh an t-Siorraidh."

Stad

Cudrom air a' Ghàidheal leònta (WESTALL)

"Thug a chàirdean an Rusgain leònta gu taigh tuathanach. Sheall iad às a dhèidh ann an sin. Bha nighean an taighe gu sònraichte math dha. Bha i ga chaithris latha agus oidhche. Thug an nighean sin an Gàidheal leònta bhon a bhàs. An sin, phòs MacRusgain agus nighean an tuathanaich ann an Siorrachd Pheairt."

RUSGAIN Gun teagamh, is ann à Peairt a bha mo sheanair. Chan urrainn dhomh a dhol air ais nas fhaide na sin.

BEATHAG Is ann à Earra-Ghàidheal a thàinig do dhaoine. 'S e Gàidheal a th' annad.

RUSGAIN Cha chuireadh sin nàire ormsa. Ma tha e fìor.

BEATHAG Rusgain. A bheil fhios agad dè an obair a bh' aig na Rusgain?

RUSGAIN Chan eil.

BEATHAG Snaighearachd. Obair clach!

RUSGAIN 'S e clachan-snaighte Venice a tha a' dèanamh dragh dhomhsa. Iad a' cnàmh às a chèile gun diù aig duine dhaibh. (*falbhaidh e*)

BEATHAG Dè mu dheidhinn clachan-snaighte nan Ceilteach ann an Earra-Ghàidheal?

Falbhaidh BEATHAG.

Tha MILLAIS *air na bruisean aige a thogail agus air suathadh ris a' chanabhas fhad 's a tha càch nan seasamh. Gluaisidh* OIGHRIG *a ceann gu neo-chofhurtail.*

MILLAIS A bheil càil ceàrr, Oighrig?

OIGHRIG Tha m' amhach goirt, Everett.

MILLAIS O tha mi duilich! Tha mi ro throm ort.

OIGHRIG Feumaidh an dealbh a bhith deiseil ann an àm airson an Acadaimh.

MILLAIS Chan eil agam ach deich latha!

OIGHRIG Deich latha agad airson crìoch a chur air obair na bliadhna!

MILLAIS Sin agadsa, Oighrig, mar a bhios am fear-ealain! (*a' tighinn faisg oirre*)

Tha mi duilich gu bheil d' amhach goirt. Cha leig thu leas seasamh tuilleadh an-diugh. Obraichidh mi air a' Ghàidheal. (*suathaidh e ri cùl a h-amhaich*) Is fheàrr dhut a dhol dhachaigh a luaidh.

OIGHRIG O chan eil goirteas **cùl** m' amhaich a' cur bacadh orm idir, Everett! Is e tha dona **broinn** m' amhaich.

MILLAIS Broinn d' amhaich?

OIGHRIG Seadh. (*a' suathadh ra h-amhach*) Tha e tric orm. Riamh bho phòs mi. M' amhach ag at.

Stad

MILLAIS (*a' suathadh ri amhach fhèin*) Tha an dearbh rud orm an-dràsta.

Stad

OIGHRIG Fuirich. Gus am faic mi.

Tha i a' coimhead am broinn amhaich. Fosglaidh i a beul dha agus tha esan a' coimhead air a h-amhach-sa.

Thug an dotair dhomh pilichean. Bheir mi dhut feadhainn.

MILLAIS Dè seòrsa pilichean?

OIGHRIG Pilichean cloroform.

MILLAIS Tha mi an dòchas nach tuit mi na mo shuain!

OIGHRIG Cha tuit na bloigh, na do shuain!

MILLAIS Chan eil fhios nach còrdadh i rium an dèidh sin . . .

Thèid e air ais don eachan-dealbhaidh aige. Seasaidh OIGHRIG *agus* WESTALL *a-rithist gun ghluasad. Tha* MILLAIS *gu tur air ghlacadh leis a' pheantadh airson ùine (co-dhiù mionaid). An uair sin gluaisidh* OIGHRIG *leis an "Òrdugh" a tha na làimh – cha ghluais i ach beagan. Tuigidh* MILLAIS *na tha fainear dhi; thèid e don làimh aice a tha a' sìneadh thuige; bheir e pile bhuaipe agus sluigidh e e, agus e a' coimhead oirre.*

MILLAIS Cloroform!

Suathaidh e ri gualainn a' GHÀIDHEIL *agus brisidh e an cruth gus breithneachadh air aodann* OIGHRIG *airson an deilbh. Tha* MILLAIS *a' coimhead gu geur air aodann* OIGHRIG *agus i airsan, an dithis air am beò-ghlacadh leis a' chèile. Gluaisidh an* GÀIDHEAL *air falbh beagan agus nì e eacarsaichean-sìnidh seach gu bheil e cho rag.*

Thig RUSGAIN *air gun* MILLAIS *no* OIGHRIG *mothachail air.*

Gabhaidh RUSGAIN *ad saighdear (leis an t-soighlear) bhon chumadh-tàilleir, agus e a' suathadh ris, an uair sin cuiridh e e air ceann a'* GHÀIDHEIL. *Cuiridh an* GÀIDHEAL *ceart e agus e cho eòlach air agus seasaidh e ri attention fa chomhair* RUSGAIN.

Tha MILLAIS *trang a' peantadh aodann* OIGHRIG.

RUSGAIN (*ris a'* GHÀIDHEAL) Carson a tha inbhe cho àrd aig an t-saighdear?

'S e seòrsa òraid bheag a th' ann seach còmhradh.

Innsidh mise dhut; carson a tha onoir air a thoirt do fhear a bhitheas ri marbhadh dhaoine eile. Oir 's e sin dreuchd an t-saighdeir, nach e? A bhith a' marbhadh dhaoine.

Tha e a' tionndadh beagan mus lean e air adhart.

Tha an saoghal ri toirt urram dhan t-saighdear airson gu bheil an saighdear ri cur a bheatha ann an làmhan na Stàite. Gòrach is mar a dh'fhaodadh e bhith – agus mar is trice tha – tha sinn uile ri toirt urram don t-saighdear air sgàth aon rud:
Tha fios againn gun cùm e aghaidh ri uchd a' bhatail. Gun seas e.

Stad fada

(*a' dlùthachadh ris a'* GHÀIDHEAL) 'S e dreuchd an t-saighdeir – **bàsachadh**. Nach e?
Aig deireadh an latha, 's e am bàs a tha romhad.

A' tionndadh air falbh.

Agus, faodaidh sinn creids, gu bheil thu a' bàsachadh nad mhac-meanmain a h-uile latha.

Tha MILLAIS *a' fàs mothachail air* RUSGAIN *agus cuiridh e sìos a bhruisean; bheir e dheth ad a'* GHÀIDHEIL, *agus cuiridh e e air ais na sheasamh còmhla ri* OIGHRIG. *Tha* MILLAIS *a' peantadh agus e a' bruidhinn ri* RUSGAIN. *Tha an* GÀIDHEAL (WESTALL) *agus* OIGHRIG *nan seasamh.*

MILLAIS Tha Beathag ag ràdh gun còrd e riut gu bheil ceangal agad ris na Gàidheil?

RUSGAIN Tha ùidh agam ann a bhith a' cluinntinn a leithid.

MILLAIS Tha ùidh aig Oighrig anns na Gàidheil . . .

RUSGAIN 'S ann am Peairt a rugadh i.

MILLAIS Seumasach a th' innte! . . . Is ann am Peairt a phòs sibh.

Stad

RUSGAIN Is ann à Peairt a bha mo sheanair. Tha cuimhne agam air an uisge anns an Abhainn Tatha, cho glan 's a bha e. Ach caora bhàite . . . corp caora . . . ri sealladh ann. An teis mheadhain Pheairt.

MILLAIS Tha Mac Gille Mhìcheil ri ràdh gu bheil clachan-snaighte iongantach ri fhaicinn ann an Earra-Ghàidheal. Clachan-snaighte Ceilteach.

RUSGAIN 'S e clachan-snaighte Venice a tha a' dèanamh dragh dhomhsa. Everett! Feumaidh mi fhìn is tu fhèin a dhol gu ruige Venice. Feumaidh sinn ar dìcheall a dhèanamh 'son sàbhaladh nan dealbhan aig Tintoretto!

MILLAIS Chòrdadh e rium a dhol gu Venice.

OIGHRIG (*gun ghluasad*) Blàths is beothalas.

Stad

RUSGAIN Ailtireachd Venice! Everett! Feumaidh ailtireachd uasal a bhith neo-iomlan. Le làrach làimh an duine a rinn e!

MILLAIS Làrach làimh an duine a rinn e . . .

Stad

Dè do bheachd air a' chulaidh a tha mi a' cleachdadh?

RUSGAIN Tha fiamh aig an dealbhadaireachd seo ri dràma. 'S e feumalachd an dràma gum brosnaich e cultar na dùthcha!

MILLAIS Cultar nan Gàidheal.

RUSGAIN Tha e duilich a bhith cinnteach gu dè feum a nì an dealbh seo do chultar nan Gàidheal . . .

OIGHRIG (*gun ghluasad*) Nì an dealbh seo cliù do dh'Everett!

MILLAIS Tha Oighrig cho laghach . . . Feumaidh mi dealbh a tharraing dhuibh fhèin, ge-tà.

RUSGAIN Feumaidh. Ach 's ann air a' Ghàidhealtachd, nam sheasamh a-muigh, air carraig, ri taobh abhainn na leum!

MILLAIS Thèid agam air creagan is uisge a pheantadh gu math. Bidh thusa a' coimhead cho dòigheil sìos air an tuil tha fodhad!

RUSGAIN Thèid cop a pheantadh nach fhaca duine riamh!

Tha e a' coimhead gu geur air OIGHRIG

> 'S e rud iongantach a th' ann an dìomhaireachd inntinn an fhir-ealain . . .

Tha e a' coimhead gu geur air MILLAIS

> Chan eil agadsa ri smaoineachadh air na gnothaichean sin. Chan eil agadsa ach dèanamh do chuid obair. Nach eil sibh a' cur air chois dòigh-peantaidh a mhaireas trì ceud bliadhna! Na Ro-Raphaeltich!

Cuiridh e crìoch air an dealbh le MILLAIS *ann mar an soighlear.*

Thèid na solais sìos sa chùl agus thig iad an àrd sa bheulaibh.

Tha RUSGAIN *agus* BEATHAG *sa bheulaibh agus e soilleir. (Tha an dealbh reòite, le* MILLAIS *na shoighlear nam measg sa chùl agus sin ann an leth-dhorchadas).*

BEATHAG Chuir Oighrig mi null le fios gu Everett.

RUSGAIN Dè fios a tha sin?

BEATHAG E mi fhìn a chleachdadh airson caileag-trusgain na h-àite.

RUSGAIN Ge-tà, 's e an t-aodann aice fhèin a dh'fheumas a bhith anns an dealbh! Aodann Oighrig, aodann a' Bhana-Ghàidheil.

BEATHAG O, tha an t-aodann aice ceart gu leòr aige a-nis. I a' coimhead cho pròiseil.

RUSGAIN 'S ann pròiseil a bha ise riamh. Ag iarraidh cus dha toil fhèin. Chan eil thusa idir mar do phiuthar, a Bheathag.

BEATHAG Is toil leam fhèin Everett. Tha e cho snog!

RUSGAIN Tha e a' toirt cus tìde do dhaoine eile airson gun dèan e fear-ealain anns a' phrìomh àite.

BEATHAG Fear-ealain anns a' phrìomh àite? Nach e sin a th' ann dheth? Nach eil thu fhèin ag ràdh gu bheil na Ro-Raphaeltich air thoiseach air na h-uile?

RUSGAIN Tha iad ag ùrachadh nan ealan ceart gu leòr. Ach chan eil duine aca – fiù Everett – a chuireas mise do chiad phrìomh chathair nan ealan. Chan eil e mosach gu leòr . . . chan eil e fèineil mar is còir . . .

GUTH OIGHRIG Mosach is fèineil. Sin agad thusa!

Cluinnidh RUSGAIN *e, ach cha chluinn* BEATHAG.

Stad

RUSGAIN (*ag èigheachd*) Chan e saighdear uchd a' bhatail a th' ann do dh'Everett idir! 'S e a th' ann dheth ach Researbh!
(*gu socair ri Beathag*) Is cha dèan sin fear àrd-ealain . . .

BEATHAG Dè tha air iarraidh air fear-ealain a tha na shaighdear ri uchd a' bhatail?

RUSGAIN Tha a bheatha! Dud eile? A bheatha!

BEATHAG Chan eil mi gad thuigsinn.

RUSGAIN Is dòcha nach tuig boireannach e.

BEATHAG Carson? Carson nach tuigeadh boireannach e cho math ri fireannach?

RUSGAIN Is e prìomh obair nam boireannach iad brosnachadh nam fear. Sin mar a bha e riamh. Agus mar a bhitheas.

GUTH OIGHRIG Chan e boireannach a dhìth ortsa ach Iodhal!

(*'S e dìreach* RUSGAIN *a chluinneas i*)

Eagal do bheatha ort ro bhoireannaich! Clann-nighean bheag neo-chiontach!

Stad fada

RUSGAIN Feumaidh mise a dhol a thoirt seachad mo leasan san sgoil.

BEATHAG Sgoil nan nighneagan?

(*Cromaidh* RUSGAIN *a cheann*)

RUSGAIN Mura gabh Maighdeann a dhèanamh air nighean a tha beò san latha an-diugh, cha ghabh Maighdeann a dhèanamh idir. Feumaidh mi fhìn feuchainn ri Maighdeann a pheantadh uaireigin, mus bàsaich mi . . . Feuch thusa nach dèanar siùrsach dhiot Beathag . . .

GUTH OIGHRIG Cha robh thu riamh nad chèile dhomhsa.

RUSGAIN Nach fheudar dhomh bhith nam chèile dhomh fhìn an toiseach?

BEATHAG Chan eil mi ri tuigsinn dud tha ceàrr an seo?

RUSGAIN Cha bhi duine slàn na inntinn agus chan urrainn dha bhith ealanta fhad 's a tha e an urra ri duine eile. Feumaidh am fear-ealain, fear uchd a' bhatail, a bhith neo-eisimeileach. Gu tur neo-eisimeileach!

BEATHAG Chan eil càil air do shonsa, mar sin, ach thu bhith nad aonar.

RUSGAIN Sin agadsa am fear-ealain. Duine na aonar.

BEATHAG Nach duilich an rud e. Duine no tè sam bith a bhith tur na aonar.

GUTH OIGHRIG Chan fhuirich mise nam aonar. Cha bhi mise nam aonar. Carson a bhithinn nam aonar? Tha m' amhach ag at leis mar a tha mi!

RUSGAIN Aig deireadh an latha, Beathag, tha sinn uile nar aonar.

BEATHAG Gu dè a nì sinn?

RUSGAIN Tha thu mar seòladair air bàta beag gun ràmh. Feumaidh tu a leigeil leis an t-sruth. Tha thu mar shaighdear air an ratreut is do ghunna air a chall. Feumaidh tu falbh an taobh a thilgeas am batail thu . . .

Tha an dealbh a' dol ma sgaoil. Tha OIGHRIG *agus* RUSGAIN *nan aonar. Tha* OIGHRIG *a' coimhead air dealbh Naoimh Agnes le* MILLAIS.

OIGHRIG Bheil thu cinnteach nach eil e a' dèanamh dragh dhut gun tug Everett dhomh an dealbh a rinn e air an Naomh Agnes.

RUSGAIN Tha sin eadar thu fhèin is e fhèin.

OIGHRIG 'S e thu fhèin a ghabh e bhuaithe!

RUSGAIN Thuirt mi ris gur e Naomh Agnes an dealbh a b' fheàrr a rinn e riamh.

OIGHRIG Tillidh mi thuige e.

RUSGAIN Canaidh mise ri Everett gu bheil thu dol ga ghlèidheadh. Chan eil e gu diofar gu dè tha thusa no mise ri smaoineachadh; chan fhaod sinn dèanamh dragh dha.

OIGHRIG Chan fhaca mi rud a-riamh cho drùidhteach!

RUSGAIN Tha aodann a' bhoireannaich anns an dealbh cho grànda.

OIGHRIG An ann dall a tha thu? Is cinnteach gum faic thusa, co-dhiù, dè an t-aodann a th' anns an dealbh.

RUSGAIN Cò?

OIGHRIG Aodann Everett fhèin! Is e air a lèireadh leis a' chianalas!

RUSGAIN Dud a tha e a' sireadh? A' cur aodann fhèin air boireannach? Dè tha dhìth air Everett?

Tha OIGHRIG *a' coimhead san neonitheachd agus a' cumail an deilbh dlùth rithe.*

Cò air a tha thu a' coimhead? (*gun fhreagairt*) Cò air a tha thu a' smaoineachadh?

OIGHRIG (*gu feargach*) Tha mi a' smaoineachadh air operas, agus beothalachd agus – iomadh rud!

Stad fada

RUSGAIN Tha gràin agad orm.

OIGHRIG A bheil?

RUSGAIN Tha. A' ghràin sin a bhios aig daoine dhaibhsan air na rinn iad cron.

Stad

OIGHRIG Cha do phòs thu riamh mi.

Stad

Dhiùlt thu mi. A' chiad oidhche. Agus a h-uile oidhche bhon uairsin. Seachd bliadhna. Seachd. Bliadhna.

RUSGAIN Bha thu ro òg. Dh'aontaich sinn fuireach. Tha thu nise fada ro nearbhach 'son a dhol an ceann teaghlach.

OIGHRIG (*sàraichte*) A' toirt a chreids gu bheil thu fìorghlan. A' toirt a chreids gu bheil thu Diadhaidh. Buaidh annasach air inntinn nigheanag. Chan eil thu blàth ri daoine.

RUSGAIN Tha thusa blàth ri daoine. Tha mise blàth ri dealbhan. Tha mise blàth ri beanntan. Obair mhòr ri dhèanamh.

OIGHRIG Gabhaidh mise Òrdugh na Saorsa dhomh fhìn.

Seasaidh i ri attention coltach ri saighdear a' stampadh a casan; tha i a' spaidsearachd air falbh a' gluasad a gàirdeanan.

Thig BEATHAG *air. Tha* BEATHAG *a' toirt leatha dealbh ann am frèam de aodann boireannach bho mheadhan Aois Victoria. Tha* BEATHAG *a' dlùthachadh ri* RUSGAIN.

BEATHAG A Mhgr Rusgain! Thoir sùil air an dealbh seo.

Tha i a' toirt dha an deilbh.

RUSGAIN Boireannach eireachdail.

BEATHAG Cò ris a chanadh sibh a tha i coltach?

RUSGAIN Saoilidh mi gum bu chòir dhomh a h-aithneachadh. Cò i?

BEATHAG Ciorstan Dhùghaill Fhigheadair. Seall air na sùilean aice.

RUSGAIN Sùilean mòra àlainn – an dùil an ann gorm a tha iad?
Mala ghrinn is bilean bòidheach. O tha mi ag aithneachadh a' bhoireannaich sin.

BEATHAG Is tu bu chòir a h-aithneachadh!

Tha RUSGAIN *teagmhach.*

Nach buin i do na daoine bhon tàinig thu! Rusgain Ghleann Lìomhann. Ann an Earra Ghàidheal.

Tha i a' toirt an deilbh bhuaithe agus tha i a' falach an aodainn gu h-ìosal.

Seall a-rithist air na sùilean.

RUSGAIN O tha mi gu math eòlach air na sùilean sin.

BEATHAG Tha iad romhad san sgàthan a h-uile madainn. Na sùilean agad fhèin!

Tha i a' toirt dha an dealbh agus tha i a' falbh. Tha RUSGAIN *a' sgrùdadh an deilbh.*

Tionndaidh RUSGAIN *gus na modailean fhaicinn agus iad nan seasamh a-rithist: soighleir, Gàidheal agus boireannach. Fhad 's a tha e a' coimhead orra thig dà shaighdear dearg air. Gabhaidh iad* WESTALL *leis na gàirdeanan agus treòirichidh iad e gu beulaibh an àrd-ùrlair. Tha* WESTALL *a' cur nan aghaidh agus bruidhnidh e airson a' chiad uair le fìor bhlas Lunnainn – chan e Gàidheal a th' ann idir.*

WESTALL 'Ere? 'Ere! Who shopped me then? Who bleedin' shopped me?

REDCOAT 1 Dunno, mate.

REDCOAT 2 Our orders is to bring you in.

WESTALL (*a' toirt sùil thar a ghualainn*) Was it one of them toffs shopped me eh?

Chan eil iad ga fhreagairt

Bleedin' toffee-nosed toffs, wouldn't put it past them!

REDCOAT 1 You done all right out of them toffs, Westie!
      (*ri* REDCOAT 2) Cop a load of 'er! (*a' sealltainn air* OIGHRIG)

REDCOAT 2 Come on. Court Martial is waitin' for you, mate.

REDCOAT 1 Hundred lashes!

REDCOAT 2 On your bleedin' back.

Stad

MILLAIS Na gabh dragh, Westall. Ceannaichidh sinn fhìn a-mach às an arm thu. A-rithist.

RUSGAIN Mura bàsaich e ron sin.

Tha na saighdearan dearga a' stiùireadh WESTALL *air falbh.*

Tha na solais a' dol sìos air cùl an àrd-ùrlair. Tha RUSGAIN *a' tighinn dhan bheulaibh.*

RUSGAIN (*san t-solas, ris an luchd-èisteachd*) Is e dreuchd an dealbhadair, gun stiùir agus gun dùisg e mac-meanmna iadsan a tha a' coimhead air an dealbh aige. Tha am peantair ri dùsgadh agus ri stiùireadh a' mhac-meanmna agaibhse! (*a' tomhas ris an luchd-èisteachd*)

Tha am fear-ealain ri tarraing suas à Tobar na Beatha. Chan e samhladh an t-saoghail a tha anns na h-ealain idir! Tha na h-ealain nas fìor na tha an saoghal! Ach feumaidh sibh tighinn chun nan ealan gus am faic sibh.

Tha e a' tionndadh air ais agus tha na solais a' tighinn suas. Tha an dealbh deiseil ri fhaicinn gu h-iomlan airson a' chiad uair. Tha iad nan seasamh gu tur aig balla cùl an àrd-ùrlair mu cheithir troighean bhon làr. Tha frèam fiodha òraich timcheall orra, a' cuairteachadh an deilbh chrìochnaichte.

Tha na solais, mar ann an ionad-taisbeanaidh, a' deàlradh air an dealbh.

Thig an DITHIS SHAIGHDEAR DEARG *air agus tha iad a' sgrùdadh an deilbh le ùidh fhaoin. Tha iad ann an aodach sìobhaltach.*

Thig BEATHAG *air agus tha ise a' coimhead air an dealbh bho astaran agus àirdean diofraichte.*

Tha RUSGAIN *fhathast sa chùl – a' coimhead.*

REDCOAT I (*a' coimhead air aodann* OIGHRIG) Chan eil i math idir.

REDCOAT 2 Nach e an t-aodann aice a tha cruaidh a' coimhead.

REDCOAT I B' fheàrr leam fuireach sa phrìosan, na bhith saor còmhla ris an tè sin!

REDCOAT 2 B' fheàrr leam mo chrochadh!

Falbhaidh iad a' gàireachdainn.

BEATHAG (*ri* RUSGAIN) Cha mhòr nach canadh tu gu bheil na casan aice fuar.

Falbhaidh RUSGAIN. *Tha* BEATHAG *a' dol suas ris an dealbh agus gu teagmhach tha i a' suathadh ri cas* OIGHRIG.

Tha iad blàth. Tha na casan aice blàth!

Dorchadas

THE ORDER OF RELEASE

Norman Malcolm MacDonald

1991

CHARACTERS

JOHN EVERETT MILLAIS	Pre-Raphaelite Painter
JOHN RUSKIN	Art critic and philanthropist
EFFIE	John Ruskin's wife
GAEL	Model and Army deserter (Westall)
SOPHIE	Effie's young sister
TWO REDCOAT SOLDIERS	

Those who appear in this play should make themselves familiar with the painting *The Order of Release* which appeared in the year 1853.

Props: Three Victorian tailor's dummies
Large prepared canvas on an easel – its back to the audience
A full-size dressing mirror (standing)
A clay pot with painters' brushes and a palette and tubes of colour on a small table

Costume: Exactly as in the original painting.

The three tailor's dummies hold the following costumes as we open:
1) The jailor's tunic, white belt and hat
2) The Highlander's grey jacket and the big bandage sling
3) Effie's purple overgown and large blue shawl

(We never see the actual painting, but it must be produced on the programme – permission required.)

MILLAIS *enters in the trousers and tunic of the jailor, bringing the keys with him. He prepares the canvas and the mirror to work for him when he is painting because he is his own model for the jailor. He understands that if he is painting with his right hand that he must hold the keys in his left hand, but in the painting, they are in the right hand of the jailor. After trying, he understands that the reflection of the mirror will correct his problem. He puts on his cassock and hat and looks at himself in the mirror.*

EFFIE *enters in slim grey calf-length gown with sleeves, bare footed.*

MILLAIS *takes off his hat with a slight bow (showing her respect) and hangs it on his tailor's dummy.*

MILLAIS *looks* EFFIE *over, professionally.*

Pause

MILLAIS That's not the colour your hair needs to be.

EFFIE *reacts.*

Remember you're a Highlander!

EFFIE You're not going to dye my hair, are you?

MILLAIS *picks up the palette and selects a brush, makes motions of mixing paint.*

MILLAIS This is how I will put another colour on your hair.

EFFIE Brown, wavy hair. I like the Highlanders, and my father will be made up. He knows that I am a Jacobite!

MILLAIS I spent some time researching the tartans so that I would get them completely accurate.

EFFIE Gordon and Drummond. Gordon for the Highlander and Drummond on the child?

MILLAIS That's right. I took them from Johnson's pictures.

EFFIE Those ones aren't the most Highland. Why did you chose them?

MILLAIS I liked the colours!

They laugh together.

Here (*tapping canvas*), you will be just as natural as you are there just now. Except for another colour on your hair.

Pause

EFFIE But where on earth is that man?

MILLAIS Your husband? Mr Ruskin?

EFFIE Oh I know full well where my husband is. He is with his books as usual. What I mean is, the Highlander. Where is the Highlander?

MILLAIS He is late. He has to avoid the Redcoat soldiers.

EFFIE Avoid the soldiers?

MILLAIS Yes . . . I understand that he has run away.

EFFIE A deserter!

He does not answer, goes to her dummy and takes the shawl to her; he helps to adjust it (he is still too nervous to do the same with the outer gown). They adjust the shawl for the painting. He steps back and looks at her.

Long pause

MILLAIS Are your feet cold?

EFFIE No.

WESTALL *enters. A common soldier out of his milieu and uncomfortable in unfamiliar kilt, socks and brogues.*

MILLAIS Come here!

MILLAIS *drapes the jacket on* WESTALL *and adjusts the bandage sling on his arm. Then he demonstrates how he is to stand with his head on* EFFIE's *shoulder and his left arm around* EFFIE *as in the picture.* EFFIE *fetches and adjusts her outer gown.* WESTALL *and* EFFIE *have to try to overcome their "mistress" and "servant" relationship for the sake of art.*

MILLAIS *is more like a stage director than a painter at this juncture.*

MILLAIS Remember. We want to tell the story with truth!

EFFIE Story? Is it a story? I thought it was a picture?

They speak freely: WESTALL *doesn't understand their language.*

MILLAIS The story will be told in the picture. Everyone who sees the painting will make up his own story for himself.

EFFIE Just as you would see a play?

MILLAIS A play that can't be changed.

The models freeze and MILLAIS *takes up his brushes and starts to paint. After a little while, he moves to get a view of himself in the mirror as he starts work on the jailor part of the canvas, totally absorbed in his work. We should be able to see him in the mirror. The two models remain totally still.*

RUSKIN *walks to the front of the stage and opens out a newspaper.* (*He wears his usual elegant black coat and blue cravat throughout.*) *Behind him, the painting proceeds silently.*

RUSKIN (*to the audience*) Three columns in the paper today! Side by side . . . The first one tells us . . .

(*reading*) A young woman was found, twenty-one years old. She had been lying outside on the ground all night. She had given birth to a dead child . . .

Pause

The second column . . .

(*reading*) Here are the new women's fashions for next month. Big smart skirts, made out of silk material imported from overseas.

Pause

The third column . . .

(*reading*) A young child died yesterday because the doctor refused to go out to see him without an order from the Parish.

Pause

There you have it, the basis of our great political uproar in England today. It's the rich people themselves to blame, and if they don't do something about it, they deserve it.

RUSKIN *departs and the painting scene dissolves.*

EFFIE *is left on stage as* SOPHIE *comes on.*

EFFIE Oh Sophie, I am a model for Mr Millais. From morning till night. I am tired and my throat is sore.

SOPHIE Why are you standing for him, if it is so difficult?

EFFIE Oh, I want to help him as much as I can. The head of the Highland girl is the most important thing in the painting.

Posing.

He finds my head very difficult.

SOPHIE What sort of image does he want from you?

EFFIE A smile.

SOPHIE A smile?

EFFIE Without mocking the Englishman.

SOPHIE But a smile.

EFFIE Without mocking the Englishman – but without fearing him either. Everett says that no-one else has ever painted me either.

SOPHIE But he will paint you.

EFFIE Oh yes!

SOPHIE Oh, won't you tell me about it, Effie!

EFFIE *acts out the parts in the painting during what follows.*

EFFIE The young Highlander in the painting – he is very noble. The head of the Highlander is on my shoulder.

EFFIE *puts her head on* SOPHIE's *shoulder and her left arm about her.*

His arm's around me. He is wounded in his other arm. He has a grey Highland jacket around him. A kilt of Gordon tartan. Purple wool socks.

SOPHIE That's nice! What clothes are you wearing? Is that it?

EFFIE A purple wool dress. I will have a white and blue coat around my head. I am barefoot! And I am stretching out the Order of Release. To the Englishman. That's Everett, the Englishman.

SOPHIE What a Jacobite painting!

EFFIE I like it!

SOPHIE Daddy will smile when I tell him!

EFFIE Do you prefer being in London than being with Mummy in Perth?

SOPHIE Oh, yes!

Enter RUSKIN

RUSKIN I am happy that you are standing for Millais' new painting.

EFFIE Well, it's not every married man that would ask his wife to stand for a painter!

RUSKIN The Order of Release – I gave it to you!
     I hope that I will learn what is the secret behind the mind of the artist.

EFFIE The mysterious mind of the artist? That's what bothering you, is it?
     Dear art!

RUSKIN You should know that the arts are the most important thing in a man's life. The arts. And religion.

EFFIE The arts and religion. Do you put them together?

EFFIE *motions* SOPHIE *to leave.*

Which of them is greater? In your opinion?

RUSKIN They are the same. The arts and religion. Arts and religion are just as important as each other. Although not many people understand that.

EFFIE The arts! What's that, except stones, and paint, and words!

RUSKIN Aren't they more durable than dresses and dances? The carved pillars will still be there to be praised in Venice when there will be no sign of you or I.

EFFIE Don't remind me of Venice at all.

RUSKIN You were happy in Venice, weren't you? Dances and operas, levees everywhere.

EFFIE I was so happy over in Venice, and here I am in London dying of homesickness.

RUSKIN Homesickness, eh? Are you homesick for the man who stole your necklace?

EFFIE There is no certainty which of the officers went off with my necklace!

RUSKIN The police were pretty certain they knew who stole your necklace. The Englishman! He wanted me to fight him, didn't he?

EFFIE That was pointless, him wanting you to fight!

RUSKIN Me? Getting involved in a duel, with a fool of an officer with nothing between his two ears.

EFFIE The officers in Venice were very good to me. If there weren't Army officers in Venice, many a day I would have been left inside by myself! With you away on all fours among the stones of the town!

RUSKIN The world won't see the likes of the Venice stones ever again!

EFFIE *leaves him as the picture forms up behind him with* MILLAIS *and* WESTALL *and* EFFIE.

RUSKIN (*to the audience, a lecture*) You want me to speak about the arts. But the most important thing I have to say about the arts is . . . – we don't have any business to be talking about the arts at all.
Why?
A painter never spoke properly about his painting. As soon as an artist is able to create his art, he stops talking about it.

Does a bird speak about the nest he is building? Does the bird praise the nest he has built? He doesn't! No more than those who are really good at a thing speak about it.

It is in them. And they do it.

RUSKIN *off.*

WESTALL *using the mirror adjusts his costume and practises his pose for the painting.*

MILLAIS *and* EFFIE *talk.*

MILLAIS (*to* EFFIE) Did you see how I was criticised?

EFFIE Why were you criticised, you poor soul?

MILLAIS For the last painting I did.

EFFIE Which one?

MILLAIS "Christ in the House of his Parents."

EFFIE I saw it.

MILLAIS What did you think of it?

EFFIE It's different from the rest.

MILLAIS It should be.

EFFIE What did the critics say?

MILLAIS "It is hard for a person to imagine anything more ugly, less elegant or as unpleasant as Mr Millais's painting, 'Christ in the House of his Parents'."

EFFIE My husband praises it, though. John Ruskin is on your side at least.

MILLAIS I am very, very grateful to your husband for what he does for me and for others who want to paint according to Realism.

EFFIE Oh Everett, they won't criticise this one though!

MILLAIS Even if Dickens himself was criticising me? He said that my Virgin was like a whore! Imagine! Charles Dickens!

They both look at WESTALL, *rehearsing his part.*

EFFIE There is a part of what happened to me in my life, Everrett, it seems to me sometimes as though it were a play.

MILLAIS When I put my name to any contract, I think I should throw away the pen and ask those who want my name – "What is this play, in which I am signing my name on paper?"

In what follows, they examine the costumes.

EFFIE Do you think, Everett, do you think that what we are doing here is like a play?

MILLAIS This is a painting. And it is a painting full of truth!

EFFIE Even though the story behind the painting happened more than a hundred years ago?

MILLAIS That's better to see the veracity of the story. A Highlander let out of prison, with an Order of Release his wife got for him.

EFFIE But look at the clothes we have? So clean!

MILLAIS Those clothes are fine. I researched it in books.

EFFIE Books! Look at the bandage you have for the Highlander's arm. Look at how clean it is! There isn't even a single drop of blood to be seen on it.

MILLAIS Ah! But, Effie, remember that it's more than a year since the Highlander was wounded at the Battle of Culloden! He had many a bandage in that time!

EFFIE I don't believe it!

MILLAIS *places* EFFIE *for painting with* WESTALL.

MILLAIS Are you sure that Mr Ruskin is happy for you to be standing for me for this painting?

EFFIE Oh yes, I'm sure. There is no jealousy.

MILLAIS I noticed that he doesn't pay you much attention at times. Although you are his wife.

EFFIE John Ruskin is married all right. But to the arts!

MILLAIS I could get another young woman for the painting?

EFFIE Some say that the young models aren't as moral as they should be?

MILLAIS There's no doubt that there are some girls like that. And the boys likewise.

EFFIE And they will want paid, won't they?

MILLAIS Oh, one must pay them. They won't do it without money.

EFFIE You don't need to pay me!

MILLAIS Oh that's not the reason I asked you to stand for me at all!

EFFIE I know it's not!

MILLAIS On the other hand, it's enough for me to pay the Highlander. The artist will always be poor, it seems anyway.

EFFIE Your time will still come. Just wait until The Order of Release is ready!

The "Order of Release" is posed in the background. RUSKIN *and* SOPHIE *come on in foreground.*

SOPHIE Wait until I read to you what Alistair Carmichael says about Ruskin:

(*reading*) "When the Duke of Argyll went forth in the year 1715 he took with him one of the Ruskins. This lad was badly hurt at the Battle of Sheriffmuir."

Pause

Emphasis on the wounded Gael (WESTALL)

"His friends took wounded Ruskin home to the house of a farmer. They looked after him there. The girl of the house was especially good to him. She looked after him night and day. That girl kept the wounded Highlander from death's door. Then, Ruskin and the farmer's daughter married in Perthshire."

RUSKIN Without doubt my grandfather is from Perth. I can't go further back than that.

SOPHIE Your folk are from Argyll. You're a Highlander.

RUSKIN I wouldn't be ashamed of that. If it was true.

SOPHIE Ruskin. Do you know what the Ruskins did?

RUSKIN No.

SOPHIE Carving. Stone work!

RUSKIN It's the carved stones of Venice that concern me. They are decaying and no-one has any regard for them. (*he leaves*)

SOPHIE What about the Celtic stone work in Argyll?

SOPHIE *goes off.*

MILLAIS *has taken up his brushes and touched the canvas whilst the others pose.*

MILLAIS Anything wrong, Effie?

EFFIE My throat is sore, Everett.

MILLAIS Oh I'm sorry! I am too hard on you.

EFFIE The painting must be ready in time for the Academy.

MILLAIS I only have ten days!

EFFIE You have ten days to complete the work of the year!

MILLAIS There you are, Effie, just like the artist! (*coming close to her*)
I'm sorry your throat is sore. You don't need to stand anymore
today. I will work on the Highlander. (*he touches the back of her
neck*) You should go home, dear.

EFFIE Oh it isn't the pain in the **back** of my throat that stops me at
all, Everett! It's what's **in** my throat that is bad.

MILLAIS In your throat?

EFFIE Yes. (*touches her throat*) I have it often. Ever since I married.
My throat swells.

Pause

MILLAIS (*touches his own throat*) I have the exact same thing just now.

Pause

EFFIE Wait. Till I see.

*She looks into his throat. She opens her mouth wide to him and he
looks into her throat.*

The doctor gave me pills. I'll give you some.

MILLAIS What sort of pills?

EFFIE Chloroform pills.

MILLAIS I hope I don't fall asleep!

EFFIE You won't fall asleep at all!

MILLAIS Who knows that I wouldn't enjoy it after all . . .

He goes back to his easel. EFFIE *and* WESTALL *resume pose, frozen.*
MILLAIS *paints with extreme concentration for a time (at least a
minute). Then* EFFIE *motions with the "Order" she holds in her
hand almost imperceptibly.* MILLAIS *gets the message, goes to her
outstretched hand, takes a pill from it and swallows it, looking at her.*

MILLAIS Chloroform!

He taps GAEL *on the shoulder and breaks up the posing in order to
concentrate on* EFFIE'*s face for the picture.* MILLAIS *concentrates on*
EFFIE'*s face and she on his, totally absorbed with each other. The* GAEL
moves away and does stretching exercises to relieve his stiffness.

RUSKIN *enters:* MILLAIS *and* EFFIE *oblivious.*

RUSKIN *takes a soldier's hat (for the jailor) from its stand, handles it,
then places it on* GAEL'*s head.* GAEL *adjusts it with great familiarity
then stands to attention in front of* RUSKIN.

MILLAIS *concentrates on painting* EFFIE's *face.*

RUSKIN (*to* GAEL) Why does the soldier have such a high status?

It is a mini-lecture, not a conversation.

> I'll tell you; why is honour bestowed on a man who kills other men. Because that is the job of the soldier, isn't it? To kill people.

He takes a short turn before continuing.

> The world bestows honour on the soldier because the soldier puts his life in the hands of the State. Foolish as it may be – and most often it is – we all honour the soldier for one reason:
>   We know that he will keep facing forward to the heart of the battle. That he will stand.

Long pause

> (*going close to* GAEL) The role of the soldier is – **to die.** Isn't it?
>   At the end of the day, death is ahead of you.

Turns away

> And, we can believe that you are dying in your imagination every day.

MILLAIS *becomes aware of* RUSKIN, *puts down his brushes, takes hat off* GAEL, *ushers him back into his pose with* EFFIE. MILLAIS *paints and talks with* RUSKIN. GAEL (WESTALL) *and* EFFIE *frozen.*

MILLAIS Sophie says that you enjoy that you are connected to the Highlanders?

RUSKIN I am interested in hearing about them.

MILLAIS Effie is interested in the Highlanders . . .

RUSKIN She was born in Perth.

MILLAIS She is a Jacobite! . . . And you married in Perth.

Pause

RUSKIN My grandfather was from Perth. I remember the water in the River Tay, it was so clean. But there was a drowned sheep . . . the body of a sheep . . . to see in it. In the middle of Perth.

MILLAIS Carmichael says that there are wonderful carved stones to be seen in Argyll. Carved Celtic stones.

RUSKIN It's the carved stones in Venice that concern me.
    Everett! You and I must go to Venice. We must do our best to save Tintoretto's paintings!

MILLAIS I would like to go to Venice.

EFFIE (*without moving*) Warmth and vitality.

Pause

RUSKIN The architecture of Venice! Everett! Noble architecture must be imperfect. With the imprint of the man's hand who made it!

MILLAIS The imprint of the man's hand who made it . . .

Pause

What do you think of the gear I am using?

RUSKIN This painting has a look of drama. And drama is useful as it inspires the culture of the country!

MILLAIS The culture of the Highlanders.

RUSKIN It's difficult to be sure what use this painting will be for the Highlanders' culture . . .

EFFIE (*immobile*) This painting will make Everett famous!

MILLAIS Effie is so nice . . . I will have to do a painting of you.

RUSKIN You must. But in the Highlands, with me standing outside, on a rock, beside a fast-running river!

MILLAIS I can paint rocks and water well. You will be looking down happily on the torrent below you!

RUSKIN A foam can be painted the likes of which no-one has ever seen!

He stares at EFFIE.

It's an amazing thing the mystery of an artist's mind . . .

He stares at MILLAIS.

You don't need to think about those things. You only need to do your work. Aren't you establishing a way of painting which will last three hundred years! The Pre-Raphaelites!

The picture freezes, "finished" with MILLAIS *in place as jailor.*

Lights dim in background and come up in foreground.

RUSKIN *and* SOPHIE *in the foreground in brightness. Frozen picture, including* MILLAIS *(jailor) in the background in semi-darkness.*

SOPHIE Effie sent me over with information for Everett.

RUSKIN What information is that?

SOPHIE That he should use me for a model instead of her.

RUSKIN But, it's her face that needs to be in the painting! Effie's face, the face of the Highland girl.

SOPHIE Oh, her face looks fine now. She looks so proud.

RUSKIN She was always proud. Wanting too much of her own way. You're not at all like your sister, Sophie.

SOPHIE I like Everett. He is so nice!

RUSKIN He gives too much time to other people for him to be a first-rate artist.

SOPHIE A first-rate artist? Isn't that what he is? Don't you say yourself that the Pre-Raphaelites are ahead of everyone?

RUSKIN They are innovating the arts right enough. But I wouldn't put any of them – even Everett – in the premier chair of the arts. He is not mean enough . . . he isn't selfish as he ought to be . . .

EFFIE'S VOICE Mean and selfish. That's you!

RUSKIN *hears it, but not* SOPHIE.

Pause

RUSKIN (*shouts*) Everett isn't a soldier in the middle of battle! He is just Reserve material!
    (*softly to SOPHIE*) And that won't make a serious artist . . .

SOPHIE What need is there for an artist who is a soldier in the heat of battle?

RUSKIN His life! What else? His life!

SOPHIE I don't understand you.

RUSKIN Perhaps a woman won't understand it.

SOPHIE Why? Why wouldn't a woman understand as well as a man?

RUSKIN Women's main work is to encourage men. That's how it always was. And that's how it will always be.

EFFIE'S VOICE It's not a woman you need but an idol!

(*Only* RUSKIN *hears her*)

    You are scared witless of women! Innocent little girls!

Long pause

RUSKIN I have to go and give my lesson in school.

SOPHIE The school for girls?

(RUSKIN *nods*)

RUSKIN If a Virgin cannot be made of a girl who is alive today, it cannot be done at all. I must try to paint a Virgin sometime, before I die . . . You make sure Sophie that you don't make a whore of yourself . . .

EFFIE'S VOICE You were never a husband to me.

RUSKIN Don't I need to be a husband to myself first?

SOPHIE I don't understand what is wrong here?

RUSKIN A man cannot be whole in his mind and he cannot be artistic while he is dependent on another person. The artist, the man at the centre of battle, must be independent. Totally independent!

SOPHIE There's nothing for you then, but to be alone.

RUSKIN There you have the artist. A man alone.

SOPHIE Isn't it a sad thing. Any man or woman to be totally alone.

EFFIE'S VOICE I won't stay alone. I won't be alone. Why would I be alone? My throat swells because of how I am!

RUSKIN At the end of the day, Sophie, we are all alone.

SOPHIE What will we do?

RUSKIN You are like a sailor on a small boat without oars. You have to go with the current. You are like a soldier on retreat and you have lost your gun. You must go whichever way the battle throws you . . .

The painting dissolves. EFFIE *and* RUSKIN *alone.* EFFIE *studies a drawing of St Agnes by* MILLAIS.

EFFIE Are you sure it doesn't bother you that Everett gave me the painting he made of St Agnes.

RUSKIN That is between you and him.

EFFIE It's you who took it from him!

RUSKIN I said to him that St Agnes was the best painting he ever made.

EFFIE I'm going to give it back to him.

RUSKIN I will say to Everett that you are going to keep it. It doesn't matter what you or I think; we can't bother him.

EFFIE I have never seen anything so touching!

RUSKIN The face of the woman in this painting is so ugly.

EFFIE Are you blind? Surely you see, anyway, what face is in the painting.

RUSKIN Who?

EFFIE Everett's own face! And he is tormented with melancholy!

RUSKIN What does he seek? Putting his own face on a woman? What does Everett want?

EFFIE *stares into space holding the drawing close.*

What are you looking at? (*no reply*) What are you thinking about?

EFFIE (*explosively*) I am thinking about operas, and vitality and – many things!

Long pause

RUSKIN You hate me.

EFFIE Do I?

RUSKIN Yes. That hate that people have towards those that have harmed them.

Pause

EFFIE You never married me.

Pause

You rejected me. The first night. And every night since then. Seven years. Seven. Years.

RUSKIN You were too young. We agreed to wait. You're now far too nervy to have a family.

EFFIE (*wearily*) Making out that you are whiter than white. Making out that you are religious. A strange obsession with girls' minds. You aren't warm to people.

RUSKIN You are warm to people. I am warm to paintings. I am warm to mountains. There is much work to be done.

EFFIE I will take an Order of Release for myself.

She comes to attention like a soldier: stamping her feet, marches off with swinging arms.

SOPHIE *enters.* SOPHIE *carries a framed photograph of a mid-Victorian woman's face.* SOPHIE *approaches* RUSKIN.

SOPHIE Mr Ruskin! Look at this painting.

She hands him the picture.

RUSKIN A handsome woman.

SOPHIE Who would you say she is like?

RUSKIN I think I should recognise her. Who is she?

SOPHIE Kirstin daughter of Dugall the Weaver. Look at her eyes.

RUSKIN Big beautiful eyes – are they blue, do you think? Handsome eyebrows and beautiful lips. Oh, I recognise that woman.

SOPHIE You ought to recognise her!

RUSKIN *is puzzled.*

Doesn't she belong to the same people as yourself! Glen Lyon Ruskins. In Argyll.

Takes picture and covers lower face.

Look again at her eyes.

RUSKIN Oh, I am very familiar with those eyes.

SOPHIE They look back at you from the mirror every morning. They're your own eyes!

Hands him picture and leaves. RUSKIN *studies the picture.*

RUSKIN *turns to see the models posed once more: jailor, Gael and woman. As he looks at the tableau, two redcoats enter. They take* WESTALL *by the arms and lead him to the front of the stage.* WESTALL *resists and speaks for the first time in broad London accent (he is not a Gael at all).*

WESTALL 'Ere? 'Ere! Who shopped me then? Who bleedin' shopped me?

REDCOAT 1 Dunno, mate.

REDCOAT 2 Our orders is to bring you in.

WESTALL (*looking over his shoulder*) Was it one of them toffs shopped me eh?

(*They do not answer him*)

Bleedin' toffee-nosed toffs, wouldn't put it past them!

REDCOAT 1 You done all right out of them toffs, Westie!
    (*to* REDCOAT 2) Cop a load of 'er! (*nods at* EFFIE)

REDCOAT 2 Come on. Court Martial is waitin' for you, mate.

REDCOAT 1 Hundred lashes!

REDCOAT 2 On your bleedin' back.

Pause

MILLAIS Don't worry, Westall. We will buy you out of the army. Again.

RUSKIN If he doesn't die first.

REDCOATS *lead* WESTALL *off.*

Lights down backstage. RUSKIN *approaches the front of the stage.*

RUSKIN (*in spotlight, to audience*) The role of the artist is to direct and awaken the imagination of those who are looking at his painting. The painter awakens and directs your imagination! (*pointing at audience*) The artist draws on the Well of Life. Art is not a symbol of the world at all. Art is more truthful than the world! You must come to the arts to see.

He turns back and lights come up. The finished picture is seen fully for the first time. They pose right up against backstage wall standing about four feet off the ground. A picture frame of gilded wood surrounds them, "framing" the finished painting.

Lights, as in a gallery, shine on the picture.

The two REDCOATS *enter and examine the picture with naïve curiosity. They are in off-duty dress.*

SOPHIE *enters and looks at the painting from varying angles and distances.*

RUSKIN *remains in background – watching.*

REDCOAT 1 (*looking at* EFFIE's *face*) She's no good at all.

REDCOAT 2 Her face is hard-looking, isn't it.

REDCOAT 1 I would rather stay in prison, than be free with that one!

REDCOAT 2 I would rather hang!

They depart, laughing.

SOPHIE (*to* RUSKIN) Wouldn't you say her feet are cold.

RUSKIN *departs.* SOPHIE *goes up to the painting tentatively, she touches* EFFIE's *foot.*

They are warm. Her feet are warm!

Blackout

Sequamur

Dòmhnall S. Moireach

A' Ghàidhlig le Catrìona Dunn

2015

CARACTARAN
WILLIAM JOHN GIBSON

IAIN MACRÀTH

TORMOD CAIMBEUL

PEATARSAN

SEÒNAID FHIONNLASDAN

DONNCHADH FIONNLASDAN

A' BH-PH FHIONNLASDAN

MÀIRI GIBSON

NICOLSON

RUAIRIDH MOIREASDAN

BEATON

SAIGHDEAR 1

SAIGHDEAR 2

MAIREAD

ACHD I

Sealladh 1

Tha an suidheachadh coltach ri doras-aghaidh an togalaich air Sràid Fhrangain. Tha aon bhoireannach, A' BH-PH FHIONNLASDAN, *air an àrd-ùrlar aig toiseach an dealbh-chluich. Tha an t-èideadh oirre mar seann neach-glanaidh bho na* 1930an; *seasaidh i air beulaibh a' phlàic a tha leth-chuibhrigte le curtain. Tha sguab na làimh mar gu bheil i a' gabhail fois bho a h-obair. Corra uair tha i a' sìneadh a-mach a corrag, a' litreachadh nan litirean gu h-àrd, a' dol bho àite gu àite air a' phlàc. Tha e soilleir gu bheil e doirbh dhi leughadh na tha sgrìobhte ann.*

A' BH-PH FHIONNLASDAN Murdo Mont . . . Murdo Mont . . . gomery. Pte Royal Scots. (*fois*) George Macleod Lt RNR. (*Crathaidh i a ceann.*) Murdo Murray Sgt Seaforths . . .

Cuiridh teachd BEATON, *a bha an urra ri dealbhachd a' phlàic, a-steach air a h-oidhirpean gus a leughadh. Tha e a' coimhead oirre, a' glanadh a làmhan le clobhd.*

BEATON Dè do bheachd, ma-thà?

A' BH-PH FHIONNLASDAN Tha e cho cianail.

BEATON Aidh. Tha e sin. Dhan fheadhainn a b' aithne dhaibh. Chan eil e cho cianail do dhaoine eile. Ach cha b' e sin a bha mi a' ciallachadh. Dè do bheachd air an obair? Bheil e a' coimhead math?

A' BH-PH FHIONNLASDAN O tha, gun teagamh.

BEATON Dìreach? Uasal? Drùidhteach?

A' BH-PH FHIONNLASDAN Gu dearbh fhèin.

BEATON 'S math sin. 'S e dìreach gu bheil mi air na h-uimhir dhuibh a dhèanamh a-nis. Ainglean. Croisean Ceilteach. Saighdearan le cinn crom, 's nach e daoine tha mi a' faicinn a-nis, ach ìomhaighean.

A' BH-PH FHIONNLASDAN (*a' leigeil seo seachad*) Tha mise dìreach a' lorg aon ainm.

BEATON Ah, bheil a-nise? Cuidichidh mi thu, ma-thà. Tha na tha seo. (*Nuair a thèid e ga h-ionnsaigh gus a cuideachadh, tha gnog air an doras.*) Chan eil guth gu bheil an sgoil air sgaoileadh. (*Brag àrd eile de ghnogadh.*) Gabh air do shocair! Tha mi tighinn. Thoir dhuinn fois! (*tha e a' fosgladh an dorais*) Cò th' ann?

Tha guth ann far an àrd-ùrlair. 'S e guth GIBSON *a th' ann, Ceannard Sgoile a bh' ann roimhe.*

GIBSON An ainm Beelzebub. (*nì e gàire bheag*) William John Gibson. 'S mi b' àbhaist a bhith air ceann na sgoile seo. Tha mi airson an clàr tha seo fhaicinn an toiseach gun dhaoine eile mun cuairt.
    Seo e, ma-thà?

BEATON An obair-làimh agam fhìn. Uill, chuir mi an-àirde e co-dhiù. Cha robh gnothaich agamsa ri bhith ga dhealbhachadh.

GIBSON Tha mise dìreach a' faicinn nan ainmean sin mar lorgan eòin. No duilleagan. Bha Homer ceart nuair a thuirt e, "Like the generations of leaves, the lives of mortal men."

BEATON Aidh. Air falbh leis a' ghaoith. Gu mì-fhortanach.

GIBSON Chan eil dhomhsa. Tha iad air an stòradh na mo cheann. "He is a fool who forgets his parents when they die wretchedly," thuirt Sophocles. Tha e buileach fìor mun fheadhainn a chaill mic.

BEATON An robh thu eòlach orra uile?

GIBSON A h-uile mac màthar. Tha iad an làthair air a' chlàr seo. (*Tha e a' gnogadh a chinn agus a' comharrachadh ainm*). Seall Ailean MacSuain an sin. Chailleadh e air an "Invincible" aig blàr Jutland. Chailleadh còrr air mìle duine air an t-soitheach sin. Àm eagalach. Shaoileadh duine nach dèanadh Ailean dad a dh'fheum. Ghoid e sia cnogain silidh nuair a bha e na bhalach. Fhuair e seachd sràcan air a shon. Cha robh smachd sam bith air. Cha robh athair aige. Ach rinn an nèibhidh duine dheth. Ach càit a bheil ainm Ailig MacÌomhair . . .? Chan eil sgeul air ainm.
    Anderson. Campbell. Carson. Conning. Craig. Crichton. Crockett.

Fhad 's a tha e a' dèanamh seo, thig A' BH-PH FHIONNLASDAN *ga ionnsaigh. Tha i a' stad astar beag bhuaithe.*

A' BH-PH FHIONNLASDAN Cha d' fhuair mise lorg air Donnchadh againn.

Leanaidh GIBSON *air.*

GIBSON Donnchadh?

A' BH-PH FHIONNLASDAN Mo mhac Donnchadh Fionnlasdan . . . chan eil mi a' lorg an ainm aige. Chan eil sgeul air.

GIBSON Donnchadh? Donnchadh Fionnlasdan?

A' BH-PH FHIONNLASDAN Seadh. 'S cinnteach gu bheil cuimhne agad air. Bha e agad airson Classics agus Shakespeare. Làn facail neònach.

Bha e an-còmhnaidh ann an ceò. Aig taigh 's bho thaigh. Leigeadh e leis an teine dhol às air a bheulaibh. Cha robh e toirt feart orm. Tha mi a' creidsinn gun robh e an aon rud sa chlas.

GIBSON Cuir nam chuimhne dè an rèisimeid anns an robh e. An robh e aig muir no air tìr?

A' BH-PH FHIONNLASDAN Bha e anns an Ross Mountain Battery. Bha e aig Gallipoli.

GIBSON Dè coltas a bh' air? Dè an dath a bha air fhalt?

A' BH-PH FHIONNLASDAN Bha falt dubh air. An aon chlas ri Rodaidh Moireasdan agus Dòmhnall Caimbeul.

Crathaidh GIBSON *a cheann.*

A' BH-PH FHIONNLASDAN Chan eil fiù 's cuimhne agad air, a bheil? Chan eil cuimhne agad air!

BEATON An aon duan thall 's a-bhos. Dad ach bàs agus truaighe. Gaisgeachd agus glòir. Ma nì mi fealla-dhà dheth, tha e dìreach 'son an deamhan a chumail air falbh. Mura b' e sin chan fhaighinn tàmh na h-oidhche, a' cuimhneachadh nach e ainmean a bh' annta ach daoine. Balaich.

GIBSON Ma tha sin a' dèanamh feum dhut fhèin. Bidh mise dìreach a' cuimhneachadh na tha sgrìobhte shuas an sin. "They died that we might live." Dìreach sin. Chan eil e math a bhith smaoineachadh dad eile.

BEATON Breug. Cha do rinn e dad a dh'fheum, an do rinn? Ach gun d' fhuair mise cosnadh a' stobadh ainglean an-àirde air feadh na dùthcha. Sin an aon fheum a rinn e.

GIBSON Chan eil mise ga fhaicinn mar sin.

BEATON Tha mi falbh gam nighe fhèin. Tha obair dhorcha shalach mar seo a' gànrachadh duine.

GIBSON Thalla, ma-thà. Fuirichidh mi seo greiseag.

Fhad 's a dh'fhàgas BEATON *an t-àrd-ùrlar, chithear* GIBSON *a' leughadh nan ainmean air a' phlàc. Tha e gan ràdh mar a leughadh e clàr-sgoile.*

Dubh

Sealladh 2

Nuair a thig na solais air a-rithist, tha GIBSON *na sheasamh an sin ach tha e a-nis aig an taigh. Tha beagan bhogsaichean làn faidhlichean air a bheulaibh. Tha e a' coimhead air na clàran clas agus litrichean nam broinn, ag ràdh nan ainmean ris fhèin. Cumaidh e air a' dèanamh seo fhad 's a bhruidhneas e; chithear na litrichean air curtain sa chùlaibh mar dhuilleagan a' tuiteam. Às dèidh beagan ùine, thig* MÀIRI GIBSON *a-steach. Bho àm gu àm tron t-sealladh, thig feadhainn eile a-steach, a' coimhead air na tha a' tachairt.*

MÀIRI (*tha i a' crathadh a cinn*) A bheil thu a' rùrach an sin a-rithist? Cha do chuir thu crìoch air do dhinneir.

GIBSON Chan eil e a' tighinn gu mo chuimhne ge b' oil leam.

MÀIRI Bu bheag an t-iongnadh is uiread dhiubh ann. Eadar Grianaig is Steòrnabhagh. Iad a' càrnadh an-àirde bliadhna an dèidh bliadhna.

GIBSON Mar dhuilleagan. (*fois*) Ach 's e ar dleastanas cuimhneachadh. Ciamar eile a nochdas sinn spèis dhan òigridh, a bheir sinn urram dhan fheadhainn a bhàsaich air ar son? Tha sinn a' tighinn fada goirid air. An sgoil agus mi fhèin. A' dìochuimhneachadh samhail Donnchadh Fionnlasdan. A' fàgail ainm fhèin agus Ailig MacIomhair bhon chlàr anns an sgoil.

MÀIRI Tha sin uabhasach. Ciamar fo ghrian a rinn iad mearachd mar sin?

GIBSON Chan eil fhios agam. Dè am feum a th' ann an clàr-cuimhne. Ma tha mise, MacRàth agus an sgoil mar-thà a' dìochuimhneachadh na balaich ud, ciamar a bhios cuimhne aig duine orra ann an dà fhichead no leth-cheud bliadhna?

MÀIRI Chan urrainn dhuinn an còrr a dhèanamh.

GIBSON "As fragments that we shore against our ruin?" (*a' coimhead air na litrichean*) Uill, tha mi dol ga lorg. Ged a bheirinn fad na h-oidhche.

MÀIRI Ma chailleas tu thu fhèin an sin cha bhi ùine agad an òraid a sgrìobhadh.

GIBSON Oh, bidh, a Mhàiri. Nì mi sin a-nochd. Tha mi a' dol a thòiseachadh le bhith a' coimeas sgoil ri teaghlach. Agus feumaidh mi cuimhneachadh nach bi teaghlach a' dìochuimhneachadh mic.

MÀIRI Do thoil fhèin . . . (*Suidhidh i sìos agus togaidh i pàipear-naidheachd nuair a dh'fhàgas e an seòmar.*) Ach cha bu tusa na MacRàth a phàrantan, mur eil thu air a bhith a' falach dad orm o chionn fhada.

GIBSON (*far an àrd-ùrlair*) Chan eil magadh a' tighinn dhut, a Mhàiri.

MÀIRI Agus chan eil a bhith a' saoilsinn cus dhiot fhèin a' tighinn dhutsa nas motha.

Tha e a' crathadh a chinn, a' coimhead air an litrichean a-rithist. An ceann beagan mhionaidean.

GIBSON Lorg mi e! Lorg mi e! Tha cuimhne agam air a-nis!

MÀIRI (*car searbh*) Uill, 's fheàirrde sinn uile sin.

GIBSON Nise, faodaidh mi tighinn air ais dhan òraid agam.

Sealladh 3

Sgoilearan a' tighinn a-steach dhan t-seòmar, agus a' cur a-mach sreathan de sheathraichean. Tha gùn a-nis air GIBSON nuair a bhruidhneas e ris na sgoilearan a tha nan suidhe air a bheulaibh. 'S e An Lùnastal 1914. Corra uair san t-sealladh seo tha A' BH-PH FHIONNLASDAN na seasamh, a' coimhead.

GIBSON Tha sgoil mar phearsa. (*fois*) Le a nàdar 's a dòighean fhèin. Tha seo an-còmhnaidh a' tighinn air adhart, (*fois*) gach ginealach a' cur ris.

"Like the generations of leaves, the lives of mortal men. Now the wind scatters the old leaves across the earth, now the living timber bursts with the new buds and spring comes round again. And so with men: as one generation comes to life, another dies away."

Cò às a tha siud, a Chaimbeulaich?

CAIMBEUL Às an Illiad, sir.

GIBSON Sin thu fhèin. Tha dòchas dhut fhathast. Bidh iad moiteil asad air an lot. "Bella, horrida, bella. Et Thybrim multo spumantem sanguine cerno." Fhionnlasdain? Eadar-theangaich gu Beurla.

FIONNLASDAN . . . "I see wars . . ."

GIBSON Slaodach mar as àbhaist. Paterson?

PEATARSAN "I see wars, horrible wars, and the Tiber flowing with much blood."

GIBSON Sgoinneil. Cò aig tha fhios nach bi thu a' ruith na sgoile fhathast. Latha brèagha air choireigin, a' flagadaich mun cuairt anns a' ghùn seo, sàraichte a' sgrìobhadh litrichean agus aithisgean, 's le cailc fod' ìnean. Cò thuirt sin? Na facail mu dheidhinn an Tiber, tha mi ciallachadh. Fhionnlasdain?

FIONNLASDAN Virgil, 's dòcha.

GIBSON 'S dòcha, ars' esan! Dè an leabhar?

FIONNLASDAN An Aeneid, sir.

GIBSON Ma tha, tha mi 'n dùil. (*fois*) Seo a-nis fear nas fhasa dhuibh. "Fortis fortuna adiuvat", "Fortune favours the brave". Chaimbeulaich?

CAIMBEUL Terence.

GIBSON Math dha-rìribh. Sgrìobhadair sònraichte airson deagh mhoraltachd, deagh bhreithneachadh, agus deagh Laideann. Sgoinneil, sgoinneil. (*fois*) "Hell to ships, hell to men, hell to cities." Cò sgrìobh sin? Paterson?

PEATARSAN Aeschylus.

GIBSON Agus cò bha a' bruidhinn, a Dhonnchaidh Fhionnlasdain? Agus cò mu dheidhinn?

FIONNLASDAN Chan eil cuimhne agam, sir.

GIBSON Chan eil cuimhne agad? Na dh'fhàg thu d' eanchainn na chadal ann an leabaidh nan òisgean an-diugh?

Gàireachdainn

GIBSON A Mhairead?

MAIREAD Agamemnon. Mu dheidhinn Helen.

GIBSON Sgoinneil! Mu dheireadh freagairt ceart bho chaileag far an tuath. Tha d' eanchainn-sa a cheart cho geur ri do phiuthar Seònaid. "This is the one best omen, to fight in defence of one's country." Cò a sgrìobh na facail sin a Chaimbeulaich. Càit an lorg thu iad?

CAIMBEUL Homer anns an Illiad, sir.

GIBSON Sgoinneil. Sgoinneil. Sgoinneil. (*Tha a ghuth a' fas slaodach.*) Agus leis mar a tha an saoghal a' dol, cò aig tha fhios nach fhaigh sibh fhèin an cothrom sin. Gunna ga losgadh an Sarajevo agus am fuaim a' toirt sgala nan creag air feadh na Roinn Eòrpa. Cunnart ann no às, tha cothroman ann. Cothrom mairdseadh gu turaidean Troy le Illiad Homer na do phaca-droma.

PEATARSAN Bha m' athair-sa ann an Cogadh nam Boer. Tha esan ag ràdh ma tha luchd-poilitigs agus prionnsan airson a dhol a shabaid, gum bu chòir dhaibh fhèin armachd a chur orra agus gabhail dha.

GIBSON Can thusa ri d' athair nach eil samhla aig a' chòmhstri seo ri Cogadh nam Boer. 'S e a th' ann ach dòigh dha na bochdan cumhachd a thoirt air falbh bho phrionnsan agus luchd-poilitigs. Ma thèid òganaich mar sibh fhèin a shabaid anns a' chogadh seo, feumaidh iad piseach a thoirt air ar saoghal – cothrom do dhaoine mar sibh fhèin, mic chroitearan, bhreabadairean agus iasgairean.

PEATARSAN Ach a dhol gu Serbia, no dhan Tuirc . . . Dè an gnothach a th' againn ri na h-àitichean sin?

GIBSON Tha thu ag ràdh sin an dèidh an Illiad a leughadh? Na dh'ionnsaich thu dad idir? Tha ballaichean Troy anns an Tuirc. Sin far a bheil bunaitean saoghal sìobhalta an latha an-diugh. Gheibh sibh cothrom nach d' fhuair mise. Leudaichidh e ur sealladh, a' càrnadh eòlas air muin an eòlais a fhuair sibh san sgoil. Gheibh sibh glòir agus urram, a bhitheas nan sgiath dhuibh fad ur beatha ge bith càit an siubhail sibh.

FIONNLASDAN Sin tha mo bhràthair ag ràdh. Tha esan air soidhnigeadh an-àird.

GIBSON Math fhèin! Ceum gaisgeil agus an ceum ceart. Chan eil daoine nach eil a' dol seachad air an starsaich fhèin a' dèanamh dad as fhiach. "Go as far as you can see; when you get there, you'll be able to see further." Tha eachdraidh ag innse sin dhuibh.

FIONNLASDAN Thuirt e gum biodh sibh air ur dòigh.

GIBSON Gu dearbh fhèin, tha. Agus an dèidh a' chogaidh, bidh e air dheagh uidheamachadh airson rud sam bith, le tuigse air an t-saoghal, a choisinn e gu cruaidh, còmhla ri Beurla fhileanta, eòlas air matamataigs agus saidheans agus mothachadh air an linn chlasaigeach. "I go, and it is done, the bell invites me. Hear it not, Duncan, for it is a knell that summons thee to Heaven, or to Hell."

Stadaidh e, mothachail gu bheil a' chlag a' seirm airson an ath-chlas.

PEATARSAN (*a' sineadh a-mach a' toirt riasladh do* FHIONNLASDAN) "Wake Duncan with your knocking, I would thou couldst."

GIBSON Air ur socair air an t-slighe a-mach. "Like the generations of leaves, the lives of mortal men. Now the wind scatters the old leaves across the earth, now the living timber bursts with the new buds and spring comes round again. And so with men: as one generation comes to life, another dies away."

Gnogadh

Fuirich mionaid! Thig a-steach.

Sealladh 4

Nuair a chanas e seo, tha gnogadh socair air an doras. Thig MACRÀTH *a-steach le litir na làimh.*

MACRÀTH Litir phearsanta an seo dhuibh a Mhgr Gibson.

GIBSON Oh. Tapadh leat, a Mhgr MacRàth.

Fosglaidh e an litir. Nuair a nì e seo, tha coltas briseadh-dùil air aodann. Ruinnlichidh e an litir na làimh.

MACRÀTH Droch naidheachd?

GIBSON Litir bho Acadamaidh Pheairt, a' toirt taing airson an ùidh a ghabh mi an obair a' Mhaighstir-sgoile. "O mihi praeteritos referat si Iuppiter amos". (*Tha e a' coimhead air* MACRÀTH.)

MACRÀTH A' ciallachadh?

GIBSON Oh, gabh mo leisgeul. Bidh mi a' dìochuimhneachadh gur e fear matamataigs a th' annad. "Nam b' urrainn do Iupiter bliadhnaichean aiseag air ais dhomh."

MACRÀTH A' ciallachadh?

GIBSON Tha mi air a bhith ro fhada an seo. (*fois*) Chan eil dad anns a' bhaile seo ach fàileadh sgadan saillt agus boltradh an fhoghlaim.

MACRÀTH 'S iomadh àite tha tòrr nas miosa. Tha deagh bheatha aig daoine an seo.

GIBSON Buinidh tusa dha ge-tà. Nam bithinn air èisteachd ri comhairle m' athar. (*Nì e atharrais air blas Èirinn a Tuath.*) "Never spend more than ten years working in any garden. Five years setting out and planting flowers. Five years watching them bloom. After that, you learn only to see the rot and mildew set in." Gu math coltach ri obair maighstir-sgoile. Daoine èasgaidh, adhartach mar thu fhèin agus MacÌomhair, ag ràdh riutha fhèin gu bheil thìde aig an amadan ud falbh agus an t-àite fhàgail aca fhèin.

MACRÀTH Chan eil sin uair sam bith a' tighinn a-steach orm. 'S tha mi cinnteach gu bheil Mgr MacÌomhair an aon rud.

GIBSON Chì mi anns na sùilean agaibh e. 'S fheàirrde na cuileanan a
bhith ag iarraidh Rìgh nan Leomhann a thoirt sìos. 'S fhada bho
thòisich thu a' fuireach gus an tuislich mi. Air neo dh'fhaodadh tu
do chasan a thoirt leat a-mach às a' bhaile seo gu obair eile.

MACRÀTH Tha mise air mo dhòigh an seo. Carson a bheirinn mo
chasan leam.

GIBSON Feumaidh a h-uile isean togail orra uaireigin. Seadh. Agus
innis dhomh, dè bh' aca ri ràdh a-raoir an Talla a' Bhaile?

MACRÀTH Goil agus boil. Bha Pròbhaist Anderson na làn ghlòir, gun
teagamh sam bith mu dheidhinn earbsa anns a' Union Jack, an
Rìgh agus am pàrtaidh Tòraidheach. Bha am Bàilidh MacIlleathain
ann, is cop ri bhus mar as àbhaist. Bha fear eile, a' toirt tarraing
air na briathran a chuala mi fhèin airson a' chiad uair anns a' chlas
agaibhse. "In peace there's nothing so . . ."

GIBSON "In peace there's nothing so becomes a man as modest
stillness and humility: but when the blast of war blows in our ears,
then imitate the action of the tiger; stiffen the sinews, summon up
the blood, disguise fair nature with hard-favoured rage; then lend
the eye a terrible aspect."

MACRÀTH Chan eil mi cho cinnteach. A dh'aindeoin na tha tachairt
air feadh na rìoghachd. Na brataichean a' luasgadh. Itean nam
faoileagan air an spìonadh asda.

GIBSON Tha thu a' faighinn coire dhomhsa, a bheil?

MACRÀTH Rud cunnartach a th' anns an fhoghlam, nuair a tha e a'
spìonadh dhaoine bho am freumhaichean.

GIBSON Nach e sin a th' air cliù a chosnadh do dh'Albannaich, a'
measgachadh le gach treubh is cinneadh, gan oideachadh, 's a'
cur air adhart gnìomhachas air na cladaichean aca. Livingston an
Afraga. MacGuaire an Astràilia. Carnegie an Aimeireaga. Chan
fhaic thusa sin seach nach robh thu a' cosnadh an àite ach ann am
baile do bhreith.

MACRÀTH Dè tha sibh à feuchainn ri ràdh?

GIBSON Chan eil foghlam nas fheàrr na cùl a chur ri cladaichean
eòlach. Nì e daoine uasal de mhic nan croitearan. Tha e gan
saoradh bho shlaibhridhean bochdainn, bhon ghrèim a th' aig an
dualchas orra. Seall ormsa, mac eilthireach bochd à Èirinn a bha
mar thràill de ghàirnealair.

MACRÀTH Nach deach daoine bochd gu leòr cheana a mharbhadh air na raointean, dè feum a th' agad air tuilleadh tobhar.

GIBSON Tha lobhadh grod anns an rìoghachd seo. Tha an siostam clas freumhaichte agus tèarainte. Chan eil dad a' gluasad. Nuair a thogas na fir òga seo an cuid raidhfilean, tha iad a' gabhail grèim air dòchas gun atharraich cùisean. Bheir e dhuinn sìth anns an Roinn Eòrpa, agus bidh ceartas a' riaghladh ann am Breatainn. Sin carson a tha mi a' cur mo thaice ris a' chogadh. Chan ann air sgàth miann dòirteadh fala mar am Bàillidh MacIlleathain, no adhradh do bhratach mar Pròbhaist Anderson. Chan eil an sin ach gleadhraich is gòraich. Ach tha mise a' creidsinn gun tig saoghal nas fheàrr agus nas cothromaich às an strì a tha seo.

MACRÀTH Tha mi an dòchas gu bheil sibh ceart. Lem uile chridhe.

Sealladh 5

Tha GIBSON *na shuidhe aig bòrd na sheòmar. Tha coltas an-fhoiseil air agus nach urrainn dha a chuid obair a dhèanamh.*

GIBSON Tha sgoil mar phearsa. (*fois*) Le a nàdar 's a dòighean fhèin. Tha seo an-còmhnaidh a' tighinn air adhart, (*fois*) gach ginealach a' cur ris. O dè am math dhomh! Feumaidh tu cuimhneachadh cò ris a bha e coltach, a Mhgr Gibson.

Èiridh e a-rithist agus fosglaidh e bogsa nan litrichean. Bheir e tè dhiubh a-mach 'son leughadh. Fhad 's a nì e sin thig trì saighdearan òga an èideadh airm air an àrd-ùrlar, a' dol timcheall air mar a tha iad leth-èisteachd ris agus a' toirt bagairt air. Tòisichidh iadsan air leughadh nan litrichean, a' dol far an àrd-ùrlair gus a bhith san luchd-èisteachd.

GIBSON An Dàmhair 1915.

MOIREASDAN A Mhgr Gibson.

GIBSON 'S e fear dhe do sheann sgoilearan tha an seo.

MOIREASDAN Ruairidh Moireasdan.

GIBSON Cha chreideadh sibh an toileachas a thug bhur litir dhomh sa mhadainn an-diugh. Cha mhòr gun urrainn dhomh creidsinn gu bheil an cogadh seo anns an dara bliadhna.

MOIREASDAN 'S fhada bho bha mi ag iarraidh sgrìobhadh thugaibh, ach bha mi ùine mhòr san ospadal mus b' urrainn dhomh peann a chleachdadh.

GIBSON Nì mi chùis air a-nis, agus innsidh mi dhuibh mar a thachair.

MOIREASDAN Thòisich e aig leth uair an dèidh seachd sa mhadainn.

GIBSON Fuaimean iargalta os ar cionn.

SAIGHDEAR 1 Crùb sìos! Crùb sìos!

GIBSON Fuaimean sgriosail. Shellaichean de gach seòrsa, a' dèanamh mar an dealanaich os ar cionn airson sgrios ar nàmhaid.

MOIREASDAN Suas ri còig ceud cannon timcheall oirnn, a' comhstrì ach cò a b' fheàrr agus bu luaithe a losgadh. Mu dheich uairean, shocraich cùisean . . .

SAIGHDEAR 2 Come on, you bloody Jocks! Let's move forward! Come on. Come on. Come on.

GIBSON Air ar slighe chun an loidhne toisich, sinn a' gabhail fasgadh bho shligean Gearmailteach ann an redoubts ri taobh an rathaid.

MOIREASDAN Saighdearan leòinte gan giùlan seachad oirnn air crò-leaban, agus prìosanaich Ghearmailteach gan treòrachadh air ais fo gheàrd.

SAIGHDEAR 2 (*a' crathadh raidhfeal na làimh, mas fhìor*) Hande hoch, you filthy Germans! Schnell! Schnell!

GIBSON Chaidh grunnan a leòn agus mharbh aon de na shells grunn dhaoine.

SAIGHDEAR 1 Seadh fòs ged ghluaisinn eadhon trìd ghlinn dorcha sgàil a' bhàis, aon olc no urchuid a theachd orm, chan eagal leam 's cha chàs.

MOIREASDAN (*a' leughadh litir*) Aon turas faisg air deireadh an t-Samhain, lìon a' chlais agam le bùrn is poll.

SAIGHDEAR 2 (*ag atharrais gabhail grèim air peile*) Let's get this trench dry again! Use the spade! Get a move on!

MOIREASDAN Thòisich e a' fàs uabhasach fuar.

SAIGHDEAR 1 Gus mo ragadh! Air mo laghadh leis an fhuachd!

GIBSON Gaoth on ear-thuath a' dol tromhainn mar sgian, mar gum biodh e tighinn dìreach bho na Steppes ann an Ruisia.

MOIREASDAN Sinne fhathast nar trusgain samhraidh – an aon trusgan a bh' againn – gun dad ach briogais ghoirid eadar sinn fhèin agus fuachd na gaoithe.

GIBSON Nas fhaide sìos an trainnse, chunnaic mi caraid a bha reubaltach rudeigin aingidh. A' leughadh a' Bhìobaill.

SAIGHDEAR I (*a' leughadh*) "Seadh fòs ged ghluaisinn eadhon trìd ghlinn dorcha sgàil a' bhàis, aon olc no urchuid a theachd orm, chan eagal leam 's cha chàs."

MOIREASDAN Aig trì uairean feasgar, seo againn an t-òrdugh.

SAIGHDEAR 2 Prepare to advance!

SAIGHDEAR I Sinn nar deann ruith, thar dà cheud slat, gun fhasgadh, chun an loidhne toisich. Urchairean o gach taobh.

SAIGHDEAR 2 Chall gun chiall, daoine a' tuiteam mu ar casan, a' sgriachail leis a' phian.

MOIREASDAN O Chruthaidheir bheannaichte, dèan tròcair oirnn.

SAIGHDEAR I Feuchainn ri caraidean a lorg.

MOIREASDAN 'Eil thu ceart gu leòr?

SAIGHDEAR 2 Tha. Thu fhèin?

MOIREASDAN Tha. Tha.

GIBSON Mo charaid, an reubaltach, aig a dhleastanas, a' leantainn an òrdugh.

SAIGHDEAR I Rapid fire! Rapid fire!

GIBSON Am fear a bha a' leughadh Facal Dhè o chionn ùine ghoirid. Cha robh e beò fada.

SAIGHDEAR I Thoir am Bìoball seo dha mo mhàthair.

SAIGHDEAR 2 Seadh fòs ged ghluaisinn eadhon trìd ghlinn dorcha sgàil a' bhàis, aon olc no urchuid a theachd orm, chan eagal leam 's cha chàs.

SAIGHDEAR I Tha mi taingeil gun do leugh thu siud. Tha mi taingeil gun do leugh thu siud.

MOIREASDAN (*fois*) Agus mise? Tha mòran agam ri bhith taingeil air a shon. Ràinig mi an t-ospadal-airm, thuirt an dotair nach seasainn an oidhche. Chuir mi romham nach bàsaichinn nam b' urrainn dhomh idir. Bha mi gu tur gun lùths, agus cha b' urrainn dhomh gluasad sam bith a dhèanamh – fiù 's mo cheann. Chuir iad tro opairèisean mi agus thug iad peiler à cnàimh an droma.

GIBSON Tha an dotair a' smaoineachadh gum faigh mi mo choiseachd air ais, 's mar sin chan eil adhbhar a bhith a' gearan.

MOIREASDAN Leis gach urram, Ruairidh Moireasdan.

Sealladh 6

Tha an t-àrd-ùrlar a-nis na sheòmar-suidhe ann an taigh. Tha GIBSON
*na shuidhe aig deasg, le solas air a bheulaibh. Tha e a' sgròbadh
air pàipear, a' sealltainn suas agus a' sgrìobhadh a-rithist, coltas
breathalach agus claoidhte air. Ged nach e a-nis ach geamhradh 1915,
tha coltas fada nas sine air bhon a chunnacas mu dheireadh e. Thig
a bhean* MÀIRI *a-steach tro dhoras air an taobh. Tha aodach oidhche
oirre. Air curtair sa chùlaibh tha duilleagan fhathast a' tuiteam.*

GIBSON Ceud da fhichead 's a h-ochd seann sgoilearan bho Àrd Sgoil
    MhicNeacail . . .

MÀIRI Nach tig thu dhan leabaidh, Uilleim.

GIBSON Cha tig fhathast. "A heavy summons lies like lead upon me,
    and I cannot sleep. This night's work has to be done."

MÀIRI (*coltas àmhgharach oirre*) Oh, thu fhèin 's do Shakespeare.
    Nach leig thu fois dhan duine bhochd. Nì e a' chùis a-màireach.

GIBSON Cha dèan. Feumaidh mi seo a chrìochnachadh. Bha na
    balaich a' sgrìobhadh thugam uaireanan, bhon bhlàr cogaidh.
    Nach eil beag gu leòr dhomh spèis a thoirt dha na thuirt iad anns
    an òraid agam.

MÀIRI Mar nach biodh gu leòr eile agad ri dhèanamh. Leigidh tu
    roimhe mura gabh thu air do shocair.

GIBSON Mo thogair. Nas fheàrr na mar a leig m' athair roimhe – a'
    bruthadh bara tro ghàrradh. Na chrùban is gràp na làmhan.

MÀIRI An-còmhnaidh gad choimeas fhèin ris-san. Chan fheàirrde tu a
    bhith a' leughadh nan litrichean sin.

GIBSON Chan eil thu fada ceàrr. Tha na cunntasan cho oillteil,
    sàraichte. A' dearbhadh dhomh cho cumhang, cuingeil 's a tha m'
    eòlas. Carson idir a dh'fhosgail mi mo bheul mu bhuannachdan
    cogaidh?

MÀIRI Chan eil thu a' cur teagamh anns na thuirt thu riutha?

GIBSON Chan eil.

MÀIRI Carson a-rèist a tha thu ga do chur fhèin tuathal leis? Cha tuirt
    thu dad nach tuirt a h-uile ministear agus tidsear anns a' bhaile seo,
    a' piobrachadh nam balach gu cogadh.

GIBSON A h-uile duine ach MacRàth. Cha tuirt esan bìog riutha mun
    chogadh. Chum e air le Pythagoras is trigonometry.

MÀIRI Dè an còrr a shùileachadh tu air tidsear matamataigs. Sin an obair aige. Chan eil àite aig poilitigs no feallsanachd no faireachdainnean ann an ceisteannan matamataigs.

GIBSON Ach 's e an obair agamsa a bha e ag iarraidh.

MÀIRI Cha bu chòir dhut a bhith cho trom ort fhèin. Cha b' urrainn dhut a bhith air barrachd a dhèanamh airson spèis muinntir a' bhaile seo a chosnadh. Mac gàirnealair bochd ann no às, tha thu air sgoil bheag shuarach a thogail chun na h-inbhe a th' aice a-nis – aon de na sgoiltean as fheàrr anns an dùthaich. Chan eil duine nach can gum bu tu an duine ceart anns an àite cheart aig an àm cheart.

GIBSON Thomas Jefferson.

MÀIRI Dè?

GIBSON "The right man in the right place at the right time." Thuirt iad sin ma dheidhinn-san.

MÀIRI Dh'fhaodadh fios a bhith agam – briathran dhaoine eile.

GIBSON Tha e nas fhasa na smaoineachadh dhomh fhèin.

MÀIRI 'S ann a tha thu a' smaoineachadh fada cus. Cha mhòr nach saoil mi gu bheil thu fhèin air a dhol dhan chogadh, thall anns an Dardanelles leis na sgoilearan a b' fheàrr a bh' agad.

GIBSON Chan urrainn dhomh a leasachadh gus am bi a h-uile dad tha seo seachad. An uair sin, tillidh mi. Ach an-dràsta, tha òraid ri sgrìobhadh. Obair ri chrìochnachadh. "Do duty that lies nearest thee, which thou knowest to be a duty."

MÀIRI Oidhche mhath, Uilleim. Thig dhan leabaidh ma gheibh thu sgeul ort fhèin.

GIBSON Oidhche mhath, a Mhàiri. The sage of Ecclefechan.

MÀIRI Dè?

GIBSON Tòmas Carlyle, 's e a thuirt e.

(*Fàgaidh* MÀIRI *an seòmar. Tòisichidh* GIBSON *ri leughadh gu h-àrd bho phìos pàipear a tha air a bheulaibh.*)

Sealladh 7

Nuair a dh'fhàgas MÀIRI *an seòmar, thig* FIONNLASDAN *dhan àrd-ùrlar gu slaodach. Tha e na sheasamh aig mullach an àrd-ùrlair, a' coimhead air* GIBSON *gu h-ìosal. Tha curtair a' chùil ag atharrachadh gu speur oidhche làn rionnagan.*

FIONNLASDAN Bha fèath ann nuair a dh'fhàg sinn Lemnos. Tha cuimhne agaibh air an ainm sin, a Mhgr Gibson? Lemnos . . .

GIBSON Lemnos . . . Lemnos . . .

FIONNLASDAN Far an do thrèig na fir na boireannaich aca? Cha robh mòran sgeul air boireannaich nuair a ràinig sinne Lemnos. Dad ach iasgairean agus saighdearan. Fhuair sinn searmon mu dheidhinn Gallipoli.

CAIMBEUL Fàilte bhorb gu bhith romhaibh.

PEATARSAN Tha tòrr ghunnaichean aig na Tuircich.

CAIMBEUL Artilearaidh.

PEATARSAN Seann ghunnaichean.

CAIMBEUL Cha bhi iad glè chinnteach, ach bidh iad garg.

PEATARSAN Mar dhaoine sam bith a' dìon an dùthcha fhèin.

CAIMBEUL Mar sinne a' dìon àite a bha coltach ris.

PEATARSAN Beul caladh Steòrnabhaigh.

CAIMBEUL Tolm, Aranais.

FIONNLASDAN Cò shaoileadh e? Cha mhòr nach robh mi a' faicinn Pròbhaist Anderson agus am Bàilidh MacIlleathain nan seasamh an siud, ga mo phiobrachadh, a' smèideadh le itean geala. Siubhal a' fosgladh ar n-inntinn, nach e sin a thuirt sibh, a Mhgr Gibson.

PEATARSAN Agus sheòl sinn, ceud is trì de sheann sgoilearan Sgoil Steòrnabhaigh.

CAIMBEUL Air ar slighe thairis a' Mhuir Aegean.

FIONNLASDAN Gu àitichean a tha ainmeil agus gràdhaichte tro sgeulachdan nan Greugach.

GIBSON "And if some god should strike me, out on the wine-dark sea, I will endure it . . ."

FIONNLASDAN Nì sin a' chùis, Gibson. Cha b' e na wine-dark sea aig Homer. An dèidh gèiltean agus frasan trom bha a' mhadainn ceòthach, 's a' cheò a' laighe air a' mhuir. Bha plana ann gun sgaoileadh na feachdan againn a-mach. Bha na Frangaich a' dol air tìr aig Kum Kale, beagan mhìltean bho far an robh ballaichean iongantach Troy, gus an cuireadh iad na gunnaichean an sin nan tàmh, a' dèanamh na cùis na bu shàbhailte dhuinn a bha dol air tìr aig Cape Helles.

Agus an uairsin thàinig an "rosy-fingered dawn", air a bheil Homer a' dèanamh iomradh.

Tha fuaim spreadhaidh ann agus ìomhaighean a' chogaidh air an sgrìn. Tha an triùir fhireannach nan seasamh còmhla a' slaodadh ròpa. Air cùlaibh seo tha samhail gunna artailearaidh ann.

CAIMBEUL Fhuair sinn dìon oirnn bho bhalaich na Lancashire Fusiliers aig W Beach faisg oirnn. Cha robh iadsan fhèin cho fortanach. Chaidh na feachdan Tuirceach tromhpa mar speal tro choirc.

PEATARSAN Còrr air sia ceud air an reubadh le shellaichean agus peilearan air an tràigh. Chunnaic sinn na thachair. Cha b' urrainn dhuinn dad a dhèanamh.

CAIMBEUL Dìreach tarraing nan gunnaichean nan àite.

PEATARSAN Gan slaodadh suas a' bhruthaich.

FIONNLASDAN Ged a fhuair sinn an artailearaidh tèarainte, cha b' urrainn dhuinn losgadh air an nàmhaid. Bha na daoine acasan am measg na feadhainn againne.

CAIMBEUL Do-dhèante an sgaradh.

PEATARSAN Chan aithnicheadh tu caraid bho nàmhaid.

CAIMBEUL Air taobh thall Cape Helles, air V Beach.

FIONNLASDAN Bha bufailear de dh'oifigear, fear a fhuair fhoghlam tro leabhraichean agus Greugais.

PEATARSAN A' cleachdadh seann bhàta guail mar Trojan Horse.

FIONNLASDAN Dà mhìle saighdear air am brùthadh innte.

CAIMBEUL Leag na Tuircich iad le an gunnaichean, sreath às dèidh sreath, duine às dèidh duine.

PEATARSAN Beò agus marbh an lùib a chèile ann am pataran dorch dearg air muir agus gainmheach.

FIONNLASDAN Abair thusa, wine-dark sea.

GIBSON Equo ne credite, Teucri.

FIONNLASDAN Seadh, Gibson?

GIBSON Do not believe in the horse, Trojans!

PEATARSAN Seo ann an Cape Helles, gillean nach eile ach ochd-deug, naoi-deug.

FIONNLASDAN Gillean à Sgoil MhicNeacail. Gun ghunnaichean gu leòr aca . . .

CAIMBEUL No dad a losgadh sinn annta.

FIONNLASDAN Am fearann ga dhèanamh duilich targaid a ruighinn.

PEATARSAN Cuid de na gunnaichean gun dìon sam bith.

FIONNLASDAN Ag obair gun fhasgadh, fosgailte dhan an nàmhaid.

Tha spreadhadh mòr ann. Tuitidh CAIMBEUL, *tha e soilleir gun do chuireadh peilear ann. Cumaidh an dithis eile a' dol ag ullachadh a' ghunna.*

PEATARSAN Na mairbh gun an tiodlaiceadh, nan laighe le casan briste, mionaich reubte, cinn nan sgàrd, teas a' gabhail dhaibh.

FIONNLASDAN Am blàr-catha mar rudeigin eadar òcrach agus cladh a bha cuideigin air a thionndadh le spaid.

PEATARSAN Agus na cuileagan – cuileagan mòra uaine a' tighinn a-nuas mar tè de phlàighean na h-Èiphit, a' sgaoileadh spùt agus bàs le an sgiathan.

FIONNLASDAN Fheadhainn a bha gan tiodhlaiceadh a' cur a-mach rùchdan an cridhe, a' faicinn nam baoiteagan ag èaladh nam mìltean anns na leòintean a bh' orra.

GIBSON Leugh mi mu dheidhinn sin.

FIONNLASDAN Aidh. Leugh. Ach cha robh sibh ann, an robh? Mac a' ghàirneileir à Grianaig na ghùn dubh sgoileir.

PEATARSAN Mar cocoon.

FIONNLASDAN Currag dhorch.

PEATARSAN Gus nach faic sibh an fhuil.

FIONNLASDAN An uair sin an geamhradh, tàirneanaich eagalach, uisge, clach-mheallain agus sneachd.

PEATARSAN Feadhainn air am bàthadh anns an tuil. Reòthadh a' dol chun an smior againn. Air ar reòthadh gu bàs.

FIONNLASDAN A' tarraing iad air ais. Acrach, truagh.

PEATARSAN A' fàgail air ar cùl còrr air mìle is ochd ceud cuirp.

FIONNLASDAN Balla ùr air a thogail airson Troy. Fear nach b' urrainn do Helen fhèin a leagail.

PEATARSAN Tulaich nam marbh.

FIONNLASDAN "Fortis fortuna adiuvat?"

PEATARSAN "Fortune favours the brave?"

FIONNLASDAN "This is the one best omen, to fight in defence of one's country?"

PEATARSAN Dè a nì sibh nuair a thig taibhsean à Sràid Fhrangain, Sraid na h-Eaglaise agus am Mol-a-Deas?

FIONNLASDAN Dè chanas sibh?

Fois. Thèid na solais sìos. Tha e na aonar air an àrd-ùrlar.

Sealladh 8

GIBSON Dè chanas mi? Nach can mi an rud a thuirt Ovid, "the dead were fallen all about me, nor were they interred by usual rites; too many funerals crowded temple gates . . ."

Nuair a chanas e seo, thig boireannach le seàla oirre faisg air. Stadaidh i airson tiotan agus an uair sin coisichidh i air falbh.

GIBSON A Sheònaid?

Stadaidh am boireannach, clisgidh i agus an uair sin leanaidh i air adhart.

An tu a th' ann a Sheònaid? Tha mi gad aithneachadh . . .

Stadaidh SEÒNAID *gun ghluasad.*

'S tu th' ann gun teagamh, nach tu? Dè tha ceàrr?

SEÒNAID Chan eil càil ceàrr. Càil sam bith.

GIBSON Ach tha. Tha mi ag aithneachadh gu bheil.

SEÒNAID Chan eil.

GIBSON Trobhad seo . . .

Leigidh SEÒNAID *sìos a seàla. Nuair a tha a h-aodann ri fhaicinn tha e soilleir gu bheil i air a brùthadh gu dona.*

GIBSON Oh, gu sealladh ort. Abair staid, a thruaghag. Cò rinn sin ort? Cò rinn e?

SEÒNAID Dòmhnall. Esan a rinn e. (*fois*) Chan eil cothrom aige air. Nuair a bhitheas e a' tuiteam na chadal, bidh e a' dùsgadh tron oidhche uaireannan. Bidh e a' gabhail dhomh le dhùirn.

SEÒNAID Bidh e làn aithreachas an ath mhadainn. *A' gal. Crith ann a' gal. (fois)* Bidh e a' smaoineachadh gu bheil e air ais air a' bhàta ud a bha a' toirt stuth air tìr sna Dardanelles. A' cur a làmhan an-àirde airson e fhèin a dhìon bhon an spreadhadh is na bomaichean a' tuiteam mun cuairt air.

GIBSON A bhrònag bhochd.

SEÒNAID Tha e dìreach a' feuchainn ri e fhèin a shàbhaladh. A bheil sibh a' tuigsinn, a Mhgr Gibson. Chan eil cothrom aige air.

GIBSON Tha fhios agam, a Sheònaid. Bha na Greugaich ceart o chionn iomadh linn nuair a thuirt iad mu chogadh "hell to ships, hell to men, hell to cities".

SEÒNAID *(a' coimhead air 's i a' ragadh)* Na Greugaich?

GIBSON Aidh. Facail Aeschylus.

SEÒNAID Oh. An sgudal sin. Amaideas is dìth cèile! *(tha i a' coimhead air)* Bhàsaich a bhràthair dìreach beagan astar bhuaithe. Bidh e a' cur a làmhan an-àirde airson esan a dhìon cuideachd, airson a shàbhaladh bho na shellaichean 's na peilearan a' slàraigeadh ormsa le dhùirn, a' sgreuchail agus ag èigheach. Chan eil cothrom aige air.

GIBSON Chan eil.

SEÒNAID Chan ionann sin agus an fheadhainn a phiobraich daoine coltach ris-san a dhol a shabaid. Mar gum biodh iad a' falbh air splaoid. Airson an saoghal fhaicinn. Tha cothrom aca san air.

Sealladh 9

Coisichidh i SEÒNAID *air falbh, a' fàgail* GIBSON *na aonar air meadhan an àrd-ùrlair. Tha e a' crathadh a chinn, do-chreidsinn. Thig* FIONNLASDAN *agus* PEATARSAN *bho chùl an àrd-ùrlair.*

GIBSON Why do I remain, unyielding? Why do I linger here? Why do you preserve me, wrinkled old age? Why prolong an old man's life, cruel gods, unless it is for me to view more funerals, more deaths?

FIONNLASDAN Deagh cheist, a Ghibson. Ach chan e sin an aon tè a dh'fheumas sibh a fhreagairt, an e?

PEATARSAN Mar càit a bheil an t-sìth agus an t-saoibhreas bha gu bhith againn an dèidh a' chogaidh?

FIONNLASDAN Abair gun do rinn sibh siubhal bhon chroch sibh ur gùn maighstir-sgoile air an tarraig, a Mhgr Gibson. Dhan Eadailt, a dh'fhaicinn na tha Mussolini ris.

A' cnagadh a bhrògan, togaidh e a ghàirdean mar Fascist.

PEATARSAN Meglio un giorno da leone che cento da pecora.

FIONNLASDAN Cò thuirt siud?

GIBSON Mussolini.

FIONNLASDAN Eadar-theangaich, a Ghibson.

GIBSON "It's better to live one day as a lion than a hundred years as a sheep."

PEATARSAN Tha sibh air a bhith san Ruis. A' faicinn dè a nì Communism . . .

FIONNLASDAN (*A' gabhail làmh* GIBSON, *cuiridh e dòrn a' bhodaich ann an cruth fàilte nan Comannach.*) "The tradition of all dead generations weighs like a nightmare on the minds of the living." Cò thuirt siud?

GIBSON Chan eil cuimhne agam.

PEATARSAN Na dh'fhàg thu an eanchainn ann an gàrradh d' athar an-diugh, air a ghearradh às do cheann mar ròs mharbh.

FIONNLASDAN Fuirich. Bheir mi fear nas fhasa dhut. "The proletarians have nothing to lose but their chains."

GIBSON Karl Marx.

PEATARSAN Nas fheàrr. Nas fheàrr. Tha dòchas ann dhut, a Ghibson. Beagan dòchais.

FIONNLASDAN Agus chuala mi gun do rinn thu mar a' phiseag anns an rabhd 's gun deach thu sìos a Lunnainn a chèilidh air an Rìgh 's a' Bhanrigh.

GIBSON Chaidh.

PEATARSAN Air do ghlùinean air ar beulaibh.

GIBSON Dè?

PEATARSAN Air do ghlùinean. Nì aon ghlùin a' chùis.

Nì GIBSON *mar a thèid iarraidh air. Suathaidh* PEATARSAN *ris a cheann agus a dhà ghuailnean le bata* GIBSON.

Tha mi gad ainmeachadh William John Gibson, Commander of the British Empire. Faodaidh tu seasamh.

Èiridh e.

FIONNLASDAN Urram beag snog an siud. Meal an naidheachd. Tha fhios gum bi tuilleadh a' tighinn.

PEATARSAN Agus a bheil dad a sgeul air an t-sìth a bha iad a' gealltainn? A bheil, a Mhgr Gibson, a bheil?

FIONNLASDAN Agus dè mu dheidhinn deireadh sgaraidhean clas?

PEATARSAN Agus dè chanas tu nuair a thig MacRàth chun an dorais a dh'iarraidh ort clàr eile fhoillseachadh anns an sgoil?

FIONNLASDAN An clàr le seachd fichead 's a h-ochd ainmean seann sgoilearan?

PEATARSAN Dè chanas tu ris?

FIONNLASDAN Dad a bheachd?

Sealladh 10

Falbhaidh an dithis nuair a chluinnear clag an dorais. Tha e a' seirm gun sguir. Rè na h-ùine seo an àite dol dhan doras, tha GIBSON *na shuidhe aig an deasg aige.*

MÀIRI (*a-tighinn a-steach*) Uilleim! Nach fhosgail thu an doras? Tha mo làmhan-sa làn taois. Uilleim!

Mu dheireadh thèid i dhan doras agus i ag osnaich. Tha MACRÀTH *na sheasamh ann le litir na làimh.*

Tha fhios nach tàinig thu a chèilidh. 'S fhada bho nach fhaca sinn thu.

MACRÀTH Tha an obair cho iarratach. Uill, tha fhios nach leig mi leas sin innse dhuibhse.

MÀIRI Cha leig. Ach nach e sin a bha thu ag iarraidh, a Mhgr MacRàth? Liuthad bliadhna bha thu a' feitheamh gus an leigeadh esan dheth a dhreuchd. Innis dhomh, ciamar a tha an crùn dhroigheann?

MACRÀTH Gu math teann aig amannan. Ciamar a tha e fhèin a' cumail na làithean seo.

MÀIRI Uaireannan shaoileadh tu nach do leig e a dhreuchd dheth idir. Tha e ann an saoghal dha fhèin.

MACRÀTH Cho fad às 's a bha e a-riamh, ma-thà?

MÀIRI Cha mhòr nach. Dh'fhaodadh an aon rud tachairt dhutsa ma thig an cogadh ùr air a bheil iad a' bruidhinn.

MACRÀTH Am b' urrainn dhomh fhaicinn, ma-thà?

MÀIRI Bidh e air a dhòigh d' fhaicinn.

MACRÀTH Droch sheans' Mrs Gibson, droch sheans'.

MÀIRI Èighidh mi air. Uilleim!

Chì sinn GIBSON *ag èirigh bhon deasg aige, a' dol a dh'ionnsaigh* MHICRÀTH. *Falbhaidh* MÀIRI.

GIBSON A Mhgr MacRàth. 'S fhada on uair sin. 'Eil sibh gu math?

MACRÀTH An ìre mhath. Sibh fhèin?

GIBSON Dè nì mi dhut?

MACRÀTH An rud air an do bhruidhinn sinn an-uiridh. An rud a dh'iarr mi oirbh a dhèanamh.

GIBSON An clàr ainmean fhoillseachadh? (*ag osnaich*) Nach tuirt mi riut cuideigin eile fhaighinn. Cuideigin urramach.

MACRÀTH Bha mi a' bruidhinn ri na tidsearan eile. Bha iad ag aontachadh gum bu chòir dhuibhse a dhèanamh. Agus chan ann tric a tha iad uile dhen aon bheachd.

GIBSON Seadh? Tha sin a' cur iongnadh orm.

MACRÀTH Sin a thachras nuair a tha aon chù mun chuairt ro fhada. Bidh càch a' fàs cleachdte ri a dhòighean. Co-dhiù, tha iad ag iarraidh gum foillsich sibh an clàr. Bhiodh iad a' smaoineachadh gun robh sibh a' cur urram orra.

GIBSON 'S e urram a th' ann, an e?

MACRÀTH Chanadh cuid gur e.

GIBSON Ceart gu leòr, ma-thà. Seach gur e urram a th' ann.

Bheir MACRÀTH *seachad a' chìs. Thèid an t-àrd-ùrlar dorcha mar a sheasas* GIBSON *na aonar, ga fosgladh.*

Sealladh 11

Thèid GIBSON *dhan t-seithir aige. Mar gum biodh ann am freagairt ris na faclan, thig* FIONNLASDAN *a-steach a-rithist.*

FIONNLASDAN Fhuair thu an t-urram ma-thà?

GIBSON Fhuair . . .

FIONNLASDAN Agus tha dùil agad a dhèanamh?

GIBSON Chan eil mi ag iarraidh cuid no gnothaich a ghabhail ris.

FIONNLASDAN O, Mhgr Gibson, 's e ar dleastanas cuimhneachadh. Fiù 's ged a thuit m' ainm-sa agus ainmean eile bhon chlàr agus à cuimhne cuid.

GIBSON Chan urrainn dhut coire a chur ormsa airson sin.

FIONNLASDAN Chan eil mi a' cur coire air duine. Ach bu chòir feuchainn cuimhneachadh. "If even in the house of Hades, the dead forget their dead, yet will I even there be mindful of my dead comrade."

GIBSON Tha thu a' tilgeadh Homer orm.

FIONNLASDAN Tha. Briathran dhaoine eile, an àite bhith reusanachadh dhuinn fhèin.

GIBSON Sin an duan a bhios aig mo bhean cuideachd.

FIONNLASDAN 'S e boireannach toinisgeil a th' innte a-rèist. Eu-coltach ri cuid a dh'aithnicheas sinn.

GIBSON "The greatest of all faults is to be conscious of none."

FIONNLASDAN Homer a-rithist? Feumaidh tu an òraid ud a lìbhrigeadh, feumaidh tu an clàr ud fhoillseachadh. Chan e am Ball Pàrlamaid Wilson Ramsay. Chan e fear de na ministearan. Chan e an Lord Lieutenant no duine le deise urramach. Na fiù 's Homer. Cuideigin làn theagamhan am bu chòir dha bhith ann as freagarraich. Mura b' e cha bhiodh sinn air dad ionnsachadh bhon chogadh ud.

GIBSON Chan e mise an duine.

FIONNLASDAN Carson nach e, a Mhgr Gibson?

GIBSON Nuair a chunnaic mi an clàr, le ainmean na bha siud de dh'òigridh, thàinig e a-steach orm gur ann a bha iad coltach ri duilleagan. Duillegan foghair. Cha b' e seann sgoilearan a bh' annta. Cha b' e fiù 's mo cho-chreutairean.

FIONNLASDAN Mhgr Gibson, "What are the children of men but as leaves that drop at the wind's breath?" Air an luasgadh thall 's a-bhos a rèir mar a shèideas a' ghaoth. Agus mura feuch sinn ri grèim a chumail air mar a shèid stoirmean na beatha sinn fhèin, cha bhi sinn fhèin dad nas fheàrr. Dìreach duilleagan air an cruinneachadh agus an luasgadh le osagan gaoithe.

GIBSON Dè ma bhios mi mabach, glugach?

FIONNLASDAN Uaireannan, sin mar a bhios sinn ag innse na fìrinn.

Fois. Cha fhreagair GIBSON.

Mhgr Gibson, bha cuid aca a' saoilsinn an t-saoghail dhiubh. Feumaidh sibh a dhèanamh.

Cromaidh GIBSON *a cheann fhad 's a dh'fhàsas an t-àrd-ùlar dorcha.*

Sealladh 12

Tha GIBSON *na aonar air an àrd-ùrlar. Tha coltas lag agus sgìth
air nuair a sheasas e air cùl an leatrain, tha coltas nas sine air na
anns na seallaidhean nas tràithe. Air cùirtear a' chùil tha, a-rithist,
ìomhaighean de dhuilleagan.*

GIBSON (*A' gabhail fois agus slug bùirn.*) Tha sinn air cruinneachadh
an seo an-diugh gus cuimhneachadh air euchdan uasal agus fialaidh
a chuir ri ar cliù mar sgoil. Ceud dà fhichead 's a h-ochd . . .
(*stadaidh e*) ceud dà fhichead 's a h-ochd de sheann sgoilearan na
sgoile seo a leig sios am beatha anns a' Chogadh Mhòr.
  Tha suaicheantas na sgoile ag ràdh "Sequamur", "Leanaidh
sinn". Agus bidh cliù Àrd Sgoil MhicNeacail nas àirde air an sgàth.
Tha an eisimpleir aca na stiùir dhuibh, a' nochdadh dualchas uasal
a bu chòir dhuibh a' leantainn fad ur beatha.

*Fhad 's a chanar na facail seo, cleachdaidh na fireannaich agus
boireannaich òga, a bha nan suidhe, na sèithrichean aca gus càrn-
cuimhne a thogail, gan càrnadh air mullach a chèile.*

FIONNLASDAN Urram beag snog an siud. Meal an naidheachd.

A' BH-PH FHIONNLASDAN Chan eil fiù 's cuimhne agad air, a bheil?
Chan eil cuimhne agad air, idir!

PEATARSAN Gu Serbia, no an Tuirc . . . Dè gnothach a th' againn ri na
h-àitichean sin?

MACRÀTH Tha mi an dòchas gu bheil sibh ceart. Lem uile chridhe.

GIBSON Chaidh ar ceannach air prìs, leis gach beatha a chaidh
ìobradh air ar son. Ma tha sinn a' dol a phàigheadh air ais ann
an tomhais bheag an tiodhlac mòr a thug iad dhuinn, cumaidh an
clàr seo nar cuimhne gum feum sinn nar beatha làitheil a bhith a'
cleachdadh tomhais den spiorad aca. Agus mar sin, mairidh buaidh
na rinn iad.

*Stadaidh e, air chrith a-rithist leis an spàirn. Gabhaidh e ceum ri
ionnsaigh a' phlàic air a' bhalla, a làmhan a' sìneadh airson na
sreinge. Aig an aon àm, cuiridh* DONNCHADH FIONNLASDAN *sìos am
figheachan.*

GIBSON Gus an cuimhnich sinn air an ceud dà fhichead 's a h-ochd
de sheann sgoilearan Àrd Sgoil MhicNeacail a chaill am beatha
sa Chogadh Mhòr, tha an clàr seo air fhoillseachadh. E air a

dhèanamh de umha nach teirig, mar shamhla air a' chuimhneachan mhaireannach a bhitheas air an ainmean, an dìlseachd agus an ìobairt anns an sgoil seo.

Air an sgrìn chithear ainmean na 148 fireannaich a bhàsaich agus fios mu cò às a bha iad. Far a bheil e comasach, bu chòir gun seall e cuideachd aois agus àite-àrach na feadhainn a bhàsaich. Cromaidh an fheadhainn air an àrd-ùrlar an cinn airson mionaid no dhà tost. Tha crom-lus-bileagan a' tuiteam air an luchd-èisteachd fhad 's a sheinneas pìobaire cumhadh.

Sequamur

Donald S. Murray

2015

CHARACTERS

WILLIAM JOHN GIBSON

JOHN MACRAE

NORMAN CAMPBELL

PATERSON

JESSIE FINLAYSON

DUNCAN FINLAYSON

MRS FINLAYSON

MARY GIBSON

NICOLSON

RODDY MORRISON

BEATON

SOLDIER 1

SOLDIER 2

MAIREAD

ACT I

Scene 1

*The setting resembles the front entrance to the Francis Street building.
There is one woman,* MRS FINLAYSON *on stage at the play's opening.
Dressed in the clothes of an elderly cleaning woman of the 1930s, she
stands looking at the plaque which is partially covered by a curtain.
There is a brush in her hand as if she is resting from her work.
Occasionally she stretches a finger, spelling out the letters aloud,
moving from one area of the plaque to another. It is clear she has
difficulty reading what is written there.*

MRS FINLAYSON Murdo Mont. . . Murdo Mont . . . gomery. Pte Royal
Scots. (*Pauses*) George Macleod Lt RNR. (*She shakes her head.*)
Murdo Murray Sgt Seaforths . . .

Her attempts to read the plaque are interrupted by the arrival of
BEATON, *the worker who was responsible for putting it up. He looks
at her, rubbing his hands clean with a cloth.*

BEATON What do you think then?

MRS FINLAYSON It's awfully sad.

BEATON Aye. I suppose it is. To those that knew them. A lot less to
those who didn't. But I didn't mean that. I meant what do you
think of the workmanship? Does it look fine to you?

MRS FINLAYSON Yes. I think it is.

BEATON Straight? Dignified? Quietly impressive?

MRS FINLAYSON Yes. Yes.

BEATON Good. It's just that I've done so many of these things now.
Angels in their petticoats. Celtic crosses. Soldiers with their heads
down as if they're having a wee prayer. They mingle so much in
this old head of mine that I don't even see them anymore.

MRS FINLAYSON (*ignoring this*) I'm just looking for one name.

BEATON You are? Well, I'll help you find it. With all these words. (*As
he goes to help her, there is a loud knock at the door.*) Someone
doesn't realise that school is over for the day. (*Another loud burst
of knocking.*) I'm coming. Coming! Never at quiet! Never at rest!
(*He opens the door.*) Who's there?

A voice comes from off stage. It is the voice of GIBSON, *the former headmaster of the school.*

GIBSON In the name of Beelzebub. (*He half-laughs.*) I'm William John Gibson. I was the Rector of this school a few years ago. I've come to see the plaque they've put up.

So this is it?

BEATON Aye. All my own work. Or at least putting it in its place. I don't take any credit for the design.

GIBSON All I keep thinking is that these names are just like the tracks of birds. Or like leaves. Homer got it right, you know, when he said, "Like the generations of leaves, the lives of mortal men."

BEATON Aye. All blown away now. Unfortunately.

GIBSON Not in my head. They're all stored away there. "He is a fool who forgets his parents when they die wretchedly," Sophocles said. It's even more true of those who have lost their sons.

BEATON You knew them all then?

GIBSON Every single one of them. All ticked off and present in the register. (*He taps his head, points out a name.*) There's Allan MacSween for instance. Died on the "Invincible" at the battle of Jutland. Over a thousand men perished on that ship. Awful time. Now you'd never think he'd have made anything of himself. Stole six pots of jam when he was a boy. Got seven of the birch for that. There was no discipline in his young life. No father either. But he took to navy life as if he were born to it. But where is Alex MacIver . . .? I can't seem to find him anywhere.

Anderson. Campbell. Carson. Conning. Craig. Crichton. Crockett.

As he does this, MRS FINLAYSON *approaches. She stops a short distance away from him.*

MRS FINLAYSON I can't find Duncan either.

GIBSON *continues his task.*

GIBSON Duncan?

MRS FINLAYSON My son Duncan Finlayson . . . I can't find his name there. Can't find it anywhere.

GIBSON Duncan? Duncan Finlayson?

MRS FINLAYSON Yes. Surely you can remember him. You taught him after all. Classics. Shakespeare. All these funny words.

He was a dreamy boy. Always was. Even when he was at home. He'd let the fire burn out in front of him. No matter how often I told him to keep an eye on it any time I was out of the house. He wouldn't listen. No matter how many times I said. Imagine he was a bit like that in the classroom.

GIBSON Sorry. Which regiment did he sign up for? Did he go to sea? Land?

MRS FINLAYSON He was in the Ross Mountain Battery. Went to Gallipoli.

GIBSON What did he look like? What colour of hair did he have?

MRS FINLAYSON Dark hair. Same class as Roddy Morrison and Donald Campbell.

GIBSON *shakes his head.*

MRS FINLAYSON You don't remember him, do you? You don't remember him!

BEATON Everywhere I go I hear about how this one was shot. All death and disaster. All guts and glory. That's why I joke about it. Keeps the old demons at bay. Otherwise I wouldn't be able to go to sleep by remembering that they weren't names, but men. Boys.

GIBSON Is that how you deal with it? I just remember the inscription that's up there. "They died that we might live." Just as the plaque says. There's no sense of brooding on anything else.

BEATON Lies. It made no bloody difference, did it? Just gave me a job putting up stone angels here, there and everywhere. That's all the good it did.

GIBSON That's not the way I see it.

BEATON I'll just go and get cleaned up if you don't mind. The dirt and darkness of this kind of work hang heavily upon you.

GIBSON Go, then. I'll stay a while.

As BEATON *leaves the stage, we see* GIBSON *reading through the names of the plaque. He mouths them, as if he is checking them off on a school register.*

Blackout

Scene 2

When the lights come on again, GIBSON *is standing there but he is now within the family home. He has a few boxfiles in front of him. He looks through the class registers and letters contained within them, mouthing the names noted there. He continues to do this as he speaks, the letters shown on the backdrop like falling leaves. After some time,* MARY GIBSON *enters. From time to time throughout this scene, others enter, looking at what is going on.*

MARY (*She shakes her head.*) I thought we'd seen the back of them. You didn't finish your dinner.

GIBSON He still doesn't come to mind no matter how often I scramble for him in my thoughts.

MARY That's only because there were so many of them. From Greenock to Stornoway. Layers upon layers gathering through the years.

GIBSON Like leaves. (*Pause*) But it doesn't change our obligation to remember. It's a way of showing our regard for the young people, our duty to those who died in this conflict for us. And we are failing in this. Both the school and me. By forgetting who the likes of Duncan Finlayson is. By not putting up either his name or Alexander MacIver on the plaque within the school.

MARY That's the greater failure. How on earth could they have made a mistake like that?

GIBSON Oh, I don't know what the point and purpose of all this memorial business is. If me, MacRae, the school are already forgetting who these young people are, what's the chances of anyone recalling in forty or fifty years' time?

MARY It's all we can do though.

GIBSON "As fragments that we shore against our ruin?" (*looking at the letters*) Well, I'm going to find him. Even if it takes all night.

MARY Get lost in them and you might never get down to write that speech you've been thinking of.

GIBSON Oh, I will, Mary. I'll finish that tonight. I was thinking that the first words might be about how a school was like a family. And I have to remember a family doesn't forget its sons.

MARY That's fine. (*She sits down, picks up a newspaper as he leaves the room.*) Though I don't think either you or John MacRae were his parents. Not unless you've been hiding away something for years you're not yet telling me.

GIBSON (*offstage*) Your humour ill-becomes you, Mary.

MARY Well, don't exaggerate your own importance. That ill-becomes you.

He shakes his head, looking at the letters once again. A few moments later.

GIBSON I've found him! I've found him! I can remember him now!

MARY (*sarcastically*) Oh, good. Very good. That's made us all feel so much better.

GIBSON Now I can get back to my speech.

Scene 3

Pupils enter the room, adding rows of chairs as they do so. GIBSON *is now wearing his cloak as he addresses the scholars who sit before him. It is August 1914. Occasionally, in this scene,* MRS FINLAYSON *stands, looking on.*

GIBSON A school is like a person. (*Pause*) It has a character; a personality of its own. This is always being built up, (*Pause*) being added to, by each generation.

"Like the generations of leaves, the lives of mortal men. Now the wind scatters the old leaves across the earth, now the living timber bursts with the new buds and spring comes round again. And so with men: as one generation comes to life, another dies away."

Where does that come from, Campbell?

CAMPBELL The Illiad, sir.

GIBSON Good, good. We'll make a scholar of you yet. A credit to your people. "Bella, horrida, bella. Et Thybrim multo spumantem sanguine cerno." Finlayson? Translate into English.

FINLAYSON ... "I see wars ... "

GIBSON Too slow again. Paterson?

PATERSON "I see wars, horrible wars, and the Tiber flowing with much blood."

GIBSON Well done. Someday you, too, may flap around wearing this gown, writing endless letters and reports, getting chalk dust on your fingers. Who wrote that? The quotation about the Tiber, I mean? Finlayson?

FINLAYSON Virgil, maybe.

GIBSON Maybe, he says! What book?

FINLAYSON The Aeneid, sir.

GIBSON Just so. (*Pause*) Now, here's an easier one for you. "Fortis fortuna adiuvat", "Fortune favours the brave". Campbell?

CAMPBELL Terence.

GIBSON Good. Good. A writer remarkable for good morals, good taste, and good Latin. Excellent. Excellent. (*Pause*) "Hell to ships, hell to men, hell to cities." Who wrote that? Paterson?

PATERSON Aeschylus.

GIBSON And who was speaking, Duncan Finlayson? And about whom?

FINLAYSON I can't remember, sir.

GIBSON I can't remember? You must have left your brains behind you, clipped from your head like your father's wool.

Laughter

GIBSON Mairead?

MAIREAD It was Agamemnon. About Helen.

GIBSON Excellent! At last a right answer from a lass from the croft. Your mind is as sharp as your sister Janet's. (*Pause*) "This is the one best omen, to fight in defence of one's country". Who wrote these words, Campbell? Where are they?

CAMPBELL Homer in the Illiad, sir.

GIBSON Excellent. Excellent. Excellent. (*His voice slows.*) And the way this world is changing, one can see that you lads might have an opportunity to do just that. A shot is fired in Sarajevo and its echo is heard around all the cities, and Europe. For all its dangers, it brings opportunities with it. To march even to the battlements of Troy with a copy of Homer's Illiad in your knapsack.

PATERSON My father was in the Boer War. He says he thinks that if the politicians and princes want to go and fight battles, they should go and put on armour and fight them for themselves.

GIBSON Well, you can tell your father that there's no comparison between this war and the Boer. It is a way for the poor to prise power away from princes and politicians. If young men like you go out and fight in this war, there is no way they can refuse to make the changes that are necessary to transform our society, to allow the chance for people like us – the son of a farmer's labourer in my case, the sons of crofters, weavers, fishermen.

PATERSON But to go to Serbia, Turkey . . . What do these places have to do with us?

GIBSON You can say that after reading the Illiad? Really? Have you learned nothing? The walls of Troy are to be found in that last place. The whole of our civilisation has its foundation there. Going there will give you an opportunity I never had. It will widen your vision, add to your knowledge of the halls of learning that your teachers have opened up for you, providing a shield you can carry with you wherever your journey goes in this life.

FINLAYSON That's why my brother's going. He's just signed up.

GIBSON Well done! A brave decision but the right one. Men who spend their lives at home rarely achieve very much. "Go as far as you can see; when you get there, you'll be able to see further." History tells us that.

FINLAYSON He said you'd be pleased.

GIBSON Well, I am. I am. And after the war, he can take his hard-won understanding of the world with him, showing his mastery of the English tongue, knowledge of science and mathematics, his awareness of the Classical Age wherever he goes. (*He stops, aware that the bell is ringing for a change in class.*) "I go, and it is done, the bell invites me. Hear it not, Duncan, for it is a knell that summons thee to Heaven, or to Hell."

PATERSON (*reaching out to jostle with* FINLAYSON) "Wake Duncan with your knocking, I would thou couldst."

GIBSON I keep hoping for the opposite from the two of you. A little more restraint and repose. Come on. Class dismissed. Leave quietly. "Like the generations of leaves, the lives of mortal men.

Now the wind scatters the old leaves across the earth, now the living timber bursts with the new buds and spring comes round again. And so with men: as one generation comes to life, another dies away."

Knock

Wait a minute! Come in.

Scene 4

As this is said, there is a gentle knock at the door. MACRAE *enters, bearing a letter in his hand.*

MACRAE Letter for you.

GIBSON Oh. Thank you, Mr MacRae.

He opens the letter. As he does so, a look of disappointment crosses his face. He crumples the letter in his fist.

MACRAE Bad news?

GIBSON Just a letter from Perth Academy, thanking me for my interest in the post of Headteacher there. "O mihi praeteritos referat si Iuppiter amos." (*He looks at* MACRAE.)

MACRAE Meaning?

GIBSON Oh, sorry. Sometimes I forget you're a mathematician. It means "If only Jupiter could give me back my past years."

MACRAE Meaning?

GIBSON I've stayed here far too long. (*Pause*) There is nothing in this town but the reek of salt herring and education.

MACRAE There are many worse places. People have a good life here.

GIBSON Aye. But it's your place. Not mine. I should have listened to my father's advice. (*He imitates a Northern Irish accent.*) "Never spend more than ten years working in any garden. Five years setting out and planting flowers. Five years watching them bloom. After that, you learn only to see the rot and mildew set in." It's a bit like that being a headteacher. The looks of hard-working, ambitious men like you and MacIver judging you, wondering if there will ever be a time when the old fool will move on.

MACRAE I don't think like that. Neither does Mr MacIver. I'm sure of that.

GIBSON I can see it in your eyes. The cubs want to take down the king of the lions. You've waited long for me to falter. Or you could get up and leave this town to other work.

MACRAE But I'm perfectly content here. Don't see why I should fly.

GIBSON Every bird has to fly away at some point. Right. And tell me, what did they say in the Town Hall last night?

MACRAE The usual froth and fervour. Provost Anderson was full of glory, with no doubts about his faith in the Union Jack, the King and the Tories. Bailie MacLean was there, with frothing from the mouth as usual. Another man was there quoting the same sayings that I heard for the first time from your class. "In peace there's nothing so . . ."

GIBSON "In peace there's nothing so becomes a man as modest stillness and humility: but when the blast of war blows in our ears, then imitate the action of the tiger; stiffen the sinews, summon up the blood, disguise fair nature with hard-favoured rage; then lend the eye a terrible aspect."

MACRAE Well, I'm not so sure. For all that it's happening all over the country. The flag-waving. The seagulls being plucked clean of feathers.

GIBSON You seem to think I've got a lot to answer for.

MACRAE It's a dangerous thing, this learning, when it takes people away from their roots.

GIBSON Isn't that how Scotland has gained a reputation for itself, mixing with each race and people, progressing them? Livingston in Africa, MacGuire in Australia, Carnegie in America. You won't understand that, because you've only lived in the place you were born.

MACRAE What are you trying to say?

GIBSON Exploring the world is the best education. It will make a nobleman out of a crofter's son. Freeing you from your poverty-stricken plots. From the hold their culture has on them. Look at me, son of a poor migrant from Ireland, who was like a slave working as a gardener.

MACRAE And is that your reason for supporting the war?

GIBSON There is a horrid decay in this Kingdom. The class system is rooted and secure. Nothing changes. When the young men lift their rifles, they're grabbing a hold of hope that things will change.

It will give us peace in Europe and there will be an uncorrupt government in Britain. That is why I support the war. It's not for the want of bloodshed like Bailie MacLean, or the worship of a flag like Provost Anderson. That's just nonsense. But I believe a better and more just world will come from this conflict.

MACRAE I only hope you're right. With all my heart.

Scene 5

GIBSON *is sitting at a table in his study. He seems distracted, unable to settle to his work.*

GIBSON A school is like a person. (*Pause*) It has a character; a personality of its own. This is always being built up, (*Pause*) being added to, by each generation . . . Oh, useless. Useless. You need to remember what it was really like, Mr Gibson.

He gets up again, opens up the box of letters. He takes out one to read. As he does so, three young men in soldier uniforms enter the stage, circling him as if they are half-listening, half-threatening him. They begin to take over the reading of the letters, moving from the stage to stand among the audience. They act out their movements.

GIBSON October 1915.

MORRISON Mr Gibson.

GIBSON It's one of your old pupils here.

MORRISON Roddy Morrison.

GIBSON I will not attempt to tell you the pleasure your letter gave me this morning. I can hardly believe this war is in its second year.

MORRISON I often meant to write to you, but I was so long in hospital before I could even hold a pen.

GIBSON I can manage this now and want to tell you what happened.

MORRISON At 7:30 A.M. it began.

GIBSON The air above us was suddenly filled with noise.

SOLDIER 1 Get down! Get down!

GIBSON It was a terrible noise. Shells of all sizes, some of them the very biggest in the world, were speeding high over us.

MORRISON Nearly five hundred cannons planted thick behind and around us, and each trying to see which would fire quickest and best. About 10 A.M., there was a lull . . .

SOLDIER 2 Come on, you bloody Jocks! Let's move forward! Come on. Come on. Come on.

GIBSON In redoubts by the side of the road to our first line, we took shelter from the German shells.

MORRISON Here we saw wounded borne past on stretchers, and German prisoners brought back under guard.

SOLDIER 2 (*waving an imaginary rifle in his hand*) Hande hoch, you filthy Germans! Schnell! Schnell!

GIBSON Numerous were injured, and one shell killed numerous others.

SOLDIER 1 Yea, though I walk through the valley of the shadow of death, I will fear no evil.

MORRISON (*reading letter*) On one occasion in late November my dugout ended up full of mud and water.

SOLDIER 2 (*imitating holding a bucket*) Let's get this trench dry again! Use the spade! Get a move on!

MORRISON I felt the temperature drop alarmingly.

SOLDIER 1 Bloody cold! Bloody cold!

GIBSON The wind from the north-east was suddenly bitingly cold, straight off, it seems to me, the steppes of Russia.

MORRISON We were still in our summer – indeed our only – gear of shorts and nothing else between us and the icy blast.

GIBSON Further along the trench I saw a comrade whom I had considered wayward. He was reading his Bible.

SOLDIER 1 (*reading*) "Yea though I walk through the valley of the shadow of death, yet shall I fear no evil."

MORRISON It was about 3 P.M. that the order reached us . . .

SOLDIER 2 Prepare to advance!

SOLDIER 1 Then we were rushing, over two hundred yards, in the open to the front line. Maxim fire from flank and front.

SOLDIER 2 It was a terrible moment and there we lost most, falling down before our feet, screaming in agony.

MORRISON Oh God, oh God, oh God . . . Have mercy on us.

SOLDIER 1 Trying to find friends.

MORRISON You all right?

SOLDIER 2 Aye. You?

MORRISON I'm fine. I'm fine.

GIBSON And I saw my wayward comrade on the right, at his duty, carrying out the order.

SOLDIER 1 Rapid fire! Rapid fire!

GIBSON The one who had been reading the Word of God a little while before. He died shortly after.

SOLDIER 1 Give this bible to my mother.

SOLDIER 2 Yea though I walk through the valley of the shadow of death, yet shall I fear no evil . . . .

SOLDIER 1 I'm glad you read that. I'm glad you read that.

MORRISON (*Pause*) And me? I have a lot to be thankful for that I have come through at all. The reason for that? The night I arrived in the field hospital, the doctor there said I would not last the night. However, I did not mean to die if I could help it. I was completely paralysed and could not move a limb – not even my head from side to side. I was operated on there and they took the bullet out of my spinal canal.

GIBSON The doctor thinks I'll be able to walk again in time so I have nothing to complain about.

MORRISON Signed, Roddy Morrison.

Scene 6

The set has now been altered into the sitting room/study of a domestic home. GIBSON *is sitting at his desk, a light before him. He scribbles on paper, looks up and writes again, appearing distracted and exhausted. While it is only the winter of 1915, he has aged considerably since he was last seen. At the side door, his wife* MARY *enters. She is wearing her night-clothes. On the backdrop, leaves still fall.*

GIBSON One hundred and forty-eight former students . . .

MARY Come to bed, William.

GIBSON Not yet. "A heavy summons lies like lead upon me, and I cannot sleep. This night's work has to be done."

MARY (*looking exasperated*) Oh, you and your Shakespeare. Give the poor man peace. Surely it can wait till tomorrow.

GIBSON No. It can't. I need to finish this. The boys were good enough to write letters to me. Sometimes from the field of battle. The least I can do is take note of their words when I deliver this speech tomorrow.

MARY As if you didn't have enough to do at school. You'll wear yourself out.

GIBSON Aye. So be it. It's better than the way my old man wore himself out. Pushing a wheelbarrow through a garden. Bending over with a hoe in his hands.

MARY You always end up comparing yourself to him. You shouldn't be reading those letters.

GIBSON You're not far wrong. Some of the accounts are horrifying, harrowing. Each proving to me how little knowledge I have. Why did I ever open my mouth about the benefits of war?

MARY You don't doubt what you told them back then?

GIBSON No.

MARY Why on earth are you getting yourself into a tizzy about it? You came out with the same script as just about every other minister and teacher in this town, prodding the boys to war.

GIBSON Apart from MacRae. He said nothing to them about the war. Just continued to speak about Pythagoras's Theorem and basic trigonometry.

MARY Oh, ignore him. He's just a Mathematics teacher. That's his job. Politics, philosophy, even ordinary human feelings don't enter much into mathematical equations.

GIBSON But it's my job he'd prefer.

MARY You shouldn't be too hard on yourself. You couldn't have done more to win the affection of the people of the town. Regardless if you were the son of a poor gardener, you have progressed a poor, insignificant school to the level it is at today – one of the best schools in the country. No-one can say you weren't the right person, at the right place, at the right time.

GIBSON Thomas Jefferson.

MARY What?

GIBSON "The right man in the right place at the right time." They said that of him.

MARY I should've known – another man's words.

GIBSON It's easier than thinking for myself.

MARY You're thinking too much. I almost believe that you've gone to the war yourself over in the Dardanelles with your best pupils.

GIBSON I can't move on until all this is finished. After that, I will return. But for now, there is a speech to be written, work to be finished. "Do duty that lies nearest thee, which thou knowest to be a duty."

MARY Good night William, come to bed when you find yourself.

GIBSON Goodnight Mairi. The sage of Ecclefechan.

MARY What?

GIBSON Thomas Carlyle. He said it.

MARY *leaves the room.* GIBSON *begins to read from a piece of paper that lies before him, doing so aloud.*

Scene 7

When MARY *leaves the room,* FINLAYSON *walks on the stage very slowly. He occupies the place at the top of the landing, gazing at* GIBSON *below. The backdrop changes to a night-sky, filled with stars.*

FINLAYSON It was calm when we left Lemnos. You remember that name, Mr Gibson? Lemnos . . .

GIBSON Lemnos . . . Lemnos . . .

FINLAYSON It's where the men deserted all the women-folk? There was little sign of the women-folk that time we arrived in Lemnos. Just fishermen and other soldiers. Then we got lectures about what to expect when we arrived in Gallipoli.

CAMPBELL The fierce reception committee that was probably coming our way.

PATERSON Turks have got a lot of guns there.

CAMPBELL Artillery.

PATERSON Old guns.

CAMPBELL They won't be all that accurate, but they will be fierce.

PATERSON Like all men defending their homeland.

CAMPBELL Like us defending the place it turned out to look like.

PATERSON The entrance to Stornoway harbour.

CAMPBELL Holm. Arnish.

FINLAYSON Who'd have thought it? I could just about see it, Provost Anderson and Bailie MacLean standing there, prodding me, beckoning me with white feathers. Exploring opens your mind, isn't that what you said, Mr Gibson.

PATERSON And we sailed, one hundred and three former schoolboys from the Nicolson.

CAMPBELL Heading out across forty miles of the Aegean Sea.

FINLAYSON These places beloved and immortalised in the tales and myths of the Greeks.

GIBSON "And if some god should strike me, out on the wine-dark sea, I will endure it . . ."

FINLAYSON That's enough, Gibson. It was no wine-dark sea. Instead, after the high winds and rainy squalls, it was a hazy morning, fog upon the water. The plan was for the allied forces to fan out and land at various points. The French were to disembark at Kum Kale, a few miles from where the walls and sumptuous halls of Troy once stood, to silence the guns that threatened Cape Helles where we were to go.

And then came the rosy-fingered dawn, of which Homer speaks.

There is the sound of explosions, pictures of war portrayed on the screen. The three men are standing together, hauling at a rope. Behind this is the mock-up of an artillery gun.

CAMPBELL We were protected by what was happening to the boys in the Lancashire Fusiliers who were landing at W Beach nearby. They weren't so lucky. The Turkish troops cut a swathe through them.

PATERSON Over six hundred men from that regiment mangled by shells and bullets on that sand. We watched that . . . Couldn't do a damn thing to help them.

CAMPBELL Just haul our guns in place.

PATERSON Moving them up the slope.

FINLAYSON And even when we dug our artillery in, we couldn't even fire at the enemy. Their men mingling with ours.

CAMPBELL Impossible to separate.

PATERSON Impossible to work out who was who.

CAMPBELL On the other side of Cape Helles, the place they called V Beach.

FINLAYSON Some stupid bloody officer, receiving all his education through books and Classical Greek.

PATERSON Decided to use an old collier as a Trojan horse.

FINLAYSON Two thousand troops running ashore in it.

CAMPBELL The Turks knocked them down with the guns, row after row, person after person.

PATERSON Alive and dead, folded over each other in a dark red pattern on the sand and sea.

FINLAYSON Check you, wine-dark sea.

GIBSON Equo ne credite, Teucri.

FINLAYSON Yes, Gibson?

GIBSON Do not believe in the horse, Trojans!

PATERSON This is in Cape Helles – boys that are only eighteen, nineteen.

FINLAYSON Boys from the Nicolson. Without enough guns . . .

CAMPBELL With no ammunition to use.

FINLAYSON The lie of the land making it difficult to reach our target.

PATERSON Most of the guns defenseless.

FINLAYSON Working without shelter, open to enemy attack.

There is a loud explosion. CAMPBELL *tumbles, clearly shot. The other two men continue to "load" the gun.*

PATERSON The dead before us unburied, lying with their shattered limbs, open guts, broken heads, all exposed to the raw wind and warmth.

FINLAYSON The entire battlefield like a mix between a midden and a graveyard someone had turned over with a spade.

PATERSON Then there were the flies – the greenbottles some called them – coming down like one of the plagues of Egypt, bringing dysentery and death on their wings.

FINLAYSON The burial parties used to be sick when they saw them, watching all the maggots that had been hatched from the eggs they had left behind, spawning in their thousands in the open wounds.

GIBSON I've read about them.

FINLAYSON Aye. So you have. But you didn't live them, did you? The gardener's son from Greenock wrapped up in his academic gown.

PATERSON Like a cocoon.

FINLAYSON A dark hood.

PATERSON Until you don't see the blood.

FINLAYSON Then the winter, a fearful thunderstorm, followed by rain, hail and finally snow.

PATERSON It took a lot of the men with it. Drowned in a sudden flood of water. Suffering from frostbite. Frozen to death.

FINLAYSON They withdrew from there, taking their hungry, emaciated troops with them.

PATERSON Leaving the bodies of over eighteen hundred men.

FINLAYSON A new wall built for Troy.

FINLAYSON One that even Helen will never bring tumbling down.

PATERSON Bloody mounds of the dead.

FINLAYSON "Fortis fortuna adiuvat"?

PATERSON "Fortune favours the brave"?

FINLAYSON "This is the one best omen, to fight in defence of one's country?"

PATERSON How are you going to react when Francis Street, Church Street, South Beach haunt you with their ghosts?

FINLAYSON What are you going to say?

Pause. The lights dim. He is left alone on stage.

Scene 8

GIBSON What could I say? If I could only repeat what Ovid said, "the dead were fallen all about me, nor were they interred by usual rites; too many funerals crowded temple gates . . ."

When he says this, a woman wearing a shawl comes near to him. She stops for a moment and then walks away.

GIBSON Jessie?

The woman stops, starts and then moves on.

> Is it you, Jessie? Is that you? I'm sure I recognise you. . .

JESSIE *stops and stands still.*

> It is you. Isn't it? What's the matter?

JESSIE Nothing's the matter. Nothing.

GIBSON But there is. I can tell there's something wrong.

JESSIE No.

GIBSON Come here. . .

JESSIE *lets down her shawl. When she uncovers her face, it is clear that it is badly bruised.*

GIBSON Oh, God. You're in some state, my girl. Who did that to you? Who did that?

JESSIE Donald. He did that. (*Pause*) But it's not his fault. When he tries to sleep at night, he often wakes up. Lashes me with his fists. And then he's sorry about it the following morning. Cries about it. Shakes and weeps. (*Pause*) He says he thinks he's back on that boat delivering supplies to the Lancashire Fusiliers landing in the Dardanelles. And he's raising his hands to protect himself from all the explosives being set off. The bombs crashing into the water all around.

GIBSON You poor soul.

JESSIE He's just doing it to save himself. You understand that, don't you, Mr Gibson? It's not his fault.

GIBSON I know that, Jessie. The Greeks got it right all these centuries ago. War is "hell to ships, hell to men, hell to cities".

JESSIE (*stiffening, looking at him*) The Greeks?

GIBSON Aye. The words of Aeschylus.

JESSIE Oh. That rubbish. (*She looks at him.*) His own brother died just a short distance from where he was in his boat. He sometimes puts his hands up to protect him too, save him from the shells and bullets that were flying in his direction. All to no avail. And instead, he finds himself in the middle of the night, pounding his fists in my direction, screaming and yelling as he does so. (*Pause*) But it's not his fault he acts like that. Not his fault at all.

GIBSON No.

JESSIE It's the fault of those people who encouraged him. As if it was an adventure. As if it was a way of seeing the world. They're the ones to blame.

Scene 9

JESSIE *walks away then, leaving* GIBSON *on his own in the middle of the stage. He shakes his head, bewildered.* FINLAYSON *and* PATERSON *move out of the shadows.*

GIBSON Why do I remain, unyielding? Why do I linger here? Why do you preserve me, wrinkled old age? Why prolong an old man's life, cruel gods, unless it is for me to view more funerals, more deaths?

FINLAYSON A good question, Gibson. But it's not the only one you're going to have to answer, is it?

PATERSON Like where's all that justice and equality you talked about us enjoying when this war was over?

FINLAYSON You're a well-travelled man since you hung up your headmaster's cloak, Mr Gibson. You've been to Italy, seen the good work of Mussolini there.

He clicks his heels, raises his arms in a Fascist salute.

PATERSON Meglio un giorno da leone che cento da pecora.

FINLAYSON Who said that?

GIBSON Mussolini.

FINLAYSON Translate, Gibson.

GIBSON "It's better to live one day as a lion than a hundred years as a sheep."

PATERSON You've been in Russia. Seeing what Communism does . . .

FINLAYSON (*Taking* GIBSON's *hand, he forms the old man's fist in a Communist salute*) "The tradition of all dead generations weighs like a nightmare on the minds of the living." Who said that?

GIBSON I can't remember.

PATERSON You must have left your brains behind you in your father's garden this morning, clipped from your head like the dead head of a rose.

FINLAYSON I'll give you another easier one. "The proletarians have nothing to lose but their chains."

GIBSON Karl Marx.

PATERSON Good. Good. There is hope for you, Gibson. There is hope.

FINLAYSON And I hear you've even followed the example of the pussycat in the nursery rhyme and gone down to London to see the Queen and King.

GIBSON Aye. I have.

PATERSON Kneel down before us.

GIBSON What?

PATERSON Kneel, please. One knee will suffice.

GIBSON *does as he is asked.* PATERSON *touches head and both shoulders with* GIBSON's *walking stick.*

I now name you William John Gibson, Commander of the British Empire. You may stand.

He gets himself to his feet.

FINLAYSON Received a nice little honour there. Congratulations on that. There may be more to come.

PATERSON And have you seen much sign of the promised peace? Have you, Mr Gibson? Have you?

FINLAYSON And what about the end of class divisions?

PATERSON And what are you going to say when MacRae comes to your door again, asks you if everything is ready for the unveiling of a plaque in the school?

FINLAYSON One where one hundred and forty-eight names of former pupils are noted?

PATERSON What will you say to him?

FINLAYSON Anything to say?

Scene 10

The two men disappear when there is the ring of a doorbell. It rings persistently. During this time, instead of answering it, GIBSON *goes to sit at his desk.*

MARY (*entering stage*) William! Can't you answer that? My hands are dirty. William!

She gives an exasperated sigh as she finally goes to answer the door. MACRAE *is standing there with a letter in his hand.*

MARY I can't imagine that it's a social call. You haven't been here in quite some time.

MACRAE It's the job. Its demands. Well, I don't have to tell you about that.

MARY No. But isn't that what you wanted Mr MacRae? Waiting all these years until he retired. Tell me how is the crown of thorns?

MACRAE It weighs heavily sometimes. How is he keeping these days?

MARY At times, you'd think he was in another world.

MACRAE As far away as ever then?

MARY Almost. The very same thing might happen to you if the new war they're talking about starts.

MACRAE Can I see him then?

MARY He'd be happy to see you.

MACRAE I doubt that, Mrs Gibson, I doubt that.

MARY I'll shout on him. William!

We see GIBSON *rising from his desk, making his way towards* MACRAE. MARY *disappears.*

GIBSON Mr MacRae. It's been a long time. Are you well?

MACRAE To an extent. Yourself?

GIBSON What can I do for you?

MACRAE What we spoke of last year. What I requested you to do.

GIBSON The unveiling of the plaque? (*sighs*) Didn't I tell you to find someone else. Someone honourable.

MACRAE I was speaking with the other teachers. They agreed that you should do it. And it's not often they agree.

GIBSON Is that right? That amazes me.

MACRAE That's what happens when one dog hangs around too long. The others get used to his ways. Anyway, they want you to unveil the memorial. They think you were honouring them.

GIBSON Oh, it's an honour is it?

MACRAE Some would see it that way.

GIBSON I'll have to do it then. Seeing as it's an honour.

MACRAE *hands over the envelope. The stage darkens as* GIBSON *stands in isolation, opening it.*

Scene 11

GIBSON *goes to his chair. As if in response to the words that have been spoken,* FINLAYSON *enters again.*

FINLAYSON So you've obtained your honour?

GIBSON Aye.

FINLAYSON And are you going through with it?

GIBSON I don't want to. It's the last thing I want to do.

FINLAYSON Oh, Mr Gibson, but we have a duty to remember. Even if my name and those of a few others have slipped from that plaque and people's minds.

GIBSON You cannot blame me for that mistake.

FINLAYSON I'm blaming no one, Mr Gibson. It is important to try and remember. After all: "If even in the house of Hades, the dead forget their dead, yet will I even there be mindful of my dead comrade."

GIBSON You're quoting Homer at me.

FINLAYSON Aye. Words of others. Too little thinking for ourselves.

GIBSON My wife is always telling me that.

FINLAYSON Oh? She's clearly someone blessed with a little insight then. Not like others we could mention.

GIBSON "The greatest of all faults is to be conscious of none."

FINLAYSON Homer again? You have to make that speech tomorrow, you have to be the one to unveil that plaque. Not the MP Wilson Ramsay. Not one of the local ministers. Not the Lord Lieutenant or anyone clothed in a fancy uniform. And not Homer. It has to be someone who doubts his own fitness for the task he has been asked to do. Otherwise we will have learned nothing from these years of war.

GIBSON But I'm not fit.

FINLAYSON And why not, Mr Gibson?

GIBSON When I looked at that plaque, all these young people's names, all that came into my head was how they just looked like leaves lying there. Autumn leaves. Not even former pupils of mine. Not even fellow human beings.

FINLAYSON Mr Gibson, "What are the children of men but as leaves that drop at the wind's breath?" Blown this way and that by whatever direction the wind scurries? And if we don't make a good job of remembering how the storms blew and whisked us in one direction or another, that's all we're ever going to be. Just leaves herded together at the whip of the wind, crashing this way and that.

GIBSON But if I should stumble, stammer?

FINLAYSON Sometimes, for us humans, that's the only way of speaking the truth.

Pause. GIBSON *makes no response.*

Mr Gibson, some of these young men worshipped you. You have to be the one to speak.

GIBSON *bows his head as the stage goes into darkness.*

Scene 12

GIBSON *is alone on stage. He looks weak and tired as he stands behind the lectern, older too than in earlier scenes. On the backdrop, there are once again images of leaves.*

GIBSON (*Pausing, taking a gulp of water*) We are met here today to commemorate a great and generous contribution made to our tradition as a school. One hundred and forty eight . . . (*He stops*) One hundred and forty eight former pupils of this school laid down their lives in the Great War.

"Sequamur", our school badge declares. "We will follow." And the Nicolson tradition will always be the richer by this. Their example stands to guide you, shows you the fine tradition you can safely keep to all your days.

As these words are being spoken, the young men and women who occupied the chairs begin to use them to build their own memorial, placing them one on top of each other.

FINLAYSON Received a nice little honour there. Congratulations on that.

MRS FINLAYSON You don't remember him, do you? You don't remember him, at all!

PATERSON But to go to Serbia, Turkey . . . What do these places have to do with us?

MACRAE I only hope you're right. With all my heart.

GIBSON A school with this memorial on its walls is not its own, a community with this in its midst is not its own – we have been bought with a price, that of the lives that were laid down for us. Here is a reminder to us that if we are to repay in some small measure the unstinted gift they gave us, we must bring something of their spirit into the daily round of life. And so their influence will remain alive, ever at work in new ways as the generations pass.

He pauses, shaking once again with the effort. He steps towards the plaque on the wall, his hands reaching for the cord. At the same time, DUNCAN FINLAYSON *lays the wreath down.*

GIBSON To the memory of one hundred and forty-eight former members of the Nicolson Institute who gave their lives in the Great War is now unveiled this tablet, its lasting bronze a symbol of the undying remembrance in which their names, their devotion to duty, and their self-sacrifice will be held by their school.

The screen shows the names of the 148 men on the screen who died and where they came from. Where possible, it should also reveal the age and place of origin of those who have died. The platform party bow their heads, a moment or two in silence. The petals of poppies shower the audience as a piper plays a lament.

SCOTTIES

Muireann Kelly with Frances Poet

Scots speech adapted by Liz Lochhead

2018

The ten lads who lost their lives in 1937 are named in this play. We only meet one of them, an older lad of indeterminate age, nicknamed Fraoch (Heather).

He is all the lads and none of them.

The survivor characters are entirely fictionalised. While we have drawn from the various experiences of the female survivors in our representation of Molly's grief, none of the female survivors lived the life ascribed to Molly in this play.

The gaffer and the gaffer's son are deliberately not named as Patrick and Tom Duggan and no resemblance to them is intended.

Scotties was first performed by the following cast on 14 September 2018, at The Tron Theatre, Glasgow. A tour of Scotland then followed. The tour finished in the Republic of Ireland with three performances playing to packed houses in Coláiste Acla, Achill Island, Co. Mayo, Ireland.

CHARACTERS
MOLLY – 16 (1937): Faoileann Cunningham
MICHAEL – 15 (2017): Ryan Hunter
FRAOCH – 17 (1937): Cian McNamara
AONGHAS (2017) / GAFFER / SCOTS MAN – 45/50 (1937): Stephen McCole
SEÁN ÓG – 14 (1937): Colin Campbell
MORAG – 45 (2017) / SQUAD WOMAN (1937): Mairi Morrison
GRACE – 70 (2017) / FOREWIN (1937) / SCOTS WOMAN (1937): Anne Kidd
GIRLÍN and PIPER (30): Alana MacInnes

Scotties is a multi-lingual play written in Scottish and Irish Gaelic, Scots and English. It has been devised not to require surtitles.

Scene 1

A house today in the outskirts of Glasgow. There is a wooden kitchen table, a bench and a chair/stool. We can just make out the last echo of the local Orange march practising nearby.

MICHAEL *(15) enters wearing a bike helmet and rucksack, he is wearing a tracksuit bottom – sweatpants-type – and a T-shirt, and jacket, he is in a bad-tempered mood and flops down, takes off his bicycle helmet and jacket, kicks off his trainers.* MICHAEL's *father* AONGHAS *(45) enters following him, also wearing cycling jacket and helmet and is trying to reason with* MICHAEL, *which is difficult at the best of times.*

MICHAEL *(explosive)* Told you, all that way for nothing!

AONGHAS You never listen, you should have started this project weeks ago. How is it that you are always late getting your homework in?

MICHAEL That's not fair! They didn't give it to us weeks ago. We only got this project last week.

AONGHAS If it's engineering you were talking about doing, you've not got a hope in hell unless you start working now.

MICHAEL How was I to know the bloody library would be closed. And for the record I am not always late with my homework!

MICHAEL *picks up his laptop and starts to ignore his dad.*

AONGHAS That's enough of that thanks.
Oh yes, here we go, back on the laptop where the answer to everything can to be found! You really ought to try speaking to a real person, as opposed to the virtual variety! Surely that was the point of the project . . . Michael?

MICHAEL Hmm? *(not looking up from the screen)*

AONGHAS Michael?

MICHAEL Dè?
[What?]

AONGHAS You're not even listening to me!

MICHAEL Flip sake, I can't win! First, I'm late with my homework "all the time" and then I'm not to go online to research!

MICHAEL *stares back at the laptop screen as* MORAG *(45),* MICHAEL's *mother, enters laden with small sacks of potatoes followed by* GRACE *(70),* MICHAEL's *gran, who is also carrying bags of potatoes.*

MORAG A bheil sibh fhathast a' bruidhinn mun dolas phròiseact ud? Trobhad agus cuidich mi a Mhìcheil, greas ort!
[Are you still talking about that blasted project? Come here and help me Michael, hurry up!]

MICHAEL (*takes a bag from* MORAG *and stacks them up*) Yes, sadly we are still wrestling with my "overdue history project"!

GRACE You know your mother, she just couldn't pass on a good deal.
(*quietly to* MICHAEL) Mind, she could have left some for other folk. Well you'll not starve anyhow.

MORAG Mhìcheil.
[Michael.]
(*giving bags to* MICHAEL) So, the cycling to the library was a huge success then?

AONGHAS (*exasperated chucks his helmet down,* MORAG *picks it up along with* MICHAEL's *trainers*) Honestly, I give up. He doesn't listen to a word anyone says anymore. To add insult to injury, I'm embarrassing him by trying to speak Gaelic to him in public!

MORAG *puts trainers and helmet away*

GRACE In fairness . . .

MORAG (*to* MICHAEL) Dè thuirt mi riut mu dheidhinn d' athar a tha dìreach feuchainn ri Gàidhlig ionnsachadh?
[What did I say to you about your father who is just trying to learn Gaelic?]
Mum, I tried to explain to you, Aonghas is trying to learn and some people are not being the most helpful.

MICHAEL's *head now firmly in engrossed in the laptop*

MORAG (*cont'd*) Agus dè mu dheidhinn a' phròiseict agad?
[What about your project?]
Did you get anywhere with the research?

GRACE Ach leave him alone. Don't you mind them. Wasn't he great to cycle all that way and back? I think they get too much homework anyway.

MICHAEL (*looking up from the laptop*) I didn't know you were coming over Gran, at last there's somebody on my side in the house.

MORAG (*under her breath*) Great, so glad the cavalry has arrived.

MORAG (*gathering the cycling gear*) So, please tell me you went all
that way for something? Rud sam bith?
[*Anything?*]
　　Is there not a local history archive there, neo rudeigin mar sin?
　　[*Or something like that?*]

AONGHAS (*mouthing to* MORAG *and signalling to say nothing*)
Someone forgot to check if the library was open on a bank holiday.
We did go into the church there, St Ninian's.

GRACE Well I'm sure you loved that, eh? Budge up son, I'm exhausted,
she's dragged me round that market.
　　I only came over to see if you were still alive. A wee birdie told
me that they have been killing you off with school work.

GRACE *sits with* MICHAEL *and* MORAG *has heard enough and takes the
cycling gear offstage.*

AONGHAS Dè mu dheidhinn a' phlàic?
[*What about the plaque?*]
　　Remember? Look it's just a local history project, that would do
wouldn't it? Why don't you look that up? Feuch e?
　　[*Try it!*]

MICHAEL Hmm . . .

AONGHAS A bheil cuimhne agad, stad sinn aig a'. . .
[*Do you remember, we stopped at the . . .*]
　　The plaque thing, with the names, remember reading it, they
were your age.

GRACE Michael show me how to get online again, I still can't get into
my . . .

AONGHAS It was near a roundabout, strange place to put it right
enough . . . a bheil cuimhne agad dè thuirt mi mu dheidhinn a
bhith a' feuchainn ri bruidhinn ri cuideigin beò . . .
[*. . . remember what I said about trying to speak to someone who
is alive . . .*]
　　Why don't you ask Gran something about history, a real live
person, do your project on her . . .

Enter MORAG *with an earthenware jug of water.*

MORAG No point in asking her anything, fat lot of good that will do
you . . .

MICHAEL No wait, I do remember the plaque but I've no clue what it was, a whole list of guys who died years ago. Youngest was only a bit younger than me, thirteen I think . . . right?

Distracted by GRACE *pulling the laptop towards her.*

MICHAEL (*cont'd*) Gran, O.K. but I already showed you, remember click on the Firefox . . .

MORAG They are as bad as each other, attention span of a gnat.

GRACE I can actually hear you.

Exit MORAG.

As MORAG *exits* AONGHAS *hums "Teanga Bhinn" as he gathers* MICHAEL*'s cycling jacket and exits.*

MICHAEL *exhausted starts to fall asleep as* GRACE *closes the laptop.*

GRACE (*cont'd*) Best to leave history in the history books, son, and get on with living.

GRACE *exits and* AONGHAS*'s humming fades as we hear . . .*

TRANSITION ONE

The Angelus bell tolls.

The CHORUS, *who appear from time to time throughout the play and will be made up of various members of the cast, in this case* FRAOCH (17), THE GAFFER (45) *and* SEÁN ÓG (14), *the Gaffer's son, enter and lay* MICHAEL *in a pile of earth covering him with earth, reciting the words of the prophecy as if it were an incantation, first in Irish followed by English. As they pour earth on* MICHAEL, *they slowly exit as they repeat and fuse the Irish and English; their words will be sung and spoken and through their physicality it will be clear that they are not of this time, and move as one, striking the chairs and table as they move and laying* MICHAEL *to rest.*

This incantation of the prophecy, which they chant/sing every time as they appear, gets progressively more fractured each time they appear as does their movement throughout the play.

THE CHORUS Beidh teach ar gach cnoc
  [There will be a house on every hill]
  Droichead ar gach struth
  [a bridge on every stream]
  Beidh bróga ar dhaoine bochta
  [Paupers will wear shoes]

's Béarla a bheidh 's ag na paistí
[and children will speak English]
Bóthar trasna an phortach
[A road across every bog]
Le ribíní na súile.
[With ribbons of eyes.]
Agus beidh na cloche
[The stones on the road]
Ar an mbóthar ag caint.
[Will be talking.]
Ar bharr cuaillí a bheidh an
[News will travel]
Nuacht ag teacht.
[On the top of poles.]
Níos sciopthaí ná seabhac ó Bhaile Átha Cliath
[Faster than a hawk will fly from Dublin]
go dtí An Fód Dubh
[to Blacksod Bay]

(*more*)

THE CHORUS (*cont'd*) Rothaí iarainn faoi chóistí
[Carriages on wheels travelling]
ag dul ó thuaidh agus ó dheas.
[North and South will have iron wheels.]
Cóistí ar rothaí faoi dheatach
[Carriages on wheels with smoke]
faoi thine ag teacht go hAcaill.
[fire will come to Achill.]

THE CHORUS *fade into the mounds of earth all over the stage, leaving* MICHAEL *buried.*

Scene 2

A huge field. We can smell the earth. Silence.

Then, from under the soil, MICHAEL *bursts out with a gasp. He scrambles to his feet, shaking off the mud that covers him. He is barefoot. He takes in the field. Where is he?*

He sees a few sacks, some with potatoes, a large earthenware jug of water. MOLLY (16) *enters. She is in a state of extreme distress.*

MOLLY Tabhair cabhair dom. Caithfidh tú . . . cabhair dom.
[Help me. You have to help me.]

MICHAEL Help you to do what? What's wrong?

MOLLY Lig amach iad. In ainm Dé, oscail an doras, 's lig amach iad!
*[Let them out. For the love of God, open the door and let them
out!]*

MICHAEL Let who out?

MOLLY Oscail an doras . . . faoi ghlas! Tá siad . . . faoi . . . sáinnithe
taobh istigh . . . Tabhair cabhair dom!
*[Open the door. . . locked . . . trapped . . . they are trapped inside
. . . help me!]*

MICHAEL Who's trapped? I don't . . .

MOLLY *starts to hyperventilate. She struggles to breathe as if she is
having a severe panic attack; she collapses.* MICHAEL *watches unsure
what to do.*

Fucking hell!

MICHAEL *watches her. He doesn't move.* MOLLY *continues to breathe
fitfully.* MICHAEL *looks around to see if anybody else is watching this.
Nobody is. They are alone.*

Help! Somebody. Anybody. Help!

Nothing.

Fuck. Fuck, fuck.

*He starts backing away. This is too much for him to handle. He is
going to turn and leg it when* MOLLY's *panic attack subsides. He stops.
He edges towards her, peers down at her. Is she all right? Is she dead?
He pushes his foot gently against her limp arm, nudges her. Nothing.*

Are you O.K.?

Nudging her again with his foot, a little more forcefully this time.

You're not dead, are you?

*He lowers himself onto the ground so his ear is close to her lips. She is
breathing. Huge relief. He calms a little. He hums out of nervousness
"Teanga Bhinn Mo Mháthar". After a moment, he sits up and looks at
her again. She's still unconscious. He has an idea. He retrieves the large
jug of water, stands above* MOLLY *and sprinkles a few drops of water
on her. Nothing. Tries a few more. Nothing. Decides to go for it and
empties most of the jug of water over her face.* MOLLY *splutters awake.*

MOLLY An bhfuil sé ag cur báistí? An bhfuil poll sa díon?
[Is it raining? Is there a hole in the roof?]

MICHAEL You had some kinda fit. You were raving on about a locked
door . . .

MOLLY Bhuail daol éigint mé! Ach cén fáth go bhfuil mé fliuch báite?
[I had a seizure? But why am I drowned wet?]

MICHAEL Just used a wee bit of water . . . to bring you round.

MOLLY Beagáinín?
[A wee bit?]

MICHAEL You weren't waking up so . . .

MOLLY Ah tuigim, 's sin é an fáth gur chaith tú an t-uisce orm? Bhuel,
go raibh míle maith agat.
[So, you threw a bucket of water on me? Well, thanks a million.]

MICHAEL Not the whole lot. It was only half full.

MOLLY Ach, is cuma, maithim dhuit é. Fan nóiméad, cé thú fhéin? An
bhfuil aithne agam ort? An bhfuil tú ag obair linn?
*[Ach, you're grand, I will forgive you. Wait a minute, who are you?
Do I know you? Are you working with us?]*

MICHAEL Am I working with you? I should be going.

MOLLY Fan ort, bhí mé ag guibhe gach lá, ag fanacht go dtiocfadh
cabhair agus anois buíochas le Dia, tá tú anseo nach bhfuil?
*[Wait a minute, every day, I prayed for help, every day, waiting for
help and now thanks be to God, you are here, aren't you?]*

MICHAEL I think you've the wrong end of the stick, I'm not here to
help anyone, even if you did say your prayers, I just need to figure
out how to . . .

MOLLY Míorúilt atá ann, spiriod mar thusa ag teacht anseo le cabhair
a thabhairt dhúinn.
[It's a miracle, an apparition like you, coming here to help us.]

MICHAEL Apparition? What the fuck are you on about? I don't know
anything about miracles, are you for real? Look I'll help you ok,
but only once I've figured out how I can help myself.

MICHAEL *starts to wander away, but realises there is nothing for miles,
then it occurs to him:*

Oh very funny, I get it, it's a dream . . .

MOLLY Bringlóid.
[Dream.]

MICHAEL But like, one of those mad ones where you have to solve it to get out of it? Don't tell me, I get to choose my quest option?

Laughing

Assassin's fucking Creed . . .

Pacing up and down

Anxiety dreams that's what they are called, right? Is that it? If I help you, I get out? But I don't know anything about you? Great!

MOLLY Cad is ainm duit?
[*What is your name?*]

MICHAEL Michael.

MOLLY Mícháel. Molly is ainm dom.
[*Molly's my name.*]

MICHAEL Molly.

MOLLY In ainm Dé céard atá tú ag déanamh amach anseo agus gan do chuid éadaí ceart?
[*And what in God's name has you out here, and you without your proper clothes?*]

MICHAEL What do you mean half dressed?

Looking down.

Oh!

MOLLY *laughs at him.*

Looks like someone ran you out of bed too.

MOLLY *stops laughing, looks down and realises that she's not dressed properly. She jumps up.*

MOLLY Ó táim náirithe!
[*Oh I'm mortified!*]

They both share a little laugh now. Followed by embarrassment from MICHAEL.

MICHAEL Yeah, I better . . .

MICHAEL *backs away.*

See ya.

Turns. Stops. Turns back.

I don't know . . . where we are.

MOLLY Tá muid sa ghort mór.
[*We are in the big field.*]

MICHAEL Yeah. I know we're in a field. Where? Or am I supposed to know the quest already, right?

MOLLY Ní cuimhin liom.
[I don't remember.]
   Girvan? Ayrshire? Greenock? Gourock, Edinburgh, Perth, Dundee, Bute . . .

MICHAEL You're just listing off place names now.

MOLLY Bhí mé sna goirt mhóra sna háiteanna sin.
[I've been in fields in all those places.]

MICHAEL Are you bragging or complaining? Why would you have been in fields in all those places?

MOLLY Is Scottie mé.
[I'm a Scottie.]

MICHAEL You're a Scottie?

MOLLY Scotties. Sin é an t-ainm a thugann muid orainn féin, gurbh gur as Oileán Acla muid.
[Scotties, that's the name we gave ourselves and us from Achill.]

MICHAEL You're from Achill. Is that in Scotland?

She laughs hard at this.

MOLLY Éist a amadáin . . .
[Listen you eejit . . .]

MICHAEL Don't call me names . . .

MOLLY Tá Oileán Acla i gContae Mhaigh Eo, in Iarthar na hÉireann. An áit is fearr sa domhan – lán le tránna, sléibhte agus daoine breátha.
[Achill Island is in County Mayo, in the west of Ireland. The best place in the world – full of lovely beaches, and beautiful mountains and people.]

MICHAEL How come you call yourselves The Scotties if you're from Ireland? Look, I don't care where Achill is or how beautiful it is. Mountains or no, I care where I am. And all you seem to know is that this is a tattie field somewhere in Scotland.

MOLLY Agus an fharraige, an fharraige álainn.
[And the sea, the beautiful sea.]

MICHAEL Gonnae give it rest. I get it, Achill, yes, it's the most beautiful place in the world, with lovely sea and beaches. But that's not exactly helping the situation here now is it?

MICHAEL (*bangs his head*) Wake up, wake up!

MOLLY Tá go maith. Inseoidh mé dhuit go díreach cá bhfuil muid.
  [*Right, I can tell you exactly where we are.*]

MICHAEL Right. Tell me then.

MOLLY Fan nóiméad.
  [*Just give me a minute.*]

She's looking round for clues, something to jog her memory.

MICHAEL You either know or you don't?

She's got it!

MOLLY Kirkintilloch!

Her delight at remembering is quickly replaced by an ominous memory.

MICHAEL Kirkintilloch!

It hits her like a bolt of lightning. She starts to have a panic attack again.

MOLLY 'S docha gurbh é an céad stop eile?
  [*Or maybe that's the next stop?*]
    Fraoch mo dheartháir. Cá bhfuil sé?
    [*Fraoch my brother. Where is he?*]

MICHAEL Fraoch? I am sorry I don't know where your brother is.

MOLLY Caithfidh muid a dhul sa tóir air.
  [*We need to find him.*]

MICHAEL Look, I'm sorry, I can't help you find him.

MOLLY Fraoch! Fraoch! [*clutching at* MICHAEL]
    Cén chaoi a bhfaighidh muid é?
    [*How will we find him?*]

MICHAEL Get off me please. I just want to go home. This whole thing is . . . really fuckin' weird.

He pushes her off him and runs to leave. He is stopped by FRAOCH (*17*) *entering, who seems oblivious to* MICHAEL

FRAOCH Céard atá tú ag béiceadh a cailín? Beidh an Gaffer amach chun focail a rá dhuit.
  [*What you hollering for girlín? The Gaffer will be out to have a word with you.*]

MOLLY Fraoch!

MOLLY *runs to* FRAOCH *and holds him tight in her arms.*

Tá tú slán sábháilte.
[*You are safe.*]

FRAOCH Slán sábháilte? Cinnte tá.
[*Safe? 'Course I am.*]

FRAOCH *goes to collect up the sacks, laughs at* MOLLY *jumping about.*

MOLLY (*in the moment of huge relief dancing about for joy*) Buíochas
le Dia.
[*Thank the Lord*]

To MICHAEL:

Seo Fraoch, mo dheartháir agus tá sé slán sábháilte.
[*This is Fraoch, my brother and he is safe.*]

MICHAEL Class, so I can get out of here.

MICHAEL *goes over to* FRAOCH.

All right? Fraoch is it?

FRAOCH *doesn't acknowledge* MICHAEL – *he cannot see him.*

FRAOCH Cé leis a bhfuil tú ag caint a Mholaidh? An bhfuil fiabhras ort?
[*Who are you talking to, Molly? Have you a fever?*]

FRAOCH *touches* MOLLY'*s head.*

MICHAEL What's he saying? Can he no see me?

MOLLY (to FRAOCH) Má tá fiabhras ar dhuine ar bith, is ar an ngasúr
seo é.
[*If anybody is in a fever, it's this lad here.*]

To MICHAEL:

Tá sé ag labhairt an teanga chéanna, mar atá mé féin agus tú fhéin.
[*He's speaking in the same tongue as you and I.*]

FRAOCH Cén gasúr?
[*What lad?*]

MICHAEL No he's not. He is not speaking the same as us; I can follow
you. Only you can see me, is that it? Why can I not understand
him? What language is that?

MOLLY Gaeilge.
[*Irish.*]

FRAOCH Suí sios a Mholaidh agus tóg anail.
[*Molly. Sit down. Take a breath for a moment.*]

MICHAEL I'm not speaking Irish Gaelic. Listen to my words. I am
speaking English. Why is it just your Irish Gaelic I can understand
and why are you the only one who can see me?

Oh man this is . . . too weird.

(*Bangs his hands on his head again and starts backing away.*)

Wake up! Wake up!

MOLLY Fan anseo. Táim cinnte go bhfuil tú anseo chun cabhair a
thabhairt dúinn. Taispeánadh naofa, chun súil a choinneáil orainn?
Dúirt mé leat, gur ghuigh mé agus anois níl aon duine ann ach mise
amháin atá in ann tú fhéin a fhéiceál.

*[Stay here. I am sure you are here to help us. A saintly apparition,
to watch over us? I told you I prayed and now only I can see you.]*

MICHAEL Look, I'm glad your brother is all right, but that hasn't
helped me? I'm still here. If I am here as your guardian angel or
whatever it is you prayed for, show me why you need me?

MICHAEL *turns to leave.*

FRAOCH Tar anseo a Mholaidh agus tog go bog é. Sin go leór leis na
paidreachaí.

[Come here, Molly, take it easy. That's enough with the prayers.]

FRAOCH *has sat himself and* MOLLY *down on the floor. He leans in
to her and begins humming the "Teanga Bhinn Mo Mháthar". When*
MICHAEL *hears it, he stops in his tracks. That's the tune he had in his
head?* MOLLY *joins in the humming.* MICHAEL *is drawn to them and
walks closer.*

Scene 3

THE GAFFER *enters and* FRAOCH *and* MOLLY *stop humming and jump
to attention. They get in line behind* THE GAFFER *who has made a
brisk start on picking tatties.* MOLLY *sees* MICHAEL *hasn't joined them.*

MOLLY Caithfidh muid a bheith cúramach, sin a dúirt an Gaffer.

[We'd better watch ourselves, that's what the Gaffer said.]

MICHAEL Who's that? Why do we need to be careful?

MOLLY Sin é an Gaffer.

[That's the Gaffer.]

MICHAEL The Gaffer?

MOLLY Atá os cionn chuile shórt.

[The man in charge.]

MICHAEL In charge of what?

The rest of the Squad have entered now – consisting of FOREWIN *(70s),* SQUAD WOMAN *(45) and* THE GAFFER'S SON, SEÁN ÓG *(14). They stand in line picking the tatties, working together almost as one.*

MOLLY Na prátaí. Ag baint phrátaí, déan deifir, déan deifir go beo!
  [Potatoes. Of the picking. Get on with it!]

MICHAEL *(runs into line)* It's rough under foot. All right! Aargh! Does this not hurt your knees? On the ground picking tatties?

He crouches down and tries to copy the others, as they collect the potatoes – the whole group working in perfect symmetry.

  I've no clue what I'm doing, is this right?

MOLLY Lean an líne.
  [Follow the line.]

MICHAEL How do you pick them?

MOLLY Mar seo.
  [Like this.]

MICHAEL How do you have to do this all day? I'm knackered just looking at you.

MICHAEL *gives up.*

MOLLY Tá deich n-uaire le déanamh againn fós.
  [We've ten hours of this to do.]

MICHAEL No way I'm doing ten hours of this.

MOLLY Déanfaidh, má tá tú ag iarraidh airgead a shaothrú.
  [You will if you want to earn a wage.]

MICHAEL How much could I earn?

MOLLY Do dhóthain. Beidh muid uilig ag glanadh sclátaí ár máithreacha nuair a thagann muid abhaile.
  [Enough. We'll all be paying off our mothers' slates at the shop back home.]

MICHAEL Everything you earn? To pay your Mum's slate at the shop? No way I'd work ten hours of this to clear my Mum's debts. Anyway, this work is not for kids.

MOLLY Níl sé chomh dona nuair atá an rithim agat.
  [It's not so bad when you have the rhythm in you.]

He sits down, petulantly kicking at the earth. The FOREWIN *(70s) and* GAFFER *begin to sing a "Óro mhìle grá", as they work.*

MOLLY (*cont'd*) Ceann amháin 's eile
  [One and another]
  Anuas an líne 's go deo
  [Down the line forever]
  Hold the line,
  and follow the run,
  Keep us on the go.
  'S Óro, oró oró 's óra mhíle grá.
  ['S Óro, oró oró 's óra a thousand times love]

FULL SQUAD Óró, oró oró 's óra mhíle grá.

MOLLY As Acaill ag baint na prátaí,
  [From Achill Island, collecting potatoes,]

SEÁN ÓG Scotties one and all,
  The squads they are a howking
  from Achill and Donegal

FULL SQUAD Oró, oró oró 's óra mhíle grá
  'S Oró, oró oró 's óra mhíle grá

FRAOCH Seo mo chomhairle, seo mo rabhadh,
  [here's my warning, that I am giving]
  A word to one and all,
  She's my one and only sister
  Éirigh ás
  [clear out]
  or face a fall.

FULL SQUAD Oró, oró oró 's óra mhíle grá
  'S Oró, oró oró 's óra mhíle grá

SQUAD WOMAN Tá grá ag Mac an Ghaffer
  [The Gaffer's son has a love]
  Nil fhios againne cé í?
  [Nobody knows who she is?]
  Who's the one he fancies? Does she think the same as he?

FULL SQUAD Oró, oró oró 's óra mhíle grá
  'S oró, oró oró 's óro mhíle grá

SQUAD WOMAN Mac an Gaffer,
  [son of the Gaffer,]
  Is he listening,
  Seán bán óg, bhfhuil sé ann?
  [fair headed Seán, is he there?]

SEÁN ÓG I'm not listening,
    I can't follow
    Ye lot in your native tongue.

FULL SQUAD Oró, oró oró 's óra mhíle grá
    'S Oró, oró oró 's óra mhíle grá

ALL OF THE SQUAD Men of Achill,
    and the women,
    children, *grisíns*[1] one and all,
    From daybreak howking tatties,
    Far from home on Scottish soil
    Oró, oró oró 's óra mhíle grá,
    'S Oró, oró oró 's óra mhíle grá

FULL SQUAD Oró, oró oró 's óra mhíle grá
    Oró, oró oró 's óra mhíle grá

The squad continue to pick, humming as they do. MICHAEL, *still seated
at the corner of the field, has decided this must be a dream. He is trying
to wake himself up. He lies down and closes his eyes, then sits bolt
upright. When he sees he's still in the field, he tries the whole thing
again. He does this a few times.* MOLLY *watches him while picking,
amused. She laughs.* MICHAEL *catches it. Sees he is being watched,
decides on a different approach. He goes to the bucket he used earlier
on* MOLLY *to see if there's water in it.*

*He starts to sprinkle her, crossing her with the last wee bit. He is play-
acting as if blessing her in holy water, making up a blessing that he
thinks will pass and might be how he gets out of here, to no avail.*

MICHAEL In ainm an athar agus a mhic agus a spiorad naomh amen.
    [In the name of the father and his son and the holy spirit amen.]
    Deum de diem, lumen de dadi dum, amen

MOLLY An bhfuil tú ag cur beannacht orm an bhfuil?
    [Are you after giving me a blessing is it, before you go?]
    Tá sé folamh. Chaith tú an rud ar fad orm.
    [It's empty. You threw the whole lot on me.]

MICHAEL To wake you. Should have chucked it on myself instead. I'm
    the one needs woken.

MOLLY An gceapann tú gur brionglóid í seo?
    [You think this is a dream?]

---

1 A word from Achill Irish meaning the new, inexperienced ones.

MICHAEL Course I do. How else would I be stuck in a field with a bunch of tattie-picking Irish Scots, sorry Scotties? It's a dream, maybe even your dream?

She stops picking, walks over to him and pinches him.

Ahhhh! What d' you do that for?

MOLLY An bhfuil tú fós ag ceapadh gur ag brionglóidí atá tú?
[*Are you still sure this is a dream?*]

MICHAEL Not so sure now, no. A nightmare more like. Being attacked by a mad girl.

MOLLY *laughs and goes back to picking.* MICHAEL *follows her, watches her for a moment, walks along the line of workers. They are all oblivious to him. He realises this and begins to have fun with it, waving his hand in front of them, blowing raspberries etc.*

MOLLY Ná bí ag magadh faoi.
[*Don't be bold.*]

MICHAEL (*stopping by* SEÁN ÓG) So this one's soft on you, Seán was it? The Gaffer's "*mac*" was it?

MOLLY Chuala tu é sin, ar chuala?
[*You heard that did you?*]

MICHAEL Mac is son in Gaelic too. And anyway, you both gave the game away, you both had a total beamer, bright red. He was worse than you – looked like he was going to explode.

MOLLY Ah lig é agus ná bi ag magadh faoi.
[*Ah leave him and don't be mocking him.*]

MICHAEL How come he hasn't got Gaelic then? Is he not from Achill?

MOLLY Is as Acaill é. Ach ní dé mo thréad é.
[*Yes. But he's not from my herd.*]

MICHAEL Your herd? What's that all about?

MOLLY As mo cheantar fhéin in Acaill, ó mo mhuintir fhéin.
[*From my bit of Achill. From my tribe.*]

MICHAEL He's from Achill but he's not your herd. You sound like my Mum. Got to know who my people are, got to speak Gaelic like my people. Seems to think the world will end if I don't speak it. Do you guys ever take a break? It's brutal.

MOLLY Táimid beagnach réidh, caithfidh muid dul go dtí an chéad áit
eile roimh dhorchadas na hoíche. Tá ám againn chun sos a fháil
agus céilí beag a bheith againn.
*[We are nearly finished, we must travel to the next place before
the night falls full of darkness. But we have time enough to take a
break and for a wee céilí.]*

MICHAEL You're not seriously telling me that yous are having a céilí
before we get out of here? I'm knackered and you're talking about
dancing?

*As if in response, the picking of the tatties morphs into a bothy céilí;
fiddle and box are joined by other instruments which start to play
some tunes; a few dance; a timber board is thrown down and MOLLY
dances some sean nós (traditional) steps; it is a real moment of joy and
release. The light is beginning to fade now as we are at the end of a
long day's work. Just before moving on to the next town,
the wee céilí takes their mind off things for a short while, before
moving on.*

MOLLY *shoves a fiddle in* MICHAEL'*s hands and grabs one too, dancing
and playing.*

MOLLY (*showing him the tune on the fiddle and a few steps*) Is cuma
cé chomh tugtha atá tú, nuair atá muid ag damhsa agus ceol
againn. Tá píosa beag d'Acail beo ionainn, píosa den bhaile.
*[It doesn't matter how wrecked your body is with tiredness, when
we have our music and dancing, we have a little bit of Achill alive
here with us, a little bit of home.]*

MICHAEL Trust me, you do not want to hear me on the fiddle. My
maw has been trying to get me to play at the Mòd for the last
five years. It's your bit of home as you say, bit of Achill, I'm no
really . . .

MOLLY Dún do bhéal, agus seinn!
[Shut up and play!]

MOLLY *and* SEÁN ÓG *might think about dancing. Perhaps* FRAOCH,
playing the big brother, does his best to keep MOLLY *and* SEÁN ÓG
apart. MICHAEL *enjoys not being seen and plays a bit with this. The
atmosphere is carefree and full of joy.*

Scene 4

THE GAFFER *calls an end to it by pulling on a trailer, so they can all climb on.*

THE GAFFER That's enough now. You've had your fun now. Fraoch, get everybody into the trailer, we need to get to Kirkintilloch before dark.

FRAOCH Bhuel, chuala sibh an Gaffer, gach duine isteach!
[*Right, you heard the Gaffer, everyone in!*]

The squad are reluctant.

SQUAD WOMAN God forbid we'd be enjoying ourselves when there's Scottish tatties to pick, we were just getting going. Tá muid faoi smacht i gcónaí aige.
[*Always cracking the bloody whip.*]

THE GAFFER That's enough out of ye, get on the truck.

FRAOCH *and* SQUAD WOMAN *make their way towards the trailer, the* FORWIN *pulls* MOLLY *to one side out of earshot of the others and pointing at* SEÁN ÓG.

FOREWIN You need to be careful with that lad too.

MOLLY Ní thuigim.
[*I don't understand.*]

FOREWIN He may be the Gaffer's son, but he's a lad not far off a man, so toir aire [*take care*], men can't always help themselves, and it's down to us women. I'll say no more; your mother would want me to say this to you.
You know what I am saying.

MICHAEL *pulls* MOLLY *away to tease her about* SEÁN ÓG *and starts messing with* MOLLY.

FRAOCH Next stop's Kirkintilloch, hey Gaffer?

Loading on some sacks and hay to sit on in the trailer.

THE GAFFER It is that.

FRAOCH Best eggs I've ever eaten on that farm.

THE GAFFER I don't remember eating eggs in Kirkintilloch. Are you sure it wasn't the farmer's daughter bringing over the eggs you're thinking of?

FRAOCH Plenty of pretty girls to look at in Kirkintilloch as I remember it.

THE GAFFER Kirkintilloch's no place to be taking a shine to the girls.

FRAOCH Ah sure I know, you can rely on me to keep the head down. I know fine well what's ahead of us. I'll keep the young ones out of trouble . . .

THE GAFFER And a herd of ugly lads to pick a fight with you for looking. Kirkintilloch looks a pretty green place but it's Orange to the core and don't you forget it. Now onto the trailer all of ye! Come on, the lot of ye or ye'll be left behind!

FRAOCH *tries to ingratiate himself with the Gaffer*

FRAOCH Déan deifir! *[Hurry up!]* The other trailer, with the rest of our squad in it, set off ten minutes ago. Come on will ye!

THE GAFFER (MOLLY *is still dancing*) Are you waiting on the fairies to take you to Kirkintilloch, Molly dear?

MOLLY *stops dancing at last and listens to* THE GAFFER.

MOLLY No Gaffer.

THE GAFFER Hurry up then while there's still life left in us or there will be a lot worse than the fairies showing up to deal with us.

MOLLY *runs to the trailer and climbs in.*

FRAOCH Don't go putting ideas into her head. She'll be sneaking into my bed this night with bad dreams and she's the coldest feet I've ever felt.

FOREWOMAN She's a terrible wriggler at night too.

MOLLY (*shouting at* MICHAEL) An bhfuil tú ag teacht isteach? *[Are you coming in?]*

THE GAFFER You're pressing me now are you, and you after dilly-dallying here? Am I coming? You're some girlín all the same.

THE GAFFER *jumps on after them.* MICHAEL *makes a dash and jumps on.* THE GAFFER *knocks on the side of the trailer to signal to the driver that they are ready. The sounds of the trailer over the bumpy road and the movement of their bodies implies the journey has begun.* MICHAEL *is being playful about not being seen by the others.* MOLLY *is not impressed.*

THE GAFFER (*to* MOLLY) What do you have that pus on you for, Molly?

MOLLY (*inventing a reason*) I . . . er . . . I think I might have left my daighsín *[trinket]* back in the bothy, Gaffer.

THE GAFFER That's bad luck, that is. But you know what I always say, there's not a soul who knows truly whether bad luck is really bad until they're dead and gone. Did I ever tell the one about me Father?

MOLLY Yes. Céad uair.
[A hundred times.]

FRAOCH Míle uair, ach uair amháin eile, *[A thousand times, but one more time]* sure what harm to hear it one more time. Eh, Gaffer?

MOLLY (*pointedly ignoring* FRAOCH) Milliún uair!
[A million times!]

MICHAEL Dear God, what so special that you've heard it a million times.

SEÁN ÓG A million times is right.

MICHAEL *looks at* SEÁN ÓG *wondering for a split second did he hear him.*

THE GAFFER (*pretending not to hear them*) No?

ALL Yes!

THE GAFFER Well you might think you know this one, but I'll tell you it for a fact and not a word of a lie. My father when he was about your age, Fraoch. He and some of the other lads went up the hill picking heather for their mothers and didn't the landlord catch them? A hefty fine to pay, for "stealing" yer lordship's heather. Who gave it to him, I'd like to know?

He did not want to ask his mother to kill their only pig, to pay the fine. My father couldn't see a way out of it so he slunk off and caught a hooker with a hundred other young tattie howkers and set off from Clew Bay.

Grisíns, the lot of them, their first time to Scotland. And the year was 1894. And sure, you know yourselves what happened next. When they pulled close to The Elm, a grand new steamer the like of which none of them had ever seen before, that was set to sail them to Scotland. They all moved to one side of the hooker to get a better look . . .

FOREWIN That's not as I heard it. It was the Captain of the hooker jibed the mainsail without slackening the sheet.

GIRLÍN My uncle was one of the thirty-two that lost their lives.

GIRLÍN AND FOREWIN God rest him.

FRAOCH We had an Aunty and an Uncle survived it, so. There was no fear of them drowning though. You heard it told, of course, none of our blood line will ever die from drowning.

SQUAD WOMAN I might like to put it to the test, young Fraoch. Shame Kirkintilloch isn't closer to the sea, hey Gaffer?

GIRLÍN We could throw him in and watch him float.

FRAOCH Doesn't frighten me one bit. You'd have to throw Molly in and all though to test it proper.

MOLLY Hey, leave me out of it.

THE GAFFER Would you let the story come to you? So, my father is dived into the water, thinking – how much worse could it get? Caught picking heather, then near drowned trying to escape paying the fine. But he's landed clear of the hooker and it's looking like he might just survive this when he passes a girlín getting into difficulty. He grabs her hair and pulls her along with him. Saves her and himself and all. And who can guess who that woman was?

ALL THE SQUAD Your mother!

THE GAFFER The very woman indeed. They were married within weeks and I came along nine months after. My father said from that day forward he has never judged a piece of luck as bad or good until events play out fully.

GIRLÍN No such good luck for my uncle sure enough.

FOREWIN Nor the thirty-one other lads and girlíns died that day. God rest their souls.

THE GAFFER No. That's for sure.

An awkward silence interrupted by FRAOCH *who starts singing "Wha Saw the Tattie Howkers". He begins to sing the words/play instruments as the others join in. The song swells with defiance and joy.*

FRAOCH AND THE SQUAD

Wha saw the tattie howkers? Wha saw them gaun awa?
Wha saw the tatttie howkers, Sailing down the Broomielaw?
Some o them had boots an' stockins, Some o them had nane at aa
Some of them have big fat arses, Sailing down the Broomielaw.

Wha saw the tattie howkers? Wha saw them gaun awa?
Wha saw the tatttie howkers, Sailing down the Broomielaw?

Some o them had boots an' stockins, Some o them had nane at aa
Some of them had a wee drop a whisky, For to keep the cold awa.

They have arrived in Kirkintilloch.

THE GAFFER Right. Everybody out. Hay and sacks, so ye can get yer
beds made up and the fire started. We've our work cut out for us
tomorrow morning.

*The Squad jump out of the trailer and start grabbing hessian sacks
and filling them with hay, ready for bed.* THE GAFFER *catches*
FRAOCH's *arm.*

Lads from the lodge here are mighty fast to raise their fists –
don't go giving them any excuses to, do you hear? My cousin's
squad, carrying my family name, got into trouble here after a game
of football. Didn't end well. Kirkintilloch has never held anything
for us. We're not wanted here. Bad luck doesn't need any help here,
so keep an eye out.

FRAOCH I will. I heard we beat them at the football and then the sore
losers wanted to fight about it.

THE GAFFER There's lads here who'll be looking for a fight all the
more. Since our squad bears the same name. Watch yourself.

Holding FRAOCH *until he consents, which he does with a nod.*
MICHAEL *and* MOLLY *approach and overhear this.*

Good man, I know I can depend on you. Go on now. Tell the
Forewin to get the fire on. I don't want anyone messing out here or
roaming about. We need to keep our heads down till we can get a
feel for the way things are in Kirkintilloch tomorrow. Hit the sack
now, all of ye!

FRAOCH *exits.*

You too, Molly. You've been in a dream today.

THE GAFFER *exits dragging the trailer behind him.*

Scene 5

MICHAEL *sees* MOLLY *is full of anxiety.*

MICHAEL Are you ok, Molly? Molly?

MOLLY Níl mé ag iarraidh a dhul isteach. Níl mé ag iarraidh a dhul isteach ann. Ní maith liom é.
[I don't want to go in. I don't want to go in there.]

MICHAEL In where? The bothy? Why don't you want to go in? All the rest of your squad have.

MOLLY (*backing away*) Tá rud éigint ag rá liom, níl fhios agam céard é fhéin ach ní thaitníonn an áit seo liom. Tá imní ar Fraoch agus Gaffer faoi rud éigint.
[I have a bad feeling about his, I don't know, but I don't like this place. Fraoch and the Gaffer are anxious about something.]

MOLLY *goes to her pockets and retrieves a pebble for good luck, blesses herself and kisses the pebble, her one piece of home.*

MICHAEL That's just them being careful, don't let that get you worked up again.

Trying to cheer her up.

Oh, now don't tell me I need to do my holy man bit and bless it? I'm all out of holy water, honestly, you're getting yourself worked up over nothing. The Forewin said all the lads are going to be sleeping in right next door to you. Don't be getting all superstitious like the Gaffer.

Oh here.

MICHAEL *backs off as he sees* SEÁN ÓG *appears.*

SEÁN ÓG Dia dhuit Molly.
[Hello Molly.]

MOLLY Dia 's Muire dhuit.
[Hello to you too.]

SEÁN ÓG Cén chaoi a bhfuil tú?
[How are you?]

MOLLY So tá Gaeilge agat! Agus tú i gcaitheamh an achair ag ligint ort fhéin liomsa nach raibh.
[So you do have the Irish! All this time here and you saying you don't.]

SEÁN ÓG I don't know why I open my mouth to speak a word of Irish when everybody rises me so when I do.

MOLLY Tóg go bóg é.
[Take it easy.]

SEÁN ÓG You not going in then?

MOLLY I will. I don't know why I haven't. I've a funny feeling is all . . . a sick feeling in the pit of my stomach.

SEÁN ÓG Me too! I've had a funny feeling all day, but I think I've shaken it off now.

MOLLY How did you do that then?

A coy smile from SEÁN ÓG.

Have you some sort of secret you're wanting to tell?

SEÁN ÓG No secret Molly. I'd tell anybody if they asked.

MOLLY Well, am I not anybody?

SEÁN ÓG You're not, no.

MOLLY You're talking in riddles now.

SEÁN ÓG You're not just anybody.

MOLLY Are you going to tell me your secret that's not a secret or not?

SEÁN ÓG I've had this funny feeling on me all day. Like I must have had a dream I couldn't remember or something. I had it in the field and on the lorry over here. Annoying me. It wouldn't leave me alone. Then I heard the Angelus. Did you hear it as we passed Glasgow? Way off in the distance.

MICHAEL I heard them. Tell him, I heard them.

MOLLY (*gesturing to* MICHAEL *to be quiet and go away*) I did not. I'm not sure I'll hear it round these parts either.

SEÁN ÓG Just like that. It hit me. What's been bothering me all day.

MOLLY The Forewin is going to catch us talking out here together if you don't spit it out.

SEÁN ÓG It's my birthday. Ask me how old I am now.

MOLLY Jeeny mac. I know fine well how old you are now, you amadán *[fool]*. A year older than you were yesterday.

SEÁN ÓG Fourteen years old. I'll earn a man's wage now. And I'll tell you something else, Molly, this will be my last season in Scotland.

And I won't travel with my father no more neither. I'm heading for the big cities, Liverpool, maybe New York and make a fortune over the water.

MOLLY Will you now?

SEÁN ÓG I will. And I was wondering . . .

MOLLY Yes?

SEÁN ÓG I'm maybe not the best at the writing but I wonder whether, when I'm away, if . . . eh . . . if you'd let me write to you?

FRAOCH *enters just as* MOLLY *is about to answer.*

FRAOCH Céard atá tú a dhéanamh ag an bheirt agaibh amuigh anseo. Ha?
[*What are you two doing out here, hey?*]
    Bhuel, an cladhaire, ar deireadh thiar thall, tá a mhisneach ag teacht chuige a rá leat go bhfuil dúil aige ionat.
[*He's not getting the guts up at last to tell you he fancies you is he?*]
    Should I be worried about you?

SEÁN ÓG Why would you be worrying about me, Fraoch?

FRAOCH I always took you for a gasúr [*boy*]. And if it's a gasúr you are then it's safe to leave my sister alone with you. But if it's a man you are now . . .?

MOLLY Éirigh as, amadán.
[*Leave him be, idiot.*]

SEÁN ÓG I am a man, Fraoch.

FRAOCH Bhuel, éist é sin. [*Well would you listen to that.*] If you're a man now and you're interested in my sister, there's a thing or two I better be telling you. Man to man. Only seems fair.

SEÁN ÓG (*priming himself for his first "man to man" conversation*) Sound so.

FRAOCH Listen, I wouldn't say a word to anyone, but you should be warned about yerself and her feet. Ugliest awful looking yokes, worst looking feet out of all the whole family and coldest. Even me uncle Peadar has better looking feet and they don't half . . .

MOLLY Ah éirigh as, Fraoch.
[*Ah quit that will you, Fraoch.*]

FRAOCH And she snores. Sure, you don't need me to tell you. I swear she'd wake the dead . . .

MOLLY Ach stop é sin! *[Would you stop with all that carry on!]* It's not me who snores, its old Forewin. And I'll come banging into your room when you're deepest asleep and wake the lot of ye next time she's rattling away to prove it so.

FRAOCH She's getting upset now. So, I better not tell you that she sleeps cuddling a bit of my mother's apron.

MOLLY Is fuath liom ort Fraoch.
[I hate you Fraoch, so I do.]

FRAOCH She hates me now. Count yourself lucky she's not your sister.

SEÁN ÓG I'm glad she's not my sister for sure.

FRAOCH He agrees with me.

SEÁN ÓG I don't. I don't think she's a bit mean, but I'm very glad she is not my sister. And I don't care if her feet are uglier than a dog's for her face is prettier.

MOLLY But they're . . .

FRAOCH Than a dog's? High praise indeed, hey Mol.

SEÁN ÓG Than anything I've seen on or off the Island of Achill. You'd be hard pushed to find the like of Molly I tell you . . .

FRAOCH All right buck. Get yourself to your bed before I decide I do have to keep my eyes on you. Tonight of all the nights, I'm telling ye, it is not one for messing around out here.

MOLLY Cén fáth? An bhfuil gach rud ceart go leór?
[Why? Is everything all right?]

SEÁN ÓG The luck was never with us in this place.

FRAOCH Look don't be whipping this up into one of your father's bad luck stories. She is bad enough with her head full of Brian Rua mad visions of the future. Ye just need to keep yer wits about ye is all.

MOLLY He can stay where he likes. I'm going to bed now anyhow.

FRAOCH Oíche mhaith.
[Goodnight.]

FRAOCH *goes to kiss* MOLLY. *She brushes him away, slightly embarrassed and messing in front of* SEÁN ÓG.

Will you look at that? She won't even say good night to her own brother.

FRAOCH *turns to go but decides to give one last stern warning.*

Look Molly, no messing. Anyone caught out tonight will get docked a day's pay and a good hiding from me, sister or no sister. I'm serious, go on.

She goes as if to leave but stops when she sees FRAOCH *exit. She retrieves the pebble from her nightclothes.* MOLLY *gives the pebble to* SEÁN ÓG.

SEÁN ÓG What's this?

MOLLY It's a pebble I found on the beach in Keem. You don't find many like this, it's one of the purple special ones. They say it's good luck. It looks like a rabbit see. Can you make it out?

SEÁN ÓG Oh yeah, lovely it is.

He passes the pebble back to MOLLY, *but she doesn't take it.*

MOLLY It's for you. It's from home.

SEÁN ÓG For me?

MOLLY For your birthday.

SEÁN ÓG *is delighted.*

SEÁN ÓG Thanks. I can really see the rabbit now, Molly. I'll keep it safe. Next to me always.

He holds it tight in his fist and puts his fist to his heart.

Oíche mhaith.
[*Goodnight.*]

MOLLY Oíche mhaith 's codladh sámh.
[*Goodnight and sleep sound.*]

SEÁN ÓG *snatches a kiss on* MOLLY's *cheek and exits.* MOLLY *goes to leave also.* MICHAEL *catches her arm and she snaps out of her thoughts.*

MICHAEL I don't get it, a pebble, bad luck, acting like you all know something about this place; it's just Kirkintilloch; none of it explains why I'm stuck here?

MICHAEL *laughs, resigned to the madness of all this.*

MOLLY Tá tú anseo chun cabhair a thabhairt dom, 's b'fhéidir gur tú m' aingeal chuideachta, níl fhios agam.
[*You're here to help me. My guardian angel maybe, I don't know.*]

MICHAEL Ah give us peace, I'm not your guardian angel. You don't need a guardian angel; there is nothing to worry about.

Banging his head again trying to wake himself up.

MOLLY Ní thugeann tú. Tá sé an-tabhachtach gu bhfuil tú an seo, táim cinnte. B'fhéidir gur fáidh thú?
[*You don't understand. It is really important, I am sure. Maybe you're a prophet?*]

MICHAEL I'm no a prophet. Jesus, who the hell believes in prophets?

MOLLY Mise, bhí fáidh againn i Maigh Eo, Brian Rua Ó Cearbháin.
[*Me, we had a prophet in Mayo, Brian Rua Ó Cearbháin.*]

MICHAEL Oh aye? And what did the big man Brian Rua from Mayo foresee?

MOLLY Chonaic sé go mbeadh traenacha in Acaill.
[*He saw there would be trains in Achill.*]

MICHAEL Trains in Achill. O.K. There's trains in Paisley.

MOLLY Chonaic sé rudaí eile, ní cuimhin liom. Éist liom, níl fhios agam ar aingeal nó fáidh thú, ach tá faitíos orm, agus ar mo dheartháir, agus uilig anocht. Caithfidh tú fanacht anseo.
[*He saw something else, I can't remember. Listen, I don't know if you are an angel or a prophet, but I'm afraid, my brother is afraid, we all are. You have to stay here.*]

MICHAEL (*uncomfortable that* MOLLY *is on her knees, he helps her up*) I will, I'll help. I will stay and keep watch till dawn.

MOLLY *exits as the Angelus bell tolls.*

TRANSITION TWO

MICHAEL *walks round the empty bothy suspended out of time and space. Smoke is filling the stage.* THE CHORUS *enter made up of everyone except* MICHAEL *and* MOLLY, *surrounding* MICHAEL *chanting the prophecy this time starting as if in a rosary – call and response, eventually building to a fever, with the drums/feet/fists banging and screaming.* MOLLY *and* MICHAEL *call out over* THE CHORUS.

Lights and smoke start to build and begins to make him choke. He is panicking now. He is frozen, he can't get out.

CHORUS (*whispered*) Bóthar trasna gach phortach. Le ribíní na súile.
Agus beidh na clocha
ar an mbóthar ag caint.
[*A road across every bog.*
With ribbons of eyes,
Stones on the road will be talking.]

(*Spoken*)

> Travelling North and South,
> On iron wheels,
> Carriages of smoke and fire,
> Will come to Achill.

We see MOLLY *stuck unable to enter the bothy space, she can't get to the voices, she calls what she sees as if she herself is paralysed watching the nightmare.*

MOLLY Dúisítear muid agus deirtear linn go gcaithidh muid imeacht. Tá ár seomraí ag líonadh le deatach.
   [They wake us and tell us to get out. Smoke is filling our rooms.]

MICHAEL Smoke?

CHORUS Rothaí iarainn faoi chóistí ag
   dul ó thuaidh agus ó dheas.
   Cóistí ar rothaí faoi dheatach faoi
   thine ag teacht go hAcaill.
   [Carriages on wheels travelling
   North and South
   will have iron wheels
   smoke and fire will come to Achill.]

MOLLY Tá na lasrachaí chomh hard. Níl muid in ann na lads a shábhail. Tá na doirse ar an taobh eile faoi ghlas. Tá siad sáinnithe.
   [The fire is so fierce that we cannot save the lads. The doors on the other side are locked. They are trapped.]

MICHAEL I don't understand . . . why are the men are trapped? What doors are bolted from the outside? Why are the men trapped? Why? Why?

CHORUS Travelling North and South,
   On iron wheels,
   Carriages of smoke and fire,
   Will come to Achill.
   Rothaí iarainn faoi chóistí ag
   dul ó thuaidh agus ó dheas.
   Cóistí ar rothaí faoi dheatach faoi
   thine ag teacht go hAcaill.
   [Carriages on wheels travelling
   North and South will have iron wheels
   smoke and fire will come to Achill.]

MOLLY Tá muid ag glaoch orthu ach níl freagairt ag teacht ar ais.
   [We call for them but no answer comes back.]

MICHAEL How can nobody answer? Why do the men not answer
   back?

CHORUS Rothaí iarainn faoi chóistí ag
   dul ó thuaidh agus ó dheas.
   Cóistí ar rothaí faoi dheatach faoi
   thine ag teacht go hAcaill.
   [Carriages on wheels travelling
   North and South
   will have iron wheels
   smoke and fire will come to Achill.]

(Sung more discordant)

   Beidh teach ar gach cnoc
   Droichead thar gach sruth,
   Beidh bróga ar dhaoine bochta,
   's Béarla a bheidh ag na paistí   *(repeat five times)*
   [There will be a house on every hill
   A bridge on every stream,
   Paupers will wear shoes
   and children will speak English]

Humming continues till exit.

The chorus move as one, moving the table and chair/bench. MICHAEL
looking for a vent, engulfed by the chorus and smoke climbs up on to
a chair and then table in an attempt to breathe clean air. The CHORUS
continue chanting as MICHAEL *and* MOLLY *keep trying to be heard*
over them.

CHORUS *(cont'd)* Beidh claí ar na bóithre.
   [Roads will have fences.]
   Beidh geata ar gach crosaire.
   Ar bharr cuaillí a bheidh an nuacht ag teacht.
   [Crossings will have gates.
   News will travel on the top of poles.]
   Níos sciopthaí ná seabhac ó Bhaile Átha Cliath go dtí An Fód Dubh
   [Faster than a hawk will fly from Dublin to Blacksod Bay]
   Rothaí iarainn faoi chóistí ag dul ó thuaidh agus ó dheas.
   [Carriages on wheels travelling North and South will have iron
   wheels.]

Agus beidh na clocha ar an mbóthar ag caint.
[The stones on the road will be talking.]
Cóistí ar rothaí faoi dheatach agus faoi thine ag teacht go hAcaill.
[Carriages on wheels with smoke and fire will come to Achill.]

*The sounds of the screaming and banging of the chorus reaches its
peak and then finally,* THE CHORUS *engulf* MICHAEL, *pulling him down
to the table, silence.*

A lone keener is heard as the chorus withdraw as a SCOTS WOMAN
wraps a shawl around MOLLY *and comforts her.*

SCOTS WOMAN Aw, c'meer, c'meer. There there. You're awricht, oh
yer erms are like ice. Wheesht, wheesht, whit a thing you've seen
this nicht, ma pair wee lassie. You're nothin but a wean yoursel.
Ah've sent for the doctor an he'll gie ye somethin to mak ye sleep.
You're in shock. I've a bed made up, c'moan, Ah'll look eftir ye,
wheesht. Aw yer men an boays . . . yir brithers . . . locked! – oh
darlin, darlin . . .
   Oh, here's ma man the now, he'll hap ye up an cairry ye hame
tae oor hoose, we'll keep ye safe, we'll watch you, hen, an keep
ye safe.

SCOTS MAN *scoops* MOLLY *up in his arms and carries her limp body off
the stage followed by his wife, as the* CHORUS *withdraw.*

MICHAEL *collapsed in a heap back on the chair, crying in his half sleep.*

Scene 6

The light and smoke fades to reveal MICHAEL *back at home at his
table with his laptop.* MICHAEL *is so relieved he is home.*

GRACE (*Enters and tries to poke at* MICHAEL) Michael! You teenagers
seem to do nothing but sleep.

MICHAEL Gran, am I glad to see you, how are you Gran?

GRACE I'm all the better for seeing you, you wee toe-rag. Why have
you not cycled over to see me? Now I've got to schlep all the way
over here to catch a glimpse of you. Are they hounding you with
homework again?

MICHAEL Actually, I think I may have cracked it this time Gran. I got
a B+ for that project I handed in, about migrant workers.

GRACE B+ eh? That will be from the Gaelic side of course, your
Granda had brains to burn. That was well beyond me, but he'd

have been so very proud of you, you know. Not that he'd have let on mind.

MICHAEL Aye. Just like mum, are they all like that in Lewis?

GRACE Why do think we stayed in Glasgow! I wish he had met you. Still, I'm proud as punch, you wee brain box. Here, there's a tenner for you. To get some chips with your pals. Just between you and me eh? Don't look at me like that. Don't think I don't see you hanging around Lorenzo's with that wee what's-her-name . . .

MICHAEL Gran!

GRACE (ribbing MICHAEL – tickling him and sharing a laugh together. She tries to be cool but gets it wrong.) The one you are always on that snack chat to.

MICHAEL (laughing) Snapchat Gran.

GRACE Eilidh is it?

MICHAEL Anyway I had to read it out in assembly, I couldn't believe, that kids as young as eight and ten worked in our country. That's like slave labour.

GRACE It does go on in foreign countries, India and the like.

MICHAEL No, this was in Kirkintilloch, young Irish lads, remember me and Dad cycled out there but the library was closed, well I found loads of stuff online.

GRACE is in shock when she hears MICHAEL say "Kirkintilloch, young Irish lads", looks at the floor in silence.

MICHAEL They've got a great pizza place in Kirkintilloch too. Me an' dad got a slice, better than 'enzo's, not that that would be hard.

GRACE is still fixed on the floor in silence.

MICHAEL Eh Gran? (notices she is still staring at the floor) Gran are you O.K.?

Into this awkward heavy silence MORAG storms in raging followed by AONGHAS.

MORAG A Mhìcheil, thalla 's cuir air an coire.
    [Michael, on you go and put the kettle on.]

MICHAEL We just had a cup of tea.

MORAG Tha mise ag iarraidh fear, thalla.
    [I want a cup, so on you go.]

MICHAEL (*getting up reluctantly, slowly moving away*) Great. Gran
I'm just going next door to "make a cup of tea".

MORAG Go! For once will you just do what I am asking you . . .

GRACE (*looking up from the floor, glad of the change of subject*) Ach,
let the lad be, surely he's old enough to hear anything. He's fifteen
for goodness sake.

MORAG Yes, he may well be old enough to hear this, but he sure as
hell won't be old enough to understand it, I certainly don't.

She hands GRACE *a newspaper.*

Look at that . . . read it! The bit down the bottom! The death
notices. You told me your mother was dead.

Nothing. You refused to even talk about it.

Even when I was pregnant with Michael, asking, pleading with
you for something, anything about your side of the family. An
ainm an Àigh! [*For goodness sake!*]

Trying to hold back the tears.

Agus an-diugh . . . And today . . . today a phone call from a
funeral home in Ayr that your mother is to be buried! Bhàsaich i.
Do mhàthair fhèin!
[*She is dead. Your own mother!*]

Were you ever going to tell me? My Grandmother, living here,
that I never knew about. In a home for the last, cò aige tha fios,
[*who knows?*] how many years! And that's . . . That's just it, we
don't know how many years, chan eil fhios againn, chan eil fhios
againn [*we don't know, we don't know*], because up until today,
we didn't even know she existed!

GRACE (*Starts gathering herself to go, almost can't bring herself to
look at* MICHAEL) I don't want to . . .

MORAG Ach sin a rud [*that's the thing*], it is **not** just about what **you**
want is it? Michael has a right to know too.

GRACE *is frozen and feels* MICHAEL'*s eyes on her.*

MICHAEL (*to* MORAG) A bheil thu cinnteach?
[*Are you sure?*]

MORAG Tha, tha mi cinnteach. [*Yes, I am sure.*] A hundred per cent
certain, I got a call from the home to trace Gran, Grace Morrison,
her only surviving relative.

MICHAEL (*in disbelief*) Mum, that can't be right, they must have got the wrong person? Gran? That means that's your mum, how did you not . . .

GRACE *can't bear it any longer, the look of hurt from* MICHAEL *is more than she can take – she exits.*

MORAG (*shouting after* GRACE *as she leaves*). That's it, run away, just like you've run away from telling me an ounce of the truth. Every bloody . . .

AONGHAS Grace . . .

AONGHAS *sees* MORAG *is visible shaking and he puts his arm around her.* MORAG *brushes it away raging.*

MORAG Dè seòrsa boireannach a th' innte?
[*What kind of a woman is she?*]

I mean. Who does that, who does that? What kind of a woman doesn't tell her own daughter, her own grandson that her mother is still . . .

AONGHAS Gabh air do shocair [*take it easy*], to be fair she never actually said she was dead. We just all assumed it. There must be a reason not to tell you, I know you two never see eye to eye, but . . .

MORAG There you go again, defending her, when she wouldn't tell her own grandson, your flesh and blood, about her own mother. Maybe now you'll finally get what it's been like all these bloody years. Stone cold silence every time I tried to get close to her.

MORAG *shouts as she exits to follow* GRACE

No! She does not get to walk off like that!

MORAG *is gone and* AONGHAS *can see* MICHAEL *is in shock.*

MICHAEL I don't believe it. How could Gran do this?

AONGHAS Your Gran has never spoken about her family, you know how she is.

MICHAEL I just thought they were all dead. That's why she talks about Grandad all the time, that way she doesn't have to get into anything about her own family.

AONGHAS Agus sin as adhbhar gu bheil Mam cho làidir nis a thaobh na Gàidhlig.
[*And that is why your mum is so strong on the Gaelic.*]

That's the one bit of family connection that your mum had and even then she had to work at it, losing her father so young. She went to Lewis to hold onto the Gaelic, so that she could hold onto him.

MICHAEL Apparently I got my brains from my Lewis Granda.

AONGHAS Your mum's very proud of you. It was hard on her watching the two of you have a connection.

MICHAEL I know they didn't see eye to eye, but this, I don't know . . .

AONGHAS We need to get them to talk to each other about it. You'll be gone to college in two years' time, so if we don't try and sort this out now. It'll be the same story all over again. Your mum will cut your Gran out of her life because of this. We have to try and help them find some peace with all of this, Michael I'm relying on you . . . right?

MICHAEL *nods*

AONGHAS I'll be back. I'm going to try and speak to your mum.

Exhausted by the shock of what has just happened, MICHAEL *chooses to escape, losing himself now in his game on the laptop, falling asleep on level three of his game . . .*

TRANSITION THREE

The Angelus tolls.

The CHORUS *chant the final lines of the prophecy in a rhythm, as* MOLLY *is lost in her grief.*

(Not sung – whispered and spoken)

CHORUS Smoke and Fire *(repeat 32 times)*

(joined by, after 4 times)

Deatach *(4 times)* / Tine *(4 times)* *(repeat 3 times)*
Cóistí ar rothaí faoi dheatach
faoi thine ag teacht go hAcaill
[Carriages of smoke and fire
will come to Achill]
Cóistí ar rothaí faoi dheatach
faoi thine ag teacht go hAcaill
[Carriages of smoke and fire
will come to Achill]

Cóistí ar rothaí faoi dheatach
faoi thine ag teacht go hAcaill
[Carriages of smoke and fire
will come to Achill]
First and Last   *(repeat 8 times)* (CHORUS)
Carry the Dead   *(repeat 8 times)* (CHORUS)
An chéad traein 's an deireanach
ag iompar na marbh go hAcaill?
[First and last trains to Achill
will carry the dead]
An chéad traein 's an deireanach
ag iompar na marbh go hAcaill?
[First and last trains to Achill
will carry the dead]

Scene 7

MICHAEL *walks towards* MOLLY *who is very distressed, rocking back and forward.*

MICHAEL Molly, Molly?

MOLLY *looks straight through* MICHAEL, *she is not acknowledging him.* SEÁN ÓG *enters as he hears these words from Molly and he is gutted, thinking she is talking about him not being there to help.*

Gone. You . . . left . . . left me when I needed you . . .?

MICHAEL *retreats once he knows he can't reach her.*

SEÁN ÓG You're here. I've been looking everywhere. I asked some of the other girls but they just looked past me like I didn't exist. Did you sleep at all?

He tries to be as comforting to her as possible.

She's a sound woman, the one that took you in? She told me she sat by your bed all the night long, stayed with you as though you were one of her own.

Molly we've heard word that the lads are not going to be buried at St Ninian's now. A telegram came from home – I
can read it to you. Beir Abhaile Ar Marbh. Did I say it right? Bring home to us our dead. We are going to take them home, all ten of them first by boat to Dublin and then train home to Achill.

MICHAEL Oh God no. Molly, they didn't all die . . . all of the lads out picking that day with us? No . . . no . . . no?

SEÁN ÓG They think maybe you are not fit enough to make the awful long journey home but I can stay with you. Molly, please?

You'd better stay strong for what's ahead. Great comfort it'll be to your Mother to have you home for the funeral. You'll be no good to her if you've no strength left, come on.

She pushes his hand away and is inconsolable.

They've starting a collection, you know, here in Scotland to cover the money burned in the fire. Celtic football club itself promised a hefty donation. They're saying Ireland won't stand for it no more – sleeping us in sheds, us like cattle. Please God something has to come of all of this.

Trying a different tack.

I have something else for you too.

SEÁN ÓG *brings out the pebble* MOLLY *gave him for his birthday. He passes it to her. Its familiarity is enough to attract her interest for a moment.*

It's lucky this pebble you gave me. It kept me safe, Molly. I think you should take it back now. If you squeeze it tight enough it might even stop the pain. Just a little bit.

MOLLY Ba cheart dhom é a thabhairt do Fraoch.
[I should have given it to Fraoch.]

SEÁN ÓG What?

MOLLY (*breaking down, beside herself with grief*) Fraoch . . . I told him I hated him. I didn't even say goodnight to him.

MICHAEL Not Fraoch as well. Oh my God no, the names on the plaque, the one I found with my dad. It was those lads working on the farm in Kirkintilloch, I didn't know, that it was them that never made it home.

MOLLY (*holding out the pebble*) I should have given this to my brother.

SEÁN ÓG *is wounded by this.*

SEÁN ÓG You're right. That would have been better. That was the only night I slept in with my father. Don't you think I wish that I'd stayed with them that night?

They sit together in silence for a moment.

SEÁN ÓG (*cont'd*) Thank you for saying it. They all think it. All the women. How can you stand there, living and breathing, when we have lost our brothers? My Father feels it too. The wrongness of me being alive. He can't even look at me.

MOLLY *moves away from* SEÁN ÓG *and throws the pebble to the ground and stamps on it with her boot until it is smashed into pieces.* MICHAEL *watches* MOLLY *in shock as the* CHORUS *come to take* MICHAEL *back.*

SEÁN ÓG *scrambles on the floor to pick up the pieces as he desperately tries to connect with* MOLLY. MOLLY *withdraws, lost in her grief, rocking back and forward.*

TRANSITION FOUR

NORTH *&* SOUTH *&* NORTH

The Angelus tolls.

This time the CHORUS *just chant in fractured whispers, picking up on some of the names.*

CHORUS

Rothaí iarainn faoi chóistí	(Michael Mangan)
ag dul ó thuaidh agus ó dheas.	(John McLoughlin)
Carriages North and South	(Owen Kilbane, Thomas Kilbane)
Will have iron wheels	(Patrick McNeela)
Rothaí iarainn faoi chóistí	(Michael Mangan)
ag dul ó thuaidh agus ó dheas	(John McLoughin)
Carriages North and South	(Owen Kilbane, Thomas Kilbane)
Will have iron wheels	(Patrick McNeela)
Agus beidh na clocha	(Thomas Cattigan)
ar an mbóthar ag caint	(John Mangan)

[The stones on the road will be talking]

Cóistí ar rothaí faoi dheatach	(Patrick Kilbane, Thomas Cattigan)
faoi thine ag teacht go hAcaill	(Thomas Mangan, Martin McLoughlin)
Cóistí ar rothaí faoi dheatach	(Patrick Kilbane, John Mangan)
faoi thine ag teacht go hAcaill	(Thomas Mangan, Martin McLoughlin)

[Carriages on wheels with smoke and fire will come to Achill]

Scene 8

MICHAEL *is half asleep, slumped over his laptop mumbling to himself, when* MORAG *tries to wake him.*

MORAG Mhìcheil, Mhìcheil!
  [Michael, Michael!]

MICHAEL Eh?

MORAG Tha thu a' cur seachad cus ùine a' cluich air na video games 'ud, right, tha sin gu leòr, thoir dhomh an laptop?
  [You spend way too much time on those video games, right that's enough, give me the computer?]

MICHAEL I just have to . . .

MORAG Thoir dhomh an laptop!
  [Give me the laptop!]

MICHAEL *reluctantly places the laptop on the table between the two of them.*

There is something I want to discuss with you, so I need your full attention. The nursing home sent over a photo and some effects. Once Grace sees some of Margaret's things, a photo to jog her memory, she might finally make the right decision . . .

MICHAEL Who's Margaret?

MORAG Do shinn-seanmhair.
  [Your great-grandmother.]

MICHAEL Gran's mum? Is that what her name was? Margaret. It's weird saying it. I wish I knew more about my great Granny . . .

MORAG That makes two of us. Nach bruidhinn thu ri do sheanmhair. Tha i an-còmhnaidh ag èisteachd riut. Thuirt d' athair 's mi fhèin rithe gu robh thu airson a faicinn, tha fhios agad cò ris a tha i coltach, bhiodh i toilichte tighinn air do shonsa.
  [You must speak to her, she always listens to you. Your dad and I told her that you wanted to see her, you know what she's like, she'd be happy to come over for you].

MICHAEL Mum have you lost it? You can't go telling her I want to see her; that is so sketchy. To trick her; get her over here, to show her some photo, no way?

MORAG *(grabbing the laptop)* What are you doing?

MICHAEL 'S ann leamsa a tha e.
  [It is mine.]

MORAG Dè th' ann?
  [What is it?]

She goes to look at what's on it.

MICHAEL It's private.

He reaches for it; she pulls it away.

AONGHAS What's happening?

AONGHAS *has appeared.*

MORAG I want him to speak to his Gran for me once she is here. I
  can't get her to change her mind about going to Margaret's funeral.
    A bheil thu a' dol a bhruidhinn rithe?
    [Are you going to speak to her?]

MICHAEL Why should I speak to her about it? I never even met Gran's
  mother.

MORAG Neither did I.

MICHAEL So leave it up to Gran to decide.

AONGHAS Your mother and I never ask you for anything. Might be
  the time to step up. Your Gran is on her way over. There is no time
  to discuss this.

MORAG Well? Dè do bheachd?
  [What do you think?]

MICHAEL Chan eil fhios agam. *[I don't know.]* I don't want all this
  pressure being put on me.

A standoff which MORAG *cuts through.*

MORAG Your Gran's not engaging at all. She's let the funeral director
  organise everything. They're cremating her for God's sake even
  though she was Catholic . . .

AONGHAS Was she?

MORAG Apparently! You don't cremate a Catholic. It's a . . . thing.
  Gran's just not dealing with it all very well. They may not have
  spoken in over forty years, but you only get one mother. Gran's
  terrible at death. She never really came to terms with the loss of my
  father so young. She turned so cold and hard.

MICHAEL Why does it have to be me?

AONGHAS (*losing patience, he has one last go before he exits*) Look I've got to talk to the funeral home, try and explain things but your Gran will be here any minute remember what we talked about, your mother needs you to do this.

MORAG *thrusts the laptop back to him.*

MORAG An e nach eil annad cuideigin a chuideachadh nuair thèid iarraidh ort ?
[Is it not in you to want to help when somebody asks you to?]

MICHAEL I don't want to be the one that gets asked is all.

MORAG Tha e modhal a bhith freagairt na ceist anns a' chànan san deach a faighneachd.
[It's polite to answer in the language the question is asked in.]

MICHAEL Is insisting on talking in Gaelic with somebody who doesn't want to, polite? Is it polite to blast out your Kathleen whatsherface CD all the time so I have the "Teanga Bhinn Mo Mhàthar" stuck in my head non-stop?

We see MORAG *deflecting and straining under the pressure of the constant battle with* MICHAEL *and impending arrival of* GRACE.

MORAG (*wounded by this*) Grace will be here any minute. Nach dèan thu an aon rud a tha mi ag iarraidh? Feuch 's dèan an rud ceart.
[Will you not do the one thing I am asking? Try and do the right thing].

MORAG *exits. The sound of the "Teanga Bhinn Mo Mhàthar" being hummed.*

MICHAEL Not funny.

But it isn't MORAG *humming it. The tune is coming from the chorus.*
MICHAEL *bangs his head again.*

Enough, that's enough, I can't get it out of my brain!

GRACE *enters, worried by the state* MICHAEL *is in.*

GRACE All right son, take it easy.

MICHAEL Am I dreaming?

GRACE I don't think so son.

She leans in and pinches him.

MICHAEL Ahhh.

GRACE Seem awake to me.

MICHAEL That hurt.

GRACE Wheesht.

MICHAEL (*on the laptop looking things up*) Do you believe in prophets?

GRACE You are full of surprises my son. What a question. Um . . . no.

MICHAEL Have you ever heard of a fella called Brian Rua Ó Cearbháin?

GRACE Who's he when he's at home?

MICHAEL Some Irish guy, saw telephone poles, cats' eyes on roads, trains, that sort of thing hundreds of years ago. He's for real. You can read all about him here on the internet.

GRACE *starts to laugh.*

MICHAEL (*cont'd*) What?

GRACE You were told to talk to me, weren't you? I'm sure that's why I've been summoned here. I know they're cremating her. Your mother wants me to go, says we all should. Do you want to go?

MICHAEL (*looks up guiltily*) I don't know.

GRACE Me neither. I could try and tell you about her. If you wanted to ask me about her. I could try and explain. It wasn't easy, I tried to leave all that poverty and hurt behind. I am sorry Michael.

MORAG *bursts in at this important moment with a photograph in her hand.*

MORAG I think you are going to want to have a look at this. I need you to look at this.

MORAG *is thrusting a photograph at* GRACE, *who is backing away from it.*

GRACE Stop it, Morag.

MORAG It's only a photo.

GRACE I will not look at old photos of my mother with you. I will not sit about telling stories about her and weep with you. I will not. So, you can stop it right now.

MORAG So don't talk about her. There's one here and it must be your father in it. He's a look of Michael about him across the eyes. Talk to me about him. Tell Michael about him.

GRACE My Daddy left us when I was six years old, Morag. I've no stories to tell.

MORAG I didn't know that. I didn't know you were six. So that's something. Where's this picture taken? Just look at it. Please. It's the three of you standing in front of a small cottage with the sea behind it.

Nothing from GRACE.

You don't have to say nice things about Margaret. That's not what I'm asking. Tell me about what you're wearing. Who took the photograph? Just look at it with me. Please.

GRACE *takes the photograph. She doesn't look at it, instead she tears it in half and crumples it in her hand.*

That's the only copy. You can't do that. That doesn't just belong to you.

GRACE *thrusts it at* MORAG.

GRACE Take it then. You can have it. I don't want it.

MORAG *doesn't take it.* GRACE *thrusts it at* MICHAEL.

Do you want it Michael?

MICHAEL Not really Gran.

MORAG *pulls it out of* GRACE's *hand, tries to flatten it out.*

MORAG Explain it to me then. What did she do to make you stop loving her? To never have even told us about her, where she was until it was too late? Who does that? What kind of person does that to their own daughter, own grandson?

GRACE You will never understand, Morag.

MORAG Was she cold? Hard? Buried her love so deep, you started to wonder if it was there at all? Was she impossible to reach?

GRACE She was all those things and more.

MORAG *laughs and shakes her head.* GRACE *realises* MORAG *was saying those things about her, not Margaret.*

I am not like her.

A faceoff. MORAG *breaks away, looks at the photo again.*

MORAG An ainm an Àigh! *[For goodness sake!]* Michael, take a look, you've a real look of your great grandfather.

MICHAEL *reluctantly glances at the photo, but something catches his eye in it. He grabs it from his mother and studies it closely.*

MICHAEL Gran, who's this in the picture with you and your Dad?

GRACE Don't you start, Michael.

MORAG It's Margaret. It's Gran's mother.

MICHAEL (*rushing to bring up the photo on his laptop*) Someone in the photo . . . do you remember the Kirkintilloch project I did? Hold on, oh mo chreach [*oh my goodness*], it can't be.

Madly searching on the laptop.

I only just came across this photo from the papers of them the day after the fire. There's a girl with an older woman putting a shawl around her, wait here it is. See if you zoom in you can just see her there in the corner, she is so young, look.

MORAG It's Margaret, Michael.

MICHAEL It's not.

GRACE Ach, let me see!

MICHAEL *passes the laptop to* GRACE, *who looks at it at last.*

GRACE That's Margaret.

MICHAEL It's Molly.

GRACE My mother. That's what they called her as a girl.

MICHAEL But your mother was from Scotland, died in Scotland? Molly was from . . .

GRACE Achill. We moved to Scotland when I was just a girl.

MICHAEL But she wouldn't. She swore never to come back . . .

GRACE She had to. My mother had no choice, my Daddy left us. Said he couldn't reach her. We had to come over to work.

MICHAEL To pick tatties?

GRACE That's how we started.

MORAG This was your project? Sin an obair a bha thu a' dèanamh air an laptop. [*That's the work you were doing on the laptop.*] All the time Margaret was part of it. Chan urrainn dhomh seo a chreidsinn. [*I don't believe it.*] He's found out all this stuff about her.

She may not matter to you, but she clearly matters to him. Will you go to the funeral tomorrow?

MICHAEL Oh Gran . . .

TRANSITION FIVE

THE CHORUS

The Angelus tolls.

The CHORUS *slowly lift a coffin/potato seed box/large wooden box (big enough to be a coffin) out of the soil, as they start their incantation – this time it is more fractured and minor-sounding. Moving as one but there is something of the symmetry of how they move that has some of the earlier potato-picking symmetry to it, placing it before* MICHAEL.

CHORUS   'S beidh na clocha
    ar an mbóthar ag caint.
    [The stones on the road will be talking.]
    Beidh fal ar na bóithre
    Beidh crosairí bheith geataí.
    [Roads will have fences.
    Crossings will have gates.]
    Ar bharr cuaillí a bheidh
    an Nuacht ag teacht.
    [News will travel on the top of poles.]
    Níos sc"iopthaí ná seabhac ó Bhaile Átha Cliath
    go dtí An Fód Dubh.
    [Faster than a hawk will fly from Dublin to Blacksod Bay.]
    Rothaí iarainn faoi chóistí
    ag dul ó thuaidh agus ó dheas.
    's ó dheas, 's ó dheas.
    [Carriages on wheels travelling North and South will have iron wheels.]

Scene 9

THE LAST TRAIN TO ACHILL

The CHORUS *leave* MICHAEL *watching as* MOLLY *and* SEÁN ÓG *are left travelling on their last part of the train journey coming down into Achill.*

SEÁN ÓG Molly, I wish you came out to see them. When we were pulling in, if you thought the crowds in Glasgow as we left were huge, they were nothing on Dublin Port. Thousands and thousands of people lined the quays. The water didn't end, it just turned into a sea of people. Even in the fields Molly, at every stop people have been gathering and crossing themselves, all the way down the line, Kildare, Athlone, Roscommon, Castlerea, Ballyhaunis, Claremorris, and on to Castlebar and Westport. A wave of mourning washing across the country.

    We are nearly home now Molly; the last stop is close. The hardest bit is yet to come. When we stop at Achill, our people. They will be there for us. For us that's gone and us that's left. Half of Ireland have come to stand with us, to see the lads home.

MOLLY (*angrily to* SEÁN ÓG) What lads? There are no lads. They are not here but we are, oh yes we're here but what use is that.

Anger rising.

    They'll never see their mothers again, Thomas, Patrick, Owen . . . read them, their names, out loud, so I can have them by me.

SEÁN ÓG *upset, wracked with guilt reads the names on the coffin.*

SEÁN ÓG *and* MICHAEL (*reading the names together across the two timelines*) Thomas Cattigan, nineteen. Patrick Kilbane, eighteen. Thomas Kilbane, sixteen. Owen Kilbane, sixteen. John Mangan, seventeen. Thomas Mangan, fifteen. Michael Mangan, thirteen. John McLoughlin, twenty-three. Martin McLoughlin, sixteen. Patrick McNeela, fifteen.

SEÁN ÓG *reads halfway down, so upset with guilt he can't read any more and leaves.*

MICHAEL (*touches the coffin with his hand and looking the names marked on the lid of the coffin*) Which one is Fraoch?

MOLLY Tá sé ann [*He is there*]. (MOLLY *breaks down distraught*) Fraoch, that was the nickname we gave him.

MICHAEL (*searching for a word of comfort*) They're at peace now.

MOLLY Ní bheidh suaimhneas go brách acu, go brách. An fhad agus nach dtugtar fianaise fírinneach ar ar tharla, is i gcré míshuaimhneach na cille a bheidh's siad. Is trom an t-ualach a bheidh's ann do mhuintir Acla.
[*They will never be at peace, never. So long as there is no one who bears witness to the truth, they will lie in an unquiet grave. Achill will live with this pain forever.*]

MICHAEL Who will bear witness to the truth Molly; why will they never find peace?

MOLLY (*raging and distraught at the memory*) Ní raibh muid in ann . . . ní raibh muid in ann an doras a oscailt. An tine . . . Ní . . .
[*We couldn't . . . We couldn't get the door open. The fire . . . we . . .*]

MICHAEL Molly, it's not your fault; it's nobody's fault; you couldn't open the door and get them out.

The CHORUS *approach a little closer.*

MOLLY Cén fáth a raibh an simléar dúnta suas, agus é lochtaithe le gual?
[*Why was the flue blocked and it loaded with coal?*]

MICHAEL No. In the bothy where the boys slept? Why would anybody block the flue with coal?

MOLLY An duine céanna a chuir glas ar na doirse. A nglasáil go dlúth.
[*The same person who jammed the lock on the sliding doors. Jammed them shut.*]

MICHAEL Can't have been deliberate. If somebody had jammed the lock on the doors and blocked the flue – if they'd trapped the men deliberately – they would have . . . they'd have been caught, questioned. Surely?

MOLLY Níl tú ag cur na gceisteanna cearta.
[*You're not asking the right questions.*]

MICHAEL What questions should I ask?

MOLLY (*her anger is building*) Níl tú ag éisteacht! Chuala mé an bhean Albanach i Kirkintilloch, an bhean a thug aire dhom, agus . . . í ag rá . . . go raibh, go raibh siad . . .
[*You are not listening! I heard the Scots woman from Kirkintilloch, the one who took me in and . . . she said . . . that . . .*]

The Scots woman who took me in, I can hear her now, asking why, why was the bolt on the outside of the door locked hard and fast, why lock them in and the flue blocked.

Na buachaillí, sáinnithe mar go raibh glas ar an doras ón taobh amuigh. Sin é an fáth . . .

[The boys were locked in from the outside, that's the reason . . .]

MICHAEL (*in shock*) Why, why would they lock them into the bothy that night?

The CHORUS *start to take over surrounding* MOLLY *and* MICHAEL, *separating them.*

MOLLY (*hysterical with grief and anger*) Níl a dhóthain suime ag aon duine ionainn le go gcuirfí na ceisteanna cearta.

[No-one is interested enough to ask the right questions.]

MICHAEL Nobody . . . nobody cared enough about them to ask the right questions!

MOLLY *has a moment surrounded by the* CHORUS/THE ACHILL CROWDS *where she is.*

MOLLY *is keening, calling out for her brother. Each time she calls out she is turning in on herself, ripping pieces of her clothes and beating and pulling her own hair in inconsolable grief.*

Mo dheartháir. Mo dheartháir. Mo dheartháir.

[My brother. My brother. My brother.]

The CHORUS *drone has built, they are now taking over the keening, they are the people of Achill and their grief is overwhelming. They try and hold* MOLLY *back from pulling at her clothes and hair in grief. She is now incoherent.*

The keening from the CHORUS *takes over the cries from* MOLLY, *till she cannot be heard and they tie her hands behind her back, to stop her pulling at her hair, carrying her off.*

All of the CHORUS *take their coats in one movement and prepare for the funeral line, watching the coffin being taken off.*

Scene 10

A lament is played as SEÁN ÓG *with the* GAFFER *enters and with great difficulty but heartbreaking dignity lifts* FRAOCH's 1937/MOLLY's 2017 *coffin off. This is his burden.* SEÁN ÓG *carries the coffin off.*

MORAG *and* AONGHAS *join* MICHAEL *and* GRACE *all in their funeral coats and all watch the coffin leave. The light starts to fade as though doors are about to close slowly.*

MICHAEL Is this what Margaret would have wanted, Gran?

GRACE It is what it is.

MICHAEL They've not closed the doors on the hearse yet, there's still time to change your mind.

GRACE She's dead, Michael. There's nothing any of us can do about that.

MICHAEL But we can choose where to lay her to rest.

MORAG (*exhausted by it all*) Fàg sin 'ille. Rinn Granaidh a roghainn fhèin.
[*Let it go, son. Your Gran's made her choice.*]

MICHAEL *lets this land for a moment then* . . .

MICHAEL (*frustrated*) I can't let it go. Scotland wasn't even your mother's home, was it Gran? Molly, I mean Margaret was Irish.

GRACE She lived more than half her life here. Died here.

MICHAEL (*tries to convince her fueled by all the guilt and anger he feels*) Scotland was the place her brother and their friends died like cattle in a fire. A place where they were hated. God's sake, a place where even the memorial plaque with their names was vandalised in Kirkintilloch just a few years ago.

MORAG Tha sin gu leòr, leis an droch chainnt. [*That's enough now with the bad language*] There's no time now.

MICHAEL Why are people like that? Even the bit I read for my project I could see that nobody cared enough about them, nobody asked the right questions. AONGHAS *nods.* Why?

AONGHAS Feagal 's gràin. [*Fear and hate.*] Fear and hate. People on boats, coming over the sea, speaking a different tongue from our own, outsiders, wanting to work, it scares the life out of us. Always has, always will. Gran knows that better than any of us.

AONGHAS *waits and looks to* GRACE *to see if any of this will change her mind.*

AONGHAS (*cont'd*) Grace, it's time.

MICHAEL (*desperate to reach* GRACE) I don't think this was Molly's home. I'm trying not to feel ashamed that it's mine.

GRACE My mother never settled here. She'd be gone for days and never spoke of it to me. I knew something bad had happened here. Something bad enough to tear the love out of her by its root.

MICHAEL Molly belongs in Achill. There's still time, Gran. Beir Abhaile Ar Marbh [*Bring home our dead*].

GRACE *is visibly moved by this. When she speaks, she speaks in a low, primal Irish. A language she hasn't spoken since her childhood. That she didn't know still lived inside her.*

GRACE Ar marbh. Cén chaoi a dtabharfaidh mé abhaile anois í? Tá sé ró-dheireanach.
[*Our dead. How can I take my mother home now? It's too late.*]

AONGHAS What's she saying? Morag?

MORAG It's not Gaelic. Not from Scotland. Is it Irish?

MICHAEL It's not too late, Gran.

GRACE Tá sí caillte . . . marbh.
[*She's lost . . . dead.*]

MORAG She doesn't know Irish. I've never heard her speak Irish. What's she saying?

AONGHAS "Marbh" – she's dead.

MICHAEL We can still take her home.

GRACE Ní raibh grá ar bith i mo shaol go dtí gur chas mé ar d' athair, Morag.
[*I didn't know love until I met your father, Morag.*]

MORAG What are you saying? . . . gràdh, love. Not ever having had it. Until she met my father.

GRACE Nuair a tháinig mé go hAlbain, dúirt sí go gcaithfidh mé ar gcultúr agus ar nGaeilge a dhiúltú.
[*When I came to Scotland, she said I had to leave our culture and our Irish behind.*]

AONGHAS What's she saying?

MORAG When she came to Scotland. Letting go. Her mother forced her to reject her culture and her Irish.

MICHAEL They're shutting the doors now. You'll have to speak now Gran. We can take Molly home but you have to say now.

MORAG Mum.

They all hang on what GRACE *will say.*

Scene 11

GRACIE DON'T LOOK BACK

GRACE'*s mind goes right back to a memory that she feels so keenly.*

The slow air swells as MOLLY *enters in her 1940s coat and hat and with her case;* MOLLY *is standing on Achill pier, looking out to sea, about to take young* GRACIE *back to Scotland.*

MOLLY *is holding young* GRACIE'*s hand.*

MOLLY Don't look back my little Gracie. Don't think about Achill any more. It's too painful. We'll keep our heads down to the earth. We'll pick Scottish tatties, sing Scottish songs and play Scottish pipes. Because we are Scotties. We'll not speak Irish any more, Gracie. We'll use their words for it is their world. We won't let them hate us. And in return they'll let us work and live in their cattle sheds season on season. You are not to look back. We are leaving our hearts here in Achill.

　　What's left in our rib cage won't be strong enough to carry us if we dwell on home.

The slow air fades as GRACE'*s memory of* MOLLY *fades.*

Scene 12

ACHILL

The whole space is filled with light, a golden light, revealing Port na Feamainn on Achill, a beach strewn with seaweed. The sound of seagulls. SEÁN ÓG *is gone and* MICHAEL, MORAG, GRACE *and* AONGHAS *wander onto the beach. They bathe in the sun and skim stones.*

GRACE Come up here till I show you, take my hand. Look can you see the caves, all the way up to Moyteoge Head, we are on the edge of Achill, the edge of Ireland . . . the endless sea.

Upset at the memory.

I was seven years of age when she took me away from this place to Scotland. Back to where she had lost so much. "We'll leave our hearts in Achill Gracie", that's what she said to me; it was hard Morag. She was never able to cope, and I was too young; she shut down and I didn't understand what she'd lost. Sticking my fingers in my ears as she rocked back and forth sobbing every night. First chance I had, I got away from her. I don't think I felt my heart again until your father. Tá brón orm Morag. *[I am sorry.]*

MORAG Bròn, *[sad]* you are sad?

GRACE Not sad, just sorry.

MORAG Na bi duilich.
[Don't be sorry.]

GRACE We are back now, ar ais ar an Oileán *[back on the island]*, on Achill.

MORAG (*linking arms with* GRACE) It's so peaceful.

GRACE It wasn't peaceful last night.

AONGHAS It was blowing a gale. Yon man that runs the B&B said it was just a wee storm. I'm glad we weren't here when there was a big one. Now what did he call it?

MICHAEL Gairbhín na gCuach.

AONGHAS Oh, you were listening were you? And do you remember what it means?

MICHAEL The Golden Storm.

GRACE No. That's just the English. It actually means, hang on, I'll find it in this old brain of mine in a minute – Cuckoo! That's it. The Wee Storm of the Cuckoo.

MORAG Funny name.

GRACE I suppose you hear the cuckoo in May. It's a May storm.

AONGHAS A storm that loosens the seaweed and makes the sea turn golden.

GRACE Oh yes, a great crop of seaweed washes onto the shore after a Gairbhín na gCuach. Well, you can see.

She picks up a piece of seaweed and flicks it at MICHAEL.

MICHAEL Oy!

MORAG Horrible stuff.

GRACE Not at all. It's precious.

MICHAEL Don't they use it to fertilise the tatties?

GRACE Oh God, I remember something. Collecting seaweed on this beach. As much as I could hold and my mother swinging me onto her shoulders telling me what a clever girl I was to collect so much.

MORAG That's a happy memory.

AONGHAS Aye, each household belonged to a herd, so Mr B&B was telling me. And you'd know your beach. This one belonged to all the families from Keel West back. And once the storm had passed everyone would wait for the horn to sound then head to their beach. It was quite the occasion, apparently, ponies, children, everyone collecting together.

MORAG Why wait for the storm? Why not just pull the seaweed anytime?

MORAG *pulls on some seaweed.* GRACE *stops her.*

GRACE No! You pull it out by its root and it never grows back.

MORAG All right. I didn't know. Only a bit of seaweed.

AONGHAS It's time, we'll be late for the mass.

GRACE Five minutes more.

MORAG He's right. It's time.

GRACE O.K. love.

She helps her up. They brush off the sand from their clothes and make their way off the beach. MICHAEL *holds back. He has seen something.*

MORAG Greas ort a bhalaich, tha thu an-còmhnaidh nad dhàil.
[*Come on son. Always dallyin'.*]

MICHAEL Nach toir thu dhomh mionaid an seo? Cha bhi mi fada.
[*I'll be along soon. Give me a minute, will you.*]

Big smile from MORAG *to have her son respond in Gaelic.*

MORAG 'Fhios agad? Tha Gàidhlig àlainn agad. [*You know you have
beautiful Gaelic.*] Gaelic is in you, Michael. You can't give it back.
You can try to forget it, but it'll be just like that song stuck in your
head, bidh e fhathast ann. [*It'll still be there.*]
    Look at your Gran, all this never left her, the language, the
people, the Island, even when she buried it deep inside her, bha iad
fhathast ann. [*They were still there.*]

AONGHAS He's no done too badly keeping you mad Irish, Scottish,
Scotties or whatever you are in check, the pair of you. 'S math a
rinn thu a bhalaich. [*Fair play son.*]

They exit.

MICHAEL (*searching out to sea, hoping she'll come to him*) Molly, a
bheil thu seo? [*Are you here?*] An bhfuil tú ann? Molly? [*Are you
there?*]

MOLLY (28) *appears in* MICHAEL*'s mind, dressed still in her 1940s coat
and hat, we see* MOLLY *before* MICHAEL *does.*

MOLLY Tá go leor fáis déanta agat ó casadh ar a chéile cheana muid.
[*You've grown up since we last met.*]

MICHAEL We've brought you home. We're burying you today. Achill
called to us – Beir Abhaile Ar Marbh [*Bring home our dead*]. So we did.
    There was no train to Achill this time, but by road from Westport.
All the time I kept thinking back to how it must have felt for you on
that train.

MOLLY *picks up a purple Keem amethyst, looking out to sea as if she
is now lost to another time; they don't look at each other; they both
face out to the sea, lost in their own separate worlds.*

MOLLY Take them with you Michael, keep them safe, the stones, the
songs, the languages – take it out into the world. It will all still be
here for you when you come back.

MICHAEL I reckon if Brian Rua looked three hundred years into
the future we'd be able to guess at what he'd see. Still be people
working for pennies, crammed in places they shouldn't, unsafe
places. Still be children drowning as they travel for a better life.

And there will still be folk thinking they can ignore it 'cause the dead children aren't from their herd – 'cause they speak different, pray different.

MOLLY (*goes to leave*) You brought me home, now take home away with you.

MICHAEL I started learning Irish. I figured I'd be halfway there with my Gaelic anyway.

MOLLY Away leat . . .
[On you go. . .]

MICHAEL Nah, gave it up. It's all the "well a well" I can't get my head around. It's like you have to twist your face up all funny to speak it. I prefer Gaelic.

MOLLY Níl tú ag scaradh le teanga do mháthar?
[So you're not giving up your mother's tongue?]

MICHAEL Nah, not giving that up. Mum says I can't give it back even if I wanted to. I know where I am from now. Is Scottie mé *[I am a Scottie]*, the same as the lads, born at a different time, but I'm here in Achill now. I'll remember them and maybe I will make them proud of a wee Gaelic-speaking boy from Glasgow. Tha mi an dòchas co-dhiù *[I hope so anyway]*. Like that daft tune my Ma is always bangin on about "Teanga Bhinn ar Máthar".

He hums a little of it. She joins in and she sings a verse.

MOLLY (*sings in Irish*)
Cluinim ins gach ceárda fuaim bhog dheas aoibhinn álainn,
Mar cheolta binn' na gcláirseach nó crónán ceolta sídhe.
Tá sí ag éirí 'n airde ag neartú is ag árdú,
Tá 'n fhuaim ag éirí láidir, 'teacht chugainn ar an ngaoith.
[Listen we hear the beautiful soft sound coming from every corner,
Like the sweet music of the clarsach or the crooning of the music of the fairies.
It is getting louder and stronger, and growing in strength,
The sound is getting growing stronger coming to us on the wind.]

MICHAEL (*translates parts of the lyrics as she sings*)
"A beautiful sound coming from every corner . . .
like the sweet sound of the harp or the music of the fairies,
getting stronger coming to us on the wind"

MICHAEL (*sings the second half of the verse in Scottish Gaelic*)

"An leig sibh a dhol aog mi air talamh glas nan Gàidheal,
Neo 'n dèan sibh togail àrd orm os cionn an t-saoghail mhòir?"
Tha freagairt tighinn gu làidir: "Chan eagal dhuibh, a mhàthair,
Le teanga bhinn na Gàidhlig bidh Dàl Riata beò."
[*"Will you let me perish on the green soil of the Gaels,*
Or will you lift on high me above the big world?"
An answer comes boldly: "Do not fear, mother,
With the sweet Gaelic language Dàl Riata lives."]

I wish I'd met you for real.

MOLLY (*the horn sounds*) The horn. The herd will be coming to collect their seaweed. I'd better go.

He gets up to go. She stops him.

Ár dtréad. [*Our herd.*]

MICHAEL Our herd.

MOLLY (*leaving to join the herd who are singing with the pipes*)

Tá fuaim bhog bhinn na Gaeilge ag dúiseacht ó na sléibhte,
Tá lúth teacht ina géaga 'gus éirim ina croí;
Tá scaipeadh ar na néalta, tá 'n brón bhí uirthi ag éalú
'Gus solas geal na gréine ag taithneamh uirthi arís.
Tá a glór aoibhinn uasal ag crónán in ár gcluasa,
Níos binne ná na cuacha, nó ceiliúr binn na smól,
Tá teanga bhinn Naoimh Pádraig le cloisteáil ar na bánta,
I ngleann agus ar árdán ó cheann go ceann Mhaigh Eo.
Tá teanga bhinn ár Máthar, ag muscailt i Mhaigh Eo.
[*The soft sweet sound of Gaelic is waking from the mountains,*
The vigour is coming in our limbs, and rising in our hearts,
It is spreading on the clouds, the sadness is escaping,
and the light of the bright sun is shining on it again,
her beautiful, noble voice is crooning in our ears,
Sweeter than the cuckoo, or the sweet song of the thrush,
the sweet tongue of Saint Patrick is to be heard on the meadows,
in glens and hills and all over Mayo.
The sweet language of our mother is wakening in Mayo.]

Bana-Ghaisgich

Màiri Nic'IlleMhoire

2018

Chaidh *Bana-Ghaisgich* a riochdachadh le Theatre Gu Leòr. Bha ro-shealladh den dealbh-chluich ann am Finborough Theatre, Lunnainn, air an 17mh den Dùbhlachd 2018 mus do dh'fhosgail i aig làrach-sònraichte Studio Alba, Eilean Leòdhais, eadar 27–29mh den Dùbhlachd 2018.

CARACTARAN	CLEASAICHEAN TÙSAIL	
ELAINE – 45	Màiri Nic'IlleMhoire	
MAGAIDH – 45	”	”
PEIGI – 47	”	”
COLEEN – 17	”	”
IAIN/OIFIGEAR NÈIBHI	Mike Vass	

Còisir Coimhearsneachd
(GORMAL, MAIREAD, CATRÌONA, ANNA, MÀIRI, SEONAG)
Donna Barden
Georgie Fionnlastan
Màiri NicÌomhair
Màiri NicIllinnein
Cathy Mary Nic A' Mhaoilein

Neach-ciùil 's Sgrìobhaiche-ciùil – Mike Vass
Stiùiriche – Muireann Kelly
Dramaturg – Douglas Maxwell
Dealbhadh Èideadh – Donna NicLeòid
Dealbhadh Solais – Benny Goodman
Manaidsear Stèidse Teicnigeach – Morag Smith
Dealbhadh Margaideachd – Niall Walker
Neach-cuidich Margaideachd – Alice Watson

Sealladh 1

An latha an-diugh. An Dùbhlachd.

Tha ELAINE *a' dràibheadh eadar Inbhir Nis is Ulapul gus aiseag Steòrnabhaigh a ghabhail.*

ELAINE Tha seo gun chiall.
  Gun chiall
  is chan ann càil nas fheàrr
  a tha an aimsir a' dol
  Dubh-dhorchadas
  bleideagan sneachda
  solais
  Bheil còir agadsa fiù 's
  a bhith air cùl a' chuibhle?
  Dè an diabhal a tha thu a' dèanamh?
  Bheil thu às do chiall?
  You flaming idiot

Tha sinn ga faicinn a' coimhead a' chàr a' dol seachad orra.

  You ffflamin' idiot!!!!
  Nam biodh càr air a thighinn an-dràsta
  bhiodh sinne
  bhiodh sinne . . . finished.
  Ma bhreitheas mis' ort
  bidh ceannach agad air!
  Coma leatsa, anns an Range Rover agad,
  le number plate Gàidhlig
  's tu a' fàgail pile up mòr às do dhèidh
  Is mise an teis-mheadhain!
  Bhiodh a' Fiesta agamsa na shlèibhtrich
  air feadh an rathaid,
  agus dhèidheadh hamper M&S
  agus na h-ainglean beaga a cheannaich mi airson a' bhùird
  agus na prèasantan Nollaige air fad
  an lorg sa mhoch-èirigh,
  nan laighe ri taobh mo chuirp
  is bhiodh na pàipearan ag ràdh . . .
  "Driving Home for Christmas
  Doll found after Horrific Crash"

air neo
"Surprise Engagement Ring found on Christmas Corpse"

Is bhiodh mo phiuthar a' gal
a' faicinn a' phrèasant a cheannaich mi dhi
na laighe san dìg
bhiodh i a' caoineadh.
Oir tha rudeigin mun àm-sa dhen bhliadhna –
teaghlaichean còmhla, dòigheil, toilichte
a tha a' dèanamh chùisean tòrr nas miosa
ma chailleas tu cuideigin.
Tòrr nas miosa.

A' tarraing anail

A Thighearna
Chan eil ann ach an aon rathad!
Tha sinn uile airson faighinn dhachaigh.
Is cuiridh mi geall
gum bi Calmac
air dheireadh co-dhiù.
'S mì a bhios taingeil an Steak Pie fhaighinn

A' cur an àirde an rèidio

Oh is caomh leam an fhear-sa.

Tha ELAINE *a' seinn "Beinn a' Cheathaich" agus tha an* CÒISIR *a' gabhail thairis mar rèidio.*

Sealladh 2

An aon latha. Air bòrd an MV Loch Shìophort *bho Ulapul gu Steòrnabhagh, Leòdhas.*

MAGAIDH Good God!
We're never going to get a seat together now.
Eilidh and Lachlann, hurry up!
Stornoway here we come!!!
(*osna*) This is a nightmare.
And look at that,
someone lying down
and taking up the whole seating.
Selfish.

A' faicinn sèithir

    Oh, no.
    I'm not sitting there
    with people coming in and out
    of the toilet.
    The design on this ferry is just awful.
    There's not enough seats.

    I HATE sailing, Frank knew that,
    the odd regatta, I can cope with
    but this?
    Ugh, what are they cooking?
    Eilidh and Lachlann, what are you moaning about?
    Listen, people are singing in the Gaelic!
    Ferry entertainment, that's nice isn't it?
    There! Quick!
    There's a seat over there.
    Go! Go!

    Of course the flights were fully booked.
    That was Frank's job
    I had to do everything.
    The Christmas cake
    the school nativities
    the Christmas shopping
    the Christmas cards
    "Oh, Hello, nice to see you too . . ."
    I have no idea who that was.
    Watch out for that dog children!

    I feel sick already
    I hope they serve rooibos tea on here.
    And not in one of those awful
    cardboard cups.

A' leughadh a' chlàr-bìdh

    Oh, I don't believe this.
    Talk about being behind the times.
    Nothing.
    Not one thing

on this menu
for someone who is a vegan
on a high-protein
gluten-free, soy-free diet.
This is a disaster.
Mama needs to lie down.

MAGAIDH *a' dol na sìneadh.*

CÒISIR The general synopsis at one eight double zero
new low expected North and Germany, one thousand and seven
by one eight double zero on Tuesday
Lows – Viking 1008 and Hebrides 1008, both losing their
    identities.

The area forecasts for the next 24 hours

Viking, North at zero
cyclonic 5 or 6
becoming variable 3 or 4
then North-Easterly 4 or 5 later.
Showers, thundery at first.
Good, occasionally poor at first.

South at zero – Forties
South-westerly, 4 or 5
becoming variable, 3 or 4
then North-Easterly 5 to 7 later.
Rain or thundery showers later.
Moderate or good, occasionally poor later.

Cromarty Forth.
Variable 3 or 4
becoming North-East 4 or 5 later.
Showers, good.

Sealladh 3

1914, Eilean Leòdhais. An Samhradh.

Tha PEIGI, *màthair* IAIN, *a' tighinn a-steach dhan taigh-dubh aca le nigheadaireachd. Tha i a' bruidhinn ri* IAIN *a tha san rùm chùil.*

PEIGI 'S e plàigh a th' anns an Coleen bheag ud,
    is tha i a' falbh ann an aon chòmhradh,
    tha mi seachd searbh sgìth dhi!
    Am faca tu i, Latha na Sàbainn a chaidh
    air taobh a-muigh na h-eaglais?
    A' gàireachdainn!
    Mo nàire!
    A' gàireachdainn? Air taobh a-muigh na h-eaglais?

Tuts

    is cha tug a màthair fiù 's trod dhi
    Ach, cha b' iongnadh sin
    's a màthair mar a tha i
    bheireadh i do bhainne a-mach às do theatha, an dearbh thè!
    'S ì a rinn math nuair a landaig ise an seo airson an sgadain,
    's beag an t-iongnadh nach do sheas Uilleam bochd fada às dèidh a
        pòsadh,
    bha truas a' bhaile air.
    Is tha e gu math soilleir g' eil sùil aig Coleen annad
    chan eil i backward in coming forward
    Taing do shealbh gu bheil de chiall agadsa
    gun a dhol faisg oirre!

    Bha clann-nighean Thormoid 'an Bhàin an sin a-nochd.
    Nise, sin agad feadhainn a dhèanadh bean mhath dhut,
    gin dhen triùir aca.
    Clann-nighean modhail, bòidheach,
    is an athair na èildear san eaglais.
    Cuiridh mi geall gum biodh gin dhiubh sin
    ro thoilichte a sgrìobhadh thugad
    fhad 's a tha thu air falbh
    bu chòir dhut faighneachd dhaibh.
    'S ann a bha làmh-sgrìobhadh àlainn aig d' athair
    airson fireannach.

Tha PEIGI *a' tionndadh is a' faicinn* IAIN *mu a coinneamh na thrusgan Nèibhi.*

Oh Iain.

Cha mhòr gun fhaclan.

Mo ghaol ort
Trusgan a' Nèibhi
Ach cà' an deach na bliadhnaichean?
Tha thu a' coimhead . . . eireachdail.
Abair gum biodh d' athair air a bhith pròiseil dhiot,
tha thu cho coltach ris!
Nuair a dh'fhàg d' athair Leòdhas
airson a' chiad uair
shaoil e gun robh e a' dol a bhàsachadh
leis a' chianalas.
Tha sin nàdarrach gu leòr

Is e plàigh eile a th' anns a Khaiser ud!
Ach tha iad am beachd gum bi
an cogadh seachad an ceann mìosan.
'S dòch' gum bi thu air ais airson na bliadhn' ùire!

Nis', chuir mi crìoch air na stocainnean ud
agus leis an fheadhainn a rinn bean a' mhinisteir dhut,
bu chòir seachd pàidhrichean bhobain
a bhith agad a-nis.
Is thug Dòmhnall còir pìos flank dhomh,
gabhaidh sinn sin mus fhalbh thu sa mhadainn.
Rudeigin a chumas a' dol thu air do shlighe.

Feumaidh tu a bhith làidir Iain.

Na gabh uallach mum dheidhinn-sa
bidh mis' air mo ghlèidheil le Dia.
Coimhead às dèidh càch a chèile
is bi ag iarraidh a' Chruthaidheir.

Siuthad a-mach às mo rathad.
Tha gu leòr aig an dithis againn ri dhèanamh fhathast.

Tha IAIN *a' falbh is tha i ag èigheachd às a dhèidh.*

Agus feumaidh mi fàitheam a chur air a' bhriogais a tha sin!

(*Gu i fhèin*) Dè a nì mise as d' aonais Iain?

*A' dùrdan an amhrain "O 's tu gura tu a th' air m' aire" fhad 's a tha i
a' sealltainn air lèine* IAIN *agus ga phasgadh.*

Tha i a' falbh a-mach.

Sealladh 4

1914, Eilean Leòdhais, nas fhaide air an fheasgair.

Tha IAIN *a' spoth-ròin air an tràigh agus tha* COLEEN *a' nochdadh le
cais oirre.*

COLEEN Tha do mhàthair-sa an-còmhnaidh cho . . . ceart
    ge-bith dè nì mi
    chan eil e math gu leòr.
    Cha ruig mise spiris Peigi ann!

    Ugh, ghia,
    cuiridh mi geall nach bi thu ag ionndrainn
    fàileadh an fheamainn
    tha i diabhalt' as t-Samhradh
    Cuimhnich a' mhuc-mhara a bha a' lobhadh air an tràigh
      an-uiridh,
    agus san teas ud, ghia (*gags*)

    Is dh'fhidir mi nach tug i leatha na stocainnean
    a bha mi air fighe dhut
    's cha robh ach,
    (*A' cunntadh air a corragan*) trì tuill annta.
    Tha mi a' tighinn air adhart, nach eil?

    Bheil thu a' coiseachd gu cidhe Steòrnabhaigh
    sa mhadainn?
    Bheireadh sin ùine bhon an taobh Siar.
    Thuirt Calum beag an Tàilleir
    g' eil rùm aca sa chairt dhut.

Tha e na dhuine mòr a-nis a rèir choltais.
Chuala mi an-dràsta e
shìos air Sràid an Lòin.
Tha an RNR am beachd g' eil e ochd-deug
(*Gàire*) Esan?!
"Calum beag bochd, cho bog ri cloimhe".
Leum a shròn nuair a bha sinn a' cluich gobhlan-gaoithe
na bu thràithe is
chaidh e na ruith gu uchd a mhàthar.

Chòrdadh e riumsa falbh bhon àite-sa,
Tha mise airson an saoghal fhaicinn cuideachd Iain.
Tha iad ag ràdh gur e àite snog a th' anns a' Chaol
's dòcha gun tèid mi an sin,
's gum faigh mi obair
Agus faodaidh tusa a thighinn a chèilidh orm,
nuair a thilleas tu.

Dòlas ort, dè a nì mi às d' aonais Iain?
Tha i a' nise a' toirt sùil cheart air IAIN.

Oh Iain, tha an trusgan sin a' tighinn riut!
Tha thu a' coimhead . . . eireachdail.

Tha iad aghaidh ri aghaidh. Tha IAIN *a' tòiseachadh ri drànndail an bhalsa as fheàrr leotha, "Tuireadh Iain Ruaidh", mus tòisich* COLEEN *ga sheinn fhad 's a tha iad a' bhalsadh còmhla. Tha* IAIN *a' gabhail a làimh is ga toirt air falbh bhon tràigh.*

COLEEN Dèan cinnteach gun sgrìobh thu thugam!

Tha IAIN *a' gnogadh a cheann.*

Is ma chluinneas mis' gun do sheall thu ri nighean sam bith eile,
bidh ceannach agad air!

Tha an dithis aca a' falbh le sùgradh.

Sealladh 5

An aon latha, air bòrd an MV Loch Shìophort.

MAGAIDH (*Fuaim brag bhon aiseig agus tha* MAGAIDH *air a clisgeadh*)
Good God!
What's happening?
What was that noise?

Brag eile bho chrith an t-soithich.

Oh, that wave nearly came through the window

Brag

Oh a Thì!
Never again.
Never again.

Tha i a' gluasad le a fòn-laimhe is i a' sìreadh bann-leathann.

You should really put it on your website Calmac, that you can't get
ANY reception!
What if he's tried to call?

*Tha a sùil a' laighe air a h-ìnein-fuadain is i a' cumail suas a fòn cho
àrd 's as urrainn dhi.*

I can't cope with this.
I need a Highland Park

ELAINE Seall oirrese
Chan fhaigh thu gin a reception an seo a leadaidh
Ge bith dè cho àrd 's a tha na sàilean agad!
Seall air na daoine beaga a tha sin
tha iPad an duine aca
agus tha iad fhathast
(*Le blas Shasannach*) "bored mama"
Carson idir a tha na daoine ud a' tighinn an seo?

Tha MAGAIDH *a' seasamh air òrdag* ELAINE.

Eubhag!

MAGAIDH Elaine?
Elaine 3G2? Old block? The Nicky!
We were in the same Gaelic class.
It's me, Maggie!
Sorry, just as well you had your Arnish boots on!

Flick sakes!
I haven't seen you since . . .
since you two-timed my brother,
and left him forever broken-hearted.
With Alasdair Two Hondas,
of all people!
Ugh, that denim cut-off and the mullet! Smaoinich.
The townies would tease him "Think you're hard cove!"
Ciamar a tha thu?
Eil thu staying in Leòdhas?
Tha mise in London
The twins think it's hilarious
if I speak to them in the Gaelic,
I just don't speak it
gu leòr.
But it comes back ge-tà

A' smèideadh ri a clann.

My husband's away in Antarctica an-dràsta
So we're going to Lewis
airson trì mìosan.
In fact we should meet up.
Siuthad, bruidhinn rium Gàidhlig!

Sealladh 6

1915. *Bliadhna an dèidh dha* IAIN *falbh. Tha boireannaich a' bhaile aig a' chladach air an latha bhliadhnail nigheadaireachd. Tha iad a' seinn fhad 's a tha iad ag obair.*

PEIGI Chan eil aon tidsear fireann air fhàgail ann an Àrd-Sgoil MhicNeacail.
    Feumaidh na balaich as aosta falbh dhan chogadh a-nis.

GORMAL Nach dèan na boireannaich fhèin a cheart cho math?

CATRÌONA Cha bhi Seonag air a dòigh ma dh'fheumas Seonaidh falbh.

PEIGI Chan eil gin againn air ar dòigh a Chatrìona.

SEONAG Anna, cuir thugam paidhir dhrathairs eile.

PEIGI Nach math g' eil feadhainn dhiubh còmhla. 'S e "Sràid an Lòin" a th' aca air aon dhe na trainnsichean seach g' eil Calum bochd a' bàsachadh leis a' chianalas.

ANNA Mas fhìor gur ann dha Calum a-mhàin . . .

PEIGI Aidh. Sin agad na fireannaich. Tha e nas fheàrr a bhith sàmhach seach innse g' eil iad fo bhròin.

Tha MÀIRI *(18) a' nochdadh.*

PEIGI Istibh! Tha Lazarus air èirigh!

Gàire.

MÀIRI Bha mise sa mhòine, dà thriop, mus do charaich sibhse an-diugh! Agus tha dà chliabh eile agam ri fhaighinn fhathast mus tig ciaradh an fheasgair.

SEONAG Bheil càil as ùr?

MÀIRI Bhàsaich bò Ciorstaidh Magaidh.

Tha iad uile a' gabhail truas oirre.

CATRÌONA Oh, chan fheàirrde i sin.

MÀIRI Oh, agus balach eile le Mairead Sheonaidh.

ANNA Leis a' chaitheamh cuideachd?

Tha MÀIRI *a' gnogadh a ceann.*

GORMAL Sin an tritheamh fhear!

CATRÌONA Cò a thuigeas freastal Dhè?

Tha iad uile a' stad agus a' toirt urram dhan an naidheachd seo.

MAIREAD Oh, tha dùil aig Màiri 'an Uilleim ri twins.

Uile a' dèanamh gàirdeachais ris an naidheachd fhad 's a tha MÀIRI *a' stampadh nigheadaireachd sa mhias.*

ANNA Tha sin a' ruith ann an teaghlach an duine aice.

PEIGI Is thill esan cho bodhar ri gobhar san fhoghar às dèidh shell neo rudeigin, an truaghan bochd. Cha chreid mi gun do bhruidhinn e fhathast.

MÀIRI Hoigh, cha mhòr nach eil trench foot a' tighinn orm an seo!

PEIGI A Mhàiri, tha truas agam ris an fhear a gheibh thusa, ma tha thu am beachd g' eil sin glan!

Uile a' gàireachdainn.

MÀIRI Bidh e glan nuair a thiormaicheas e, is chan eil mise a' dol a phòsadh airson a bhith a' nigheadaireachd.

GORMAL Oh, nach eil?

MAIREAD Is dè a-rèist a nì thu nuair a phòsas tu?

MÀIRI 'S dòcha nach pòs mi idir, 's dòcha gum bi mi nas coltaiche ris an tè ud, Florence Nightingale.

PEIGI Èistibh, cò a th' ann ach i, the Lady with the Lamp!

MÀIRI (*gu* PEIGI) Chunna mi Coleen anns a' mhòine na bu thràithe.

Tha iad uile a' coimhead air MÀIRI *agus chan eil* PEIGI *toilichte.*

MÀIRI Tha Ruaraidh air fàs mòr. Dè a bhios e a-nis? Trì mìosan?

Anail – chan eil fhios aca dè a chanas iad.

MÀIRI Cuin a chuala tu bho Iain? Tha bliadhna a-nis bho dh'fhalbh e. Dè an naidheachd a th' aige?

Tha iad uile mì-chofhurtail.

ANNA Tha iad fhathast anns na Dardanelles.

GORMAL Tha Ruaraidh cho coltach ris – ris an dà sgadan.

MÀIRI (*A' coimhead air càch*) Nach eil a Ghormail!

PEIGI Cha deach Iain agamsa faisg air an t-salachar ud agus tha mi coma dè a chanas i.

MÀIRI Bean glùine a' bhaile is cha deach thu faisg oirre.

CATRÌONA Tha làn fhios agad nach robh i gu math an uair sin, sin an t-adhbhar a chaidh mise ann.

SEONAG Tha Coleen cho breugach ri a màthair.

PEIGI Tha i a' feuchainn ri a spuirean a chur ann an Iain 's gun e idir aig baile. Nach eil còir agam seasamh air a shon?
"The lust of the flesh is not of the father . . ." John 2:16

MÀIRI Seas air beulaibh Ruaraidh, d' ogha,
Is an UAIR SIN seas am fianais Dhè.
"We cannot hide from God. His eyes see everything we do."
Hebrews 4:13

MÀIRI *a' falbh agus tha iad uile gun fhacal.*

PEIGI Siuthadaibh! Greasaibh oirbh.

Sealladh 7

An aon latha, air bòrd an MV Loch Shìophort. *Tha neach a' cluich giotàr is a' seinn "Sweet Home Alabama".*

ELAINE Na Shawbost discos!
Is nan deidheadh an cur dheth
bhiodh an diabhail anns an teant'
às dèidh a bhith a' feitheamh
fad na seachdain airson sealladh fhaighinn air
the man of the moment.
Oh, phòs mi Alasdair by the way.

'S ioma uair sin a thuirt mi,
"Why do people always have to die on a Friday!"
Uill, bha sinn crost'.
Ach a dh'aindeoin sin, bha an t-urram againn a' wireless a chur
    dheth,
nuair a bha sinn a' dol seachad air taigh le bàs
fiu 's nam b' e Springsteen a bh' air.
Smaoinich, a' dol dhan leabaidh aig còig
agus ag èirigh aig seachd
airson m' obair ann an Woolies.

Cha mhòr g' eil mi a' tachairt ri
duine a-nis bho dhùin e.
Dh'fhaodadh tu a bhith air an latha a chur seachad
a' cabadaich ri dàrna leth an eilein
air beulaibh an pick and mix.
Thug Woolies bàs air a' bhaile air fad nuair a dhùin e.
Ach, air an taobh eile, bha e nas fhasa do dh'fheadhainn an
ceann a chur sìos
agus coiseachd seachad ort.

MAGAIDH A' bruidhinn air pick 'n' mix.
Nach robh false teeth aig do bhràthair
when he was in the Nicky?
Bha!
Bha e a' ruith airson bus na sgoile
bha hoolie ann an latha sin
agus dh'èigh e "hold the bus for me!"

Well,
the gèile must have got under his falsers
because they FLEW
ann an slow motion
tarsainn air Kim, who he fancied at the time,
agus landaig iad aig a casan.
It was hilarious.
No one knew what to do.
Is thog e iad and he just stuck them
straight back into his mouth
gun an nighe!

Actually, I wrote an essay for English about that day
and I got an A+!

Sealladh 8

1917. *Taigh* PEIGI.

PEIGI (*A' tomhadh ri* COLEEN) Don't dare to touch any of them.
Breugadair AGUS meàrlach?
Tha thu air gach aithne a bhriseadh a-nis a Choleen
ach an t-siathamh tè.
"Na dèan murtadh" – Thou Shalt not Kill.
An e sin an ath rud a tha fainear dhut?

Tha thu air a dhol bhuaithe Coleen.
Tha Iain fhèin ga ràdh 's na litrichean sin
BHA thu ann am beul a' bhaile
ach tha sinn coma dhiot a-nis.
A-mach à seo
agus air do bheatha
na tig air àrainn an taigh-sa gu bràth tuilleadh.
Thalla!

COLEEN Bha m' ainm-sa air feadhainn dhiubh sin
THA e air a bhith a' sgrìobhadh thugam.
Tha e air a bhith a' sgrìobhadh thugainn.
'S tusa am meàrlach!
Thoir dhomh na litrichean agam.

Tha Ruairidh gus a bhith dà bhliadhna a dh'aois.
Tha fios is cinnt agaibh gur ann le Iain a tha e.
A Pheigi tha mi a' guidhe ribh.
Tha an dithis againn nar màthraichean
boireannaich ceangailte ri Iain
boireannaich san aon bhaile
a tha a' dèanamh ar dìcheall
bho latha gu latha.
A' gabhail ri gach nì a thig far comhair
is bhiodh sinn nas treasa araon.
A Pheigi, tha sinn uile nar peacaich.
Gidheadh, nach eil an t-àm ann an t-àmhghar seo a thoirt gu ceann?

Dh'fhàg mi duf air a' bhòrd.
Bhithinn fada nur comain nan
toireadh sibh dhomh
na litirichean a sgrìobh Iain thugam.

Sealladh 9

Air bòrd an MV Loch Shìophort.

MAGAIDH Thalla!
Cha bhi thu a' cur a-mach washing
ann an Glaschu
air latha na Sàbainn?
Oh Thì!
Chan eil Sàbainn ann an Lunainn
Ach 's e "Sun-day", ann an Gàidhlig,
a bha gu bhith air an country house againn
ach we had to change it to "Grianach"
oir bha e coltach ri "fight"
Obviously, I was thinking Sàbainn not Sàbaid . . . sabaid!

'S e seo a' chiad "Sabbath" a bhios aig
Eilidh and Lachlann an seo
Chan eil fhios a'm how they'll cope
ach, it HAS changed.
At least we'll be allowed to go cycling now!

Oh does Alasdair still have motorbikes?
And hopefully surfing.
Thuirt iad in Australia that
Bragar is one of the best places
san t-saoghal to surf!
Is bidh mi ag innse dhaibh
cho important 's a tha e
airgead a' spendadh air an eilean fhèin
Princess, keep away from the . . . puggy machines!
So, gabhaidh sinn
lunch aig a' Chaisteal
is thèid sinn gu bùth Callanish Stones
in fact
cheannaich Frank number plate Gàidhlig dhomh aon trup,
ach fiù 's a' ceannach baga Harris Tweed,
every little helps.
Should have cèilidh-ed on the càirdean more really,
ach there's only so much you can do in a holiday . . .

A' suathadh a h-amhaich.

    Bheil àite anns a' bhaile far am faigh thu massage?

ELAINE Chan eil thu a' tighinn dhachaigh tric a-rèist?
ach airson surfadh
agus an "eaconomaidh a chuideachadh".
Feumaidh mi ràdh g' eil mise a' tilleadh cho tric 's as urrainn
    dhomh
is tha na births, deaths and marriages agam
air speed dial bhon a' chaillich.
Mostly deaths, ge-tà!
Chan eil e furasta a bhith a' tighinn dhachaigh
ach aig a' cheart àm bidh mi gus bàsachadh leis a' chianalas
Stage 7, "moving forward"

Speaking of which,
ach a' fuss a th' ann an-dràsta mun an *Iolaire*!
Carson nach robh "cuimhne" aca orra
bho chionn fhada, is GACH bliadhna?
Cha ghabh breithneachadh air na thachair
is THA còir againn cuimhne a chumail orra
ach tha ceud bliadhna air a dhol seachad.

Why the big deal now? Move on.
Dè mun fheadhainn a tha beò,
air èiginn, an-diugh?
Tha an t-eilean-sa a' dol fodha
ann an depression
is tinneas-inntinn
suicide agus
trioblaidean le deoch is drugaichean!
Nach fheàrr an t-airgead seo a chosg
air na daoine sin
is chan ann air dràma, is teàrr is scuplture
neo gràin de rud a rinn iad am meadhan a' bhaile
Tha daoine a' bàsachadh leis an acras
air ar stairsnich fhìn,
chan e gu bheil guth aig an sporan agads' air sin
le do false nails is Antarctica agus Astràilia
agus Frank, Frank, Frank –
Fuirich.
Magaidh, Mairead. M.A.13 R.E.D. Range Rover?
Uill, a' bhidse
You are an accident waiting to happen air cùl a' chuibhle sin.

CÒISIR Bing Bong,
    last call for high teas
    last call for high teas

MAGAIDH And last call for Elaine, the perfect islander, to get off her
    high perch!
    Dè a' chiall a th' agadsa?
    O.K. Chan eil dìth airgead
    anns an sporan Chanel.
    Tha taigh mòr agam
    is clann
    is obair,
    is Range Rover,
    le Mairead air,
    agus fiù 's au pair!!
    Ach dè an diofar?
    Dè a tha thu ag iarraidh orm a ràdh?
    Gu bheil trì làithean ann
    bho bha mi air mo chrògan,

gus m' ìnean a bhriseadh
is grèim bàis
air briogais an duine agam?
A' guidhe ris
gun m' fhàgail?
Sin adhbhar na false nails Elaine!!!
Antarctica?
Dè bha còir agam a chantainn ri na dudagan beaga sin?
Daddy's left me for a younger model?
But it's O.K. I've still got my Harrods Reward card
Happy New Year!

Sealladh 10

Leòdhas, madainn 31mh Dùbhlachd, 1918. Tha na boireannaich ag ullachadh airson na fir a tha tilleadh às a' chogadh agus rèiteach a bhios ann an ath-oidhche. Tha iad a' spìonadh chearcan.

PEIGI Trobhadaibh a chlann! Cò a tha ag iarraidh cas-circe nan làimh?

GORMAL Och a Thì, is tha iad fhathast a' tighinn le na cearcan.

PEIGI Oh mo chreach. Bidh a' Bhliadhn' Ùr air a thighinn a-steach is bidh sinne fhathast an seo a' spìonadh gun ghuth air an fheadhainn a tha a' tighinn dhachaigh!

MAIREAD Chan eil fhios nach bi fàinne ann dhutsa cuideachd a Mhàiri nuair a ruigeas e a-nochd.

CATRÌONA Saoil am bi? Dè a chanadh tu ris? Am biodh tu airson a phòsadh?

ANNA "Ma tha thu airson do chàineadh pòs, is ma tha thu airson do mholadh bàs!"

MÀIRI Bheil thu às do chiall?
Phòsainn a-nochd fhèin e!

PEIGI A chlann-nighean, glèidh feadhainn dhe na cearcan sin, chan eil fhios nach bi barrachd air aon bhanais againn!

MÀIRI Och ist!
Ach, tha mi air froca-pòsaidh mo mhàthar a thoirt a-steach.

UILE Aaaawww!

PEIGI Uill 's ann ainneamh a chunnaic mi bean-bainnse cho brèagha ri do mhàthair.

MÀIRI Saoil an aithnich mi e?

CATRÌONA Nach eil fhios gun aithnich!

MÀIRI Neo an aithnich esan mise? Bheil mi air atharrachadh?

PEIGI Mo mhionnan, bidh e fhèin air fàs na dhòigh fhèin cuideachd.

MÀIRI Ach dè ma tha sinn air fàs agus nach eil sinn freagarrach dha càch a chèile a-nis?

ANNA Tha aon rud cinnteach. Cha bhi ceistean agad às dèidh a-nochd.

SEONAG Saoil cò na caileagan a thèid an cur mu choinneamh Dhòmhnaill an ath-oidhch'?

MÀIRI Uill, às dèidh rèiteach Chailein tha mise a' dol air falach – is iad gam shamhlachadh ri òthaisg, gun cus feòil agus broilleach math oirre! Bha mi air mo dhearg nàireachadh!

Gàire.

CATRÌONA Bidh rudeigin aig na fir ri coimhead air adhart ris cuideachd.

SEONAG Hoigh a mìoch, a bheil thusa a' cantainn nach eil e gu leòr dhan an duine agamsa, an dèidh ceithir bliadhna sa chogadh, a bhith tilleadh dhachaigh thugamsa?

GORMAL Uill, seach gun do chuir thu mar sin e. Chanainn gur e a' chiad fhear a nochdas a-rèist!

Gàire. Tha iad a' cleasachd oidhche rèitich.

COLEEN B' fheàrr leam gun robh mi nam measg
eadar an onghail sa ghàire.
Cha tig am bàta seo luath gu leòr
is nì sinn fhèin rèiteach Iain
is banais,
fear agus bean,
teaghlach.

Is gheibh mi air mo cheann
A thogail sa bhaile
a-rithist
is bidh Peigi
air a glùinean

air mo bheulaibh
ag iarraidh mathanas
orm.

Is nì sinne dachaigh an àite air choireigin eile.

Sealladh 11

Leòdhas, Oidhche Challainn 1918. Cidhe Steòrnabhaigh.
COLEEN/CÒISIR *A' seinn "Eilean Beag Donn a' Chuain".*
Tha COLEEN *am measg nan daoine a tha a' feitheamh air a' chidhe.*
Chì sinn an Iolaire *a' dol air na creagan tro shùilean na mnà.*
Tha i ag èigheachd airson IAIN *fhad 's a tha na boireannaich ga cofhurtachadh.*
Sàmhchair.

Sealladh 12

Dà latha as dèidh na tubaist. Tha COLEEN *ann an tuaineil a' dol tron a' bhaile.*
COLEEN "Good . . . God,
    Good . . . God",
    Sin uireas a chanas e
    "Good God",
    Calum beag bochd
    (*le farmad*) Calum beag bochd
    "Good . . . God"
A' coimhead tro uinneag taigh Peigi.
    Dè tha thu a' deànamh?
    Na buin riutha.
    Fàg aodach Iain a' crochadh
    is a' blàthachadh
    is gum bi iad deiseil dha nuair a thig e!
    'S ann agams' is còir dhen aodach sin a bhith,
    agamsa!
    Ach chan fhaod mise a dhol faisg orra
    faisg airsan.

Chan eil ach dà latha air a dhol seachad.
Carson a tha thu a’ suidhe nad thàmh?
’S a’ leigeil le do bhanabaidh,
tè air an robh gràin aig Iain,
a làmh a chur air aodach?
Làmh nach do ghradhaich aodann Iain a-riamh
làmh nach do dhanns leis
làmh nach do thog faochagan leis.
Carson a tha thu a’ leigeil leatha?
Fàg lèintean Iain.
Sguir a bhith gan togail,
’s gan suathadh ’s gam pasgadh
’s gan cur ann am bucas?

A’ crathadh a ceann.

Carson?
Cà’l thu a’ dol leis a’ bhucas?
Cà’l thu a’ dol leis a’ bhucas?
Chan eil e marbh.
tha e beò, tha e beò,
tha e beò, tha e beò, tha e beò, tha e beò, tha e beò
tha e beò, . . .

Crescendo agus an uair sin an còisir ga sèimheachadh.

CÒISIR Ssshh . . .

Is an uair sin mar thuinn bheaga tron ath chòmhradh.

COLEEN (*Cha mhòr gun chomas bruidhinn*) Tha gach nì cho sàmhach.
Tha e eagalach
sàmhach
agus dubh.

Bu chòir na faclan a leanas a bhith air an sgaoileadh bhon CHÒISIR
tron ath chòmhradh:

Dubh	Dubh-dhorchadas	
Dubh-ghràin	Dubh-ghruam	Dubh-nàire
Dubh-chridheach	Dubh-bhròin	
Dubh-fhacal	Dubh-cheist	
Dubh-fhacal	Dubh-cheist . . . (*air ath-aithris*)	

COLEEN Dubh èiginneach, a tha gad mhùchadh
Tràigh a’ Bhataraidh, dubh.
Boireannaich òga

ann an culaidh bhanntraich
air an cruaidh-cheangal
tro bhròin
mar sgaoth de lòin-dubh
a' biathadh càch a chèile
Tha mise gus bàsachadh leis an acras cuideachd
ach chan fhaigh mi criomag.
Chan e banntrach a th' annamsa ann!

Sealladh 13

An rannsachadh air a shnìomh le beachdan COLEEN.

8th January 1919. We, the Royal Navy, do not deem it necessary
to hold a court martial.
Cò air a tha thu a-mach? Feumaidh sibh!

We will call witness from twenty-four persons.
Shàbhaileadh barrachd na sin, bruidhinn riutha air fad!

They being eighteen Royal Naval Reservists and six crew who were
on board.
All information will be concealed from the public and restricted.
Tha dragh oirbh mu rudeigin ma tha sibh ga chleith.

14th January 1919. Regarding salvage bid received and accepted to
sell the *Iolaire*.
Ciamar air thalamh as urrainn dhuibh a reic?

It has come to our knowledge inhabitants of the islands resent the
Iolaire wreck being sold whilst bodies still remain unrecovered.
Submit that any action affecting sale be withheld for the present.
**Nach eil fhios! Cha deach lorg air Iain fhathast. 'S dòcha gu bheil
esan fhathast air bòrd an *Iolaire*, gur i uaigh.**

10th February 1919. Public Inquiry demanded by islanders.
Mu dheireadh thall, freagairtean.
Convened by the Lord Advocate of Scotland, after seeking
permission from the Admiralty in London to do so.
Dè a' ghnothach a th' acasan ris? 'S e rannsachadh poblach a tha seo!

31st December 1918 at 2130 hours, the *Iolaire* departed Kyle of
Lochalsh, and all passengers were naval ratings – true.
Bha Iain agamsa an sin. Bha e na deckhand airson a' Nèibhi.

The boat wrongfully approached Stornoway harbour and no speed
was reduced – true.
**Bha Iain cho eòlach air na h-uisgeachan sin, an robh fhios aige gun
robh iad a' dol an taobh cheàrr?**

The commander had never entered this harbour at night and was
to await a pilot boat – true.
Bha beatha Iain ann an làmhan an duine-sa!

Altering course a few minutes earlier would have prevented
catastrophe –
**Nam biodh e air sin a dhèanamh, bhiodh Iain còmhla rium
an-dràsta. Fìor?**

Half the crew was on leave but there was no watchman present at
the time of incident – true, false, true.
Tha còir aige a bhith beò.

There were insufficient life-belts and boats – true.
Carson a leig iad air an t-soitheach e ma-thà?

There was delay in acquiring life-saving apparatus and, due to
weather, no assistance was possible from the sea – true.
There were insufficient orders from the officers – true.
Carson nach do shàbail sibh Iain?

The officers were affected by alcohol –
Sin e. 'S e oidhche Challainn a bh' ann agus bha an deoch orra.
(*pause*) False.

All the officers perished – true.
201 men died in the disaster – true.

New Year's morning 1919, 0155 hours, *HMY Iolaire* struck the
Beasts of Holm due to unknown circumstances.
Dè tha thu ag ràdh? Feumaidh cuideigin an coire a ghabhail.

Many sea tragedies remain enigmas and in this instance as all the
officers have perished we cannot prove reasons for the accident.
**Ach chuala sibh bhon an fheadhainn a bha air bòrd agus a thàinig
às beò, carson nach eil sibh gan creidsinn?**

It was an unfortunate situation, but I am glad that, for the sake of
the officers' relatives, rumours of drunkenness have been
dispelled.
**Duhduh? Tha thu toilichte? Ach dè mu ar deidhinn-sa? Nam
biodh seo air tachairt air ur stairsneach fhèin ann an
Westminster bhiodh buaireadh is còmhstri ann an uair sin.
Bhiodh ceistean le freagairtean ann. An robh càil as fhiach
annainn idir ach Cannon Fodder dhuibhse?
Tha mi 'n dòchas gun tig breitheanas oirbh!**

Sealladh 14

COLEEN *a' seinn Salm 46: 1–2 air fonn "Cill Mheàrnaig" tron
t-sealladh.*

Leòdhas. Còrr is ceud baile san eilean-sa, is cha mhòr gin nach do
dh'fhulang an latha sin.

Taobh an Ear, Seisiadar. Tè an dùil ri a mac agus an duine.
Deichnear marbh. Chaidh am baile a bhàthadh.

Air an tuath, Nis. 23 bàthte. Dà bhràthair, uile nàbaidhean.

An taobh siar, Bràdhagair, sia tiodhlacan san aon latha.

Gu deas, Na Hearadh, chaidh seachdnar a chall.

Liùrbost, aon duine deug. Dithis bhon aon teaghlach.

Tunga. Sàbhailte. Sheòl iadsan air an *SS Sheila*.

Tolstadh bho thuath, aon duine deug. Chaill màthair triùir dhe a
seachdnar bhalach sa chogadh, bha Coinneach Iain Iain Bhàin,
29, air an *Iolaire*.

Àrnoil, Coinneach Maois, a bha na aonar sa Mhuir Mheadhanach airson làithean nuair a chaidh an *SS Cambric* fodha. Chaidh e às an rathad air oidhche na Bliadhn' Ùire.

Ùig, deichnear. An dèidh sia seachdainean lorg Càdham a mhac, Aonghas, san dearbh àite sa chunnaic e e na chadal.

Breascleit, banais a' feitheamh ri Dòmhnall òg airson am polca a dhèanamh. Cha do thill e.

Bràithrean, athraichean, mic
Bràithrean, athraichean, mic . . . (*Tha an* CÒISIR *ga ath-aithris*)

Sealladh 15

Tràigh, Leòdhas, 1919. Goirid an dèidh na tubaist.
PEIGI Chan fhaigh mi lorg air
Coleen, chan fhaigh mi lorg air

a liuthad làmh
agus ad
agus ceann
a thog mi.
Chan fhaigh mi lorg air
chan fhaigh mi lorg air.

doile bheag an siud
dotaman an seo
sin uireas a tha air fhàgail
air an tràigh
a-nise na tàmh

Fad nan làithean
cairtean a' dol seachad orm le cuirp
is Union Jack air am muin.
Nach buidhe dhaibh!
Chan fhaigh mi lorg air
chan fhaigh mi lorg air.

Cha mhòr g' eil ìne air fhàgail orm
tha mi a' guidhe, tha mi a' guidhe oirbh
leig leam fhaicinn
chan eil an còrr agam
chan eil agam ach esan
seall dhomh aodann
is leig leam a ghaolachadh.

Cha do chaidil mi airson cola-deug
tha mi ag iarraidh maitheanas
airson gach nì
seall dhomh aodann
seall dhomh aodann
aon uair.

Coleen?

Feumaidh sinn a bhith làidir.
Tha sinn a' dèanamh ar dìcheall
bho latha gu latha
a' gabhail ri gach nì a thig far comhair
ach treòraichidh Dia sinn
feumaidh sinn a bhith làidir
le chèile.
Chan fhulaing mi seo nam aonar
tha mi a' guidhe ribh Coleen
leig leam Ruairidh fhaicinn.

Sealladh 16

An MV Loch Shìophort. *A' teannadh dlùth air cidhe Steòrnabhaigh.*

CÒISIR Bing Bong,
We will shortly be arriving in Stornoway,
would all drivers and their passengers please make their way to
their vehicles (*x* 2)

MAGAIDH Tha e a' cur shivers tromham
a' faicinn na Beasts of Holm
Smaoinich air na balaich sin

Rejoicing is làn dòchais
A Thì,
nan deidheadh an ferry-sa fodha
bhiodh Leòdhas devastated.
Chan fhaigheadh iad às le
whitewash anns an latha an-diugh.

It was my Art tidsear a dh'innis dhomhsa
air P5
mu chall na h-*Iolaire*.
Cha b' urrainn dhomh a chreidsinn
gun robh disaster cho mòr air tachairt on our wee island
agus no-one even told me!
Chan eil fhios a'm carson
ach dhomhsa it's been like an
itchy eyeball bhon uairsin
chan e gun robh càirdean agamsa air bòrd.

Bho chionn twenty years
chaidh mi a choimhead air an leabhar-sa
ann an Waterstones
"Historic Shipwrecks of Scotland"
and there was no mention of the *Iolaire*
I was raging!
is gun fhiosta dhomh thuirt mi
"Fuck you!"
ann am meadhan a' bhùth.
Cha d' fhuair iad an t-urram sin fhèin.
Whatever a noble death is.

ELAINE Chaidh Alasdair, Two Hondas,
   a dh'iasgach air Loch Langabhat
   bho chionn còig bliadhna.
   Bha a' chuileag dona an fheasgar sin.
   B' àbhaist Cailean a bhith a' dol còmhla ris
   ach bha e air falbh aig banais ann an Inbhir Nis aig an àm.
   Co-dhiù, cha do thill Alasdair.
   Cha deach e air àrainn an fhrith-iasg neo a phìosan.
   Chan eil fhios a'm carson.

Gu fortanach,
an ceann trì làithean
Fhuair iad lorg air a chorp.

Bha mi mionnaint' às gur e an geansaidh uaine a bh' air
ach cha b' e ach geansaidh-snàth gheal
le spot pheanta dhearg air a mhuilchinn
bho bhith a' cur saoidhle air na caoraich.

Chaidh a lorg le a làmhan na phocaidean.

Cha do bhruidhinn mi airson cola-deug.
Chan e g' eil càil a' chuimhne agam air
ach 's e muinntir a' bhaile a ghlèidh mi.
An dèidh greiseag, b' fheudar dhomh an taigh a reic
bha cus cuimhneachan mu thimcheall orm
is cha do bhruidhinn teaghlach Alasdair rium on uair sin.

Chan eil ann am bròn ach gaol
Fiù 's ma tha iad fhathast beò.
Agus a rèir choltais
tha boireannaich caran complicated,
tha sinn nas fheàrr a bhith coimhead às dèidh dhaoine eile.
Bu eòlach mo dhà sheanair air the seven stages of grief
ach dh'fheumainn a bhith làidir
agus cuideachadh iarraidh
"What you resist, persists."
Gheibh sinn tron seo
feumaidh sinn.
Dè eile as urrainn dhuinn a dhèanamh?

Seo sinne a-staigh ma-thà
Bliadhna Mhath Ùr nuair a thig i!

Cha tuig a' bhan-Leòdhasach a' chreach gus an tig i chùm an
    dorais.

Amhran – "Gaol Ise Gaol I".

Heroines

Mairi Morrison

2018

Bana-Ghaisgich was produced by Theatre Gu Leòr. The show previewed at Finborough Theatre, London, on 17 December 2018 before its premiere at the site-specific venue, Studio Alba, Isle of Lewis, 27–29 December 2018.

CHARACTERS	ORIGINAL CAST
ELAINE – 45	Mairi Morrison
MAGGIE – 45	” ”
PEGGY – 47	” ”
COLEEN – 17	” ”
IAIN/NAVAL OFFICER	Mike Vass

Community Chorus
(GORMAL, MARGARET, CATRIONA, ANNA, MAIRI, JOAN)
Donna Barden
Georgie Finlayson
Mairi MacIver
Mairi MacLennan
Cathy Mary MacMillan

Musician and Composer – Mike Vass
Director – Muireann Kelly
Dramaturg – Douglas Maxwell
Designer – Donna MacLeod
Lighting Designer – Benny Goodman
Technical Stage Manager – Morag Smith
Marketing Design – Niall Walker
Marketing Assistant – Alice Watson

Scene 1

Present day. December.

ELAINE *is driving from Inverness to Ullapool to catch the evening ferry to Stornoway, Isle of Lewis.*

ELAINE This is insane
    insane
    and the weather
    isn't getting any better
    pitch black
    snowflakes
    lights
    should you even be
    behind the wheel?
    what the hell are you doing?
    Are you crazy?
    you flamin' idiot!

Pause to see if the car manages to overtake them safely.

    You ffflamin' idiot!!!!
    If there had been a car coming
    we'd be . . .
    we'd be . . . finished
    If I get a hold of you
    you'll regret it
    Oh never you mind, in your Range Rover
    and your Gaelic number plate
    as you fly off leaving a massive pile up behind
    and me caught right in the middle of it
    My Fiesta would be strewn
    across the road
    and the M&S food hamper
    and the little angels that I bought for the table
    and all the Christmas presents
    would be found in the early dawn
    lying beside my corpse
    and the papers would say
    "Driving Home for Christmas
    Doll Found after Horrific Crash"

or
"Surprise Engagement Ring found on Christmas Corpse"

and my sister would cry
seeing the present that I had bought for her
lying in the ditch
she'd be wailing.
Because there's something about this time of year
the whole happy family thing
that makes it so much worse
when you lose someone
So much worse.

Inhales.

God,
there's only one road!
we're all trying to get home
I bet you Calmac
will be running late anyway.
I'll be thankful when I'm sitting with my steak pie

Turning up the radio.

Oh, I like this one.

She starts singing "Beinn a' Cheathaich", and the CHORUS *then sing as the radio.*

Scene 2

Present Day. Aboard the MV Loch Seaforth *ferry from Ullapool to Stornoway, Isle of Lewis.*

MAGGIE Good God!
We're never going to get a seat together now.
Eilidh and Lachlann hurry up.
Stornoway here we come!!!
(*sigh*) This is a nightmare.
And look at that,
someone lying down
and taking up the whole seating.
Selfish.

Spots a seat.

> Oh, No.
> I'm not sitting there
> with people coming in and out
> of the toilet.
> The design on this ferry is just awful.
> There's not enough seats.
>
> I HATE sailing, Frank knew that,
> the odd regatta, I can cope with
> but this?
> Ugh, what are they cooking!
> Eilidh, Lachlann, what are you moaning about?
> Listen, people are singing in the Gaelic!
> Ferry entertainment, that's nice isn't it?
> There! Quick!
> There's a seat over there.
> Go! Go!
>
> Of course the flights were fully booked.
> That was Frank's job
> I had to do everything.
> The Christmas cake
> the school nativities
> the Christmas shopping
> the Christmas cards
> "Oh, Hello . . . nice to see you too . . ."
> I have no idea who that was.
> Watch out for that dog children!
>
> I feel sick already
> I hope they serve rooibos tea on here.
> And not in one of those awful
> cardboard cups.

Beat

> Oh, I don't believe this.
> Talk about being behind the times.
> Nothing.
> Not one thing

on this menu
for someone who is a vegan
on a high-protein
gluten-free, soy-free diet.
This is a disaster.
Mama needs to lie down.

MAGGIE *lying down.*

CHORUS The general synopsis at one eight double zero
    new low expected North and Germany, one thousand and seven
    by one eight double zero on Tuesday
    Lows – Viking 1008 and Hebrides 1008, both losing their
        identities.

    The area forecasts for the next 24 hours

    Viking, North at zero
    cyclonic 5 or 6
    becoming variable 3 or 4
    then North-Easterly 4 or 5 later.
    Showers, thundery at first.
    Good, occasionally poor at first.

    South at zero – Forties
    South-Westerly, 4 or 5
    becoming variable, 3 or 4
    then North-Easterly 5 to 7 later.
    Rain or thundery showers later.
    Moderate or good, occasionally poor later.

    Cromarty Forth.
    Variable 3 or 4
    becoming North-East 4 or 5 later.
    Showers, good.

Scene 3

1914, Isle of Lewis. Summer.

PEGGY, IAIN's *mother, enters their blackhouse busying herself with laundry and addresses* IAIN *who is in the back room.*

PEGGY That wee Coleen is nothing but a pest
    she does not stop talking
    I am sick fed up of her!
    Did you see her last Sunday,
    outside of the church?
    Laughing.
    What a disgrace
    Laughing?
    Outside of the church?

Tuts.

    and her mother did not even punish her.
    Mind you, that is no surprise
    she being the way she is
    she'd take the milk out of your tea, the very one.
    She did well when the herring landed her here
    but it's little wonder that poor William didn't last long after he
        married her,
    the whole village pitied him.
    It is plain to see that Coleen
    has her eye on you.
    She is not backward in coming forward.
    Thanks be to goodness that you have the sense
    to keep away from her.

    Tormod Iain Bhàin's daughters were there tonight too.
    Those girls would make a good wife for you
    any of the three of them.
    Polite, beautiful girls
    and their father an elder in the church.
    I believe any of them would be more than happy to write to you
    whilst you are away,
    you should ask them.
    Your father had the most beautiful handwriting
    for a man.

IAIN *appears dressed in his* RNR *naval uniform.*

Oh Iain

Almost speechless.

My love,
in the naval uniform.
Where did the years go?
You look . . . handsome.
Your father would have been very proud of you,
you look so like him.
When your father left the island for the first time
he thought he was going to die
from homesickness
that's normal enough

That Kaiser is another pest.
But they believe the war will be
over in a few months.
You could be home for the new year.

Now, I have finished those socks and
adding to the ones that
the minister's wife has knitted for you,
you should now have seven pairs of bobbin socks.
And dear Donald gave us a bit of flank,
so we'll have that tomorrow morning
before you set off.
Something that will keep you going
on your journey.

You will have to be strong Iain.

Do not be worrying about me
The Lord will look after me.
Look after each other
and be seeking the Lord.

Now, out of my way.
We have both plenty to do yet.

Shouting after him as he leaves.

And I will need to put a hem on those trousers!

To herself.

Whatever am I going to do without you Iain?

She hums the song "O 's tu gura tu a th' air m' aire" whilst looking at and folding Iain's shirts, then exits.

Scene 4

1914, Isle of Lewis. Later that day.

IAIN *is skimming stones on the shore.* COLEEN *approaches in a mood.*

COLEEN Your mother is always . . . so right!
    whatever I do
    it will never be good enough.
    I'll never reach Peggy's high perch

    Oh yuck!
    I bet you won't miss that seaweed smell
    it's hellish in summer.
    It reminds me of that whale that was rotting
    on the shore last year,
    Yuck! And in that heat. (*gags*)

    And I noticed that she didn't take the
    socks that I'd knitted you
    and there were only,
    (*counting on her fingers*) three holes in them.
    I'm improving, amn't I?

    Will you be walking to Stornoway quay
    in the morning?
    It will take an AGE from the West Side!
    Calum, the tailor's son, says
    they have room for you on their cart tomorrow.
    Apparently he's a big man now
    I heard him speaking with the men
    down on Sràid an Lòin.
    The RNR thought he was eighteen!

(*Laughs*) Can you believe that?
"Poor wee Calum as soft as wool"
He had a nosebleed when we were playing with the wind tumbler
    earlier
and he ran off to his mother's lap!

I'd like to get away from here,
I want to see the world too, Iain!
I hear Kyle is lovely.
I might go there.
And get some work.
and you can come and visit me
when you get back.

Blast you! What am I going to do
without you Iain?

COLEEN *fully sees* IAIN *now*.

Oh Iain, that uniform really suits you!
You look so . . . handsome

They gaze at each other and IAIN *begins to hum their favourite waltz
tune, "Tuireadh Iain Ruaidh".* COLEEN *begins to sing the song as they
waltz together before* IAIN *takes her hand and leads her away.*

COLEEN You had better write to me!

IAIN *nods*.

And if I find out that you've so much as looked at another girl,
    you'll regret it.

They exit giggling.

Scene 5

Same evening on board the MV Loch Seaforth.

MAGGIE (*Suddenly awoken by a bang from the ferry in high seas*)
Good God!
What's happening?
What was that noise?

Another bang as she recovers from boat shudder.

Oh, that wave nearly came through the window

Bang.

Oh goodness!
Never again.
Never again.

Holds her phone up to look for reception.

You should really put it on your website Calmac, that you can't get
ANY reception!
What if he's tried to call?

She gazes at her gleaming false nails and holds up her phone again.

I can't cope with this.
I need a Highland Park

ELAINE Look at her
You won't get any reception here my lady
no matter how high your heels are!
Those wee kids have an iPad each
and they are still
(*said in English accent*) "bored mama"
Why do these people even come here?

MAGGIE *accidentally falls into* ELAINE *stepping on her toe.*

Ouch!

MAGGIE Elaine?
Elaine 3G2? Old block? The Nicky!
we were in the same Gaelic class.
It's me Maggie!
Sorry, just as well you had your Arnish boots on!
Flick sakes!
I haven't seen you since . . .

since you two-timed my brother,
and left him forever broken-hearted
With Alasdair Two Hondas,
of all people!
That denim cut off and the mullet.
Imagine!
The townies would tease him
"Think you're hard cove!"
How are you?
Do you stay in Lewis?
I'm in London
The twins think it's hilarious
If I speak to them in the Gaelic,
I just don't speak it
enough.
But it comes back though

Waves at the children.

My husband's away in Antarctica just now
So we're going to Lewis
for three months
In fact we should meet up
Go on, speak Gaelic to me!

Scene 6

1915. A year after IAIN *has left. The women are at the beach for their annual wash day. They sing as they work.*

PEGGY There are no male teachers left in the Nicolson High School.
   The older boys will have to leave for war now.

GORMAL Won't the female teachers do just as well?

CATRIONA Seonag will not be happy if Seonaidh has to leave.

PEGGY None of us are happy Catriona.

JOAN Anna, pass me another pair of drawers.

PEGGY It is a blessing that some of them are together.
      They have named one of the trenches "Sràid an Lòin" because
   Calum is dying with homesickness.

ANNA As if it is only for Calum . . .

PEGGY Indeed. That is men for you. Better to be silent than reveal their sadness.

MAIRI (*18*) *arrives.*

PEGGY Behold! Lazarus has risen!

Laughing.

MAIRI I've been to the peats, twice, before any of you shifted today. And I've another two creels to get before dusk.

JOAN Any news?

MAIRI Kirsty Maggie's cow died.

Sympathetic reactions from all.

CATRIONA Oh no, that is awful.

MAIRI Oh, and another of Mairead Sheonaidh's boys died.

ANNA Also of TB?

MAIRI *nods and all the women stop, reverentially acknowledging the news.*

GORMAL That's the third son!

CATRIONA Who can understand God's providence?

They all stop to pay respect to this news.

MARGARET Oh Màiri 'an Uilleam is expecting twins.

All happy to hear this news as MAIRI *stamps the washing in the tub.*

ANNA That runs in her husband's family.

PEGGY That poor man came back as deaf as a post, I think it was a shell that caused it. I don't think he has spoken since.

MAIRI Hey, I'm nearly getting trench foot here!

PEGGY Mairi, I pity the man that gets you if you think that's clean!

Laughter.

MAIRI It will be clean when it dries. Anyway, I'm not getting married to do laundry.

GORMAL Oh, are you not?

MARGARET What else will you do when you marry?

MAIRI Maybe I won't marry at all, maybe I'll be more like that one, Florence Nightingale.

PEGGY Oh, won't you listen to her, she thinks she'll be the Lady with the Lamp!

MAIRI (*to* PEGGY) I saw Coleen in the peats earlier

All stop and look at MAIRI. PEGGY *is not pleased.*

MAIRI Ruaraidh is growing. What age will he be now, three months?

Pause – they don't know what they will say.

MAIRI When did you last hear from Iain? He's been away a year now. What is his news?

All uncomfortable.

ANNA They are still in the Dardanelles apparently.

GORMAL Ruaraidh is the image of Iain.

MAIRI (*Looking at the rest*) You are so right Gormal!

PEGGY I do not care what she says, my Iain never went near that harlot.

MAIRI The village midwife and you never went near her.

CATRIONA You know Peggy was not well then and that's why I attended her.

JOAN That Coleen is a liar just like her mother.

PEGGY Trying to get her claws into my Iain, when he's not even here to defend himself. Of course I'll stand up for him.
    "The lust of the flesh is not of the father. . ." John 2:16

MAIRI Stand before Ruaraidh, your grandson
    and THEN stand before God.
    "We cannot hide from God. His eyes see everything we do."
    Hebrews 4:13

MAIRI *exits leaving everyone stunned.*

PEGGY Hurry up, we need to get this washing finished.

Scene 7

Same day on board MV Loch Seaforth. *We hear someone playing guitar and singing "Sweet Home Alabama".*

ELAINE The Shawbost discos!
   And if they were cancelled
   there would be hell on
   after waiting all week
   to get a glimpse of
   the man of the moment.
   I married Alasdair Two Hondas by the way.

   Gosh, many a time I said,
   "Why do people always have to die on a Friday!"
   We were terrible.
   Having said that we still had the respect to turn off the wireless,
   even if Springsteen was playing,
   whenever we went past a house where someone had died.
   Imagine, going to bed at five
   then getting up at seven
   to go and work in Woolies.

   I don't bump into anyone now
   since it closed.
   You could spend all day
   gabbing to half the island
   in front of the pick 'n' mix.
   Woolies closing made the whole town feel dead.
   Mind you, it makes it easy for some people
   to bury their heads
   and walk straight past me.

MAGGIE Speaking of pick 'n' mix.
   Didn't your brother have false teeth
   when he was in the Nicky?
   He did!
   He was running for the school bus
   it was blowing a hoolie that day
   and he shouted "Hold the bus for me!"
   Well,
   the gale must have got under his falsers

because they FLEW
in slow motion
over Kim, who he fancied at the time,
and landed at her feet.
It was hilarious.
No one knew what to do.
And he picked them up and he just stuck them
straight back into his mouth
without cleaning them!

Actually, I wrote an essay for English about that day
and I got an A+!

Scene 8

1917. PEGGY's *house.*

PEGGY (*pointing at* COLEEN) Don't dare to touch any of them!
    A liar AND a thief?
    You've now broken every Commandment
    but one Coleen
    The sixth one.
    Thou shalt not kill.
    Is that your next plan?

    You are deranged Coleen.
    Even Iain says so in those letters
    You WERE the talk of the town
    but nobody cares anymore.
    Get out of my house
    and on your life
    Do not dare to come back here ever again.
    Go!

COLEEN My name was on some of those letters
    He HAS been writing to me.
    He's been writing to us.
    You are the thief!
    Give me my letters.

    Ruaridh is almost two years old.
    You know very well that he is Iain's child.

Peggy, I'm begging you.
We are both mothers
both tied to Iain
both women in this village
doing our very best
day by day.
To deal with whatever comes our way
we would be stronger together.
Peggy, we are all sinners.
Nevertheless, isn't time to stop fighting?

I've left a duff on the table.
And I'd be much obliged
if you would give to me
the letters that Iain wrote to me.

Scene 9

Aboard MV Loch Seaforth.

MAGGIE Away!
You don't hang out washing
in Glasgow
on a Sunday?
Goodness!
There is no Sunday in London
Although it was "Sun-day" in Gaelic
that we were going to name our country house
but we had to change it to "Sunny"
because it was too like "fight"
Obviously, I was thinking Sàbainn not Sàbaid . . . sabaid![1]
This will be Eilidh and Lachlann's
first Sabbath here.
I don't know how they'll cope
but, it HAS changed.
At least we'll be allowed to go cycling now!

---

[1] This is a play on words: Gaelic words are often used for house names: a Gaelic form of Sunday is Latha na Sàbaid (the Sabbath) but is commonly pronounced Latha na Sàbainn in Lewis: the length of the "a" vowel is important as "sabaid" means "fight".

Oh, does Alasdair still have motorbikes?
And hopefully surfing.
They told us in Australia that
Bragar is one of the best places
in the world to surf
and I'm always telling them
how important it is to spend money locally.
Princess! Come away from those . . . puggy machines!
So we'll have lunch at the Castle
and visit the Callanish Stones shop,
in fact
Frank bought me a Gaelic private number plate on one visit,
but even if it's a Harris Tweed bag,
every little helps.
Should really visit the relatives more, but
there's only so much you can do in a holiday.

Rubbing her neck.

Can you get a massage anywhere in town?

ELAINE You don't come back often then?
Except for surfing
and "helping" the economy.
I have to say, I come home as often as possible
I've got the births, deaths and marriages
on speed dial from my mother.
Mostly deaths though!
It isn't always easy to come home
but at the same time, I'll be dying with homesickness
Stage 7, "moving forward"

Speaking of which
I don't understand all this fuss about the *Iolaire*!
Why were they not "remembered" long ago
and EVERY year?
We can't begin to understand what happened
with the *Iolaire*
and YES we should remember them
but it was one hundred years ago.
Why the big deal now, move on!
What about the ones who are suffering today

and barely alive?
This island is drowning
in depression
mental illness
suicide and
drink and drug issues!
Would it not be better to spend this money
on those people
not on a drama, or tar or a sculpture
or that ugly thing that's now in the town centre?
People are dying with hunger
on our doorstep.
Not that your purse would know about that
with your false nails and Antarctica and Australia
and Frank, Frank, Frank –
Wait.
Maggie? Mairead. M.A.13 R.E.D. Range Rover?
You bitch.
You are an accident waiting to happen behind that wheel!

CHORUS   Bing Bong,
    last call for high teas
    last call for high teas

MAGGIE   And last call for Elaine, the perfect islander, to get off her
    high perch!
    What do you know?
    O.K. My Chanel purse
    isn't lacking
    I have a big house
    children
    a job
    a Range Rover,
    with Mairead on it
    and even an au pair!
    But so what?
    What do you want me to say?
    That three days have passed
    since I was crawling on my paws
    breaking my nails
    because of a death's grip

on my husband's trousers?
Begging him
not to leave me?
That's the reason for the false nails Elaine!!!
Antarctica?
What was I meant to say to those wee darlings?
Daddy's left me for a younger model?
But it's O.K. I've still got my Harrods Reward card
Happy New Year!

Scene 10

Lewis, morning of 31st December 1918. The women are preparing for the arrival of their men from war and an engagement party for tomorrow night. They are plucking hens.

PEGGY Come here children! Who wants a chicken leg in their hand?

GORMAL Oh Lord, they are still arriving with more hens.

PEGGY Goodness, the New Year will have been brought in and we will still be here plucking with no word of the ones travelling home.

MARGARET You never know, he might have a ring for you Mairi when he gets back tonight.

CATRIONA Do you think so? What would you say? Would you marry him?

ANNA "If you want to be criticised marry, if you want to be praised die!"

MAIRI Are you mad?
    I'd marry him tonight!

PEGGY Girls, hold back some of those hens, we might have more than one wedding on our hands!

MAIRI Oh shush. Although, I have started altering my mother's wedding dress.

ALL Aaaawww!

PEGGY Well, I've rarely seen a more beautiful bride than your mother.

MAIRI I wonder if I'll recognise him?

CATRIONA Of course you will!

MAIRI Or will he recognise me? Have I changed?

PEGGY Honestly, he will have changed in his own way too.

MAIRI But what if we've changed too much and we're not compatible anymore?

ANNA Well, there's one certain thing. You won't have any questions after tonight.

JOAN I wonder which girls will be presented to Donald tomorrow night then.

MAIRI Well, after Colin's rèiteach, I'm staying hidden – they compared me to a young sheep, with not much meat on her but a good breast! I was so embarrassed!

Laughter.

CATRIONA And it gives the men something to look forward to too.

JOAN Hey, are you suggesting that my husband, after four years in the war, needs more to look forward to than returning home to me?

GORMAL Actually, since you've put it like that, I think he'll probably be the first one there then!

Laughter as women act out being presented for the rèiteach and dance together.

COLEEN I wish I could be with them
all that joy and carry on.
This boat can't get here quick enough
and we'll have our own engagement,
and wedding.
Man and wife,
family.

And I'll be able to hold my head up
in the village
again
And Peggy
will be on her knees
in front of me
begging forgiveness
from me.

And we will make a home elsewhere.

Scene 11

Isle of Lewis, Hogmanay, 1918. Women waiting on Stornoway pier.
COLEEN/CHORUS *"Eilean Beag Donn a' Chuain" is being sung.*
COLEEN *is amongst those waiting at the pier.*
We then see the Iolaire *going on the rocks through the women's eyes.*
COLEEN *screams for* IAIN *whilst being comforted by some of the women.*
A silence is held.

Scene 12

Two days after the disaster. COLEEN *is walking through her village, almost shell-shocked.*
COLEEN "Good . . . God,
    Good . . . God",
    That's all he can say
    "Good God",
    Poor wee Calum
    Poor wee Calum (*said with jealousy*)
    "Good . . . God"
Sees into PEGGY'S *house.*
    What are you doing?
    Don't touch them.
    Leave Iain's clothes airing
    and warming
    so they'll be ready for him when he gets here!
    I should have his clothes
    me!
    But I'm not allowed to go near them
    near him.
    (*to* PEGGY) It's only been two days
    Why are you just sitting there?
    Letting your neighbour
    whom Iain hated.
    put her hand on his clothes?

320

A hand that never lovingly touched his face
a hand that never danced with him
a hand that never picked winkles with him
Why are you allowing her?
Leave Iain's shirts.
Stop lifting them, touching them, folding them
. . . and putting them in a box?

Shaking her head.

Why?
Where are you going with the box?
Where are you going with the box?
He's not dead.
He's alive, he's alive,
he's alive, he's alive, he's alive, he's alive
he's alive, . . .

Crescendo then calmed by the CHORUS.

CHORUS Ssshh . . .

Silence is held as COLEEN *looks around slowly.*

COLEEN (*She opens her mouth and makes attempts to speak but she is struggling*) Everything is so quiet.
It's a frightful
silence
and black.

CHORUS *should intersperse the next speech with the following:*

Black	Pitch black	
Black hatred	Black depression	Black shame
Broken-hearted	Disconsolate	
Hidden words	An enigma	
Hidden words	An enigma . . . (*repeated*)	

COLEEN An oppressive darkness, that suffocates you
The Battery Shore, black.
Young women
in widow's clothing
with a steadfast bond
through grief
like a flock of blackbirds
feeding off each other

I'm dying with hunger too
but I can't get a crumb.
Because I'm not a widow, am I!

Scene 13

Inquiry interspersed with COLEEN's *reactions.*

8th January 1919. We, the Royal Navy, do not deem it necessary
to hold a court martial.
What are you saying? You must!

We will call witness from twenty-four persons,
More than that survived, speak to all of them!

They being eighteen Royal Naval Reservists and six crew who were
on board. All information will be concealed from the public and
restricted.
You are scared of something if you are keeping it secret.

14th January 1919. Regarding salvage bid received and accepted to
sell the *Iolaire*.
How can you even think of selling it?

It has come to our knowledge inhabitants of the islands resent the
Iolaire wreck being sold whilst bodies still remain unrecovered.
Submit that any action affecting sale be withheld for the present.
Of course! I haven't found Iain yet. He might STILL be on the
***Iolaire*, that might be his grave.**

10th February 1919. Public Inquiry demanded by islanders.
At long last, some answers.
Convened by the Lord Advocate of Scotland, after seeking
permission from the Admiralty in London to do so.
What do they have to do with it? It's a public inquiry!

31st December 1918 at 2130 hours, the *Iolaire* departed Kyle of
Lochalsh and all passengers were naval ratings – true.
My Iain was there. He was a deckhand for the Navy.

The boat wrongfully approached Stornoway harbour and no speed
    was reduced – true.
Iain knew the waters, could he see they were going the wrong way?

The commander had never entered this harbour at night and was
    to await a pilot boat – true.
Iain's life was in this man's hands!

Altering course a few minutes earlier would have prevented
    catastrophe –
Well if he had, Iain would be with me now. True?

Half the crew was on leave but there was no watchman present at
    the time of incident – true, false, true.
He should be alive.

There were insufficient life-belts and boats – true.
He shouldn't have been allowed on the ship then?

There was delay in acquiring life-saving apparatus and, due to
    weather, no assistance was possible from the sea – true.
There were insufficient orders from the officers – true.
Why didn't they help save Iain?

The officers were affected by alcohol –
Exactly. It was New Year's Eve and they were drunk.
(*pause*) False.

All the officers perished – true.
201 men died in the disaster – true.

New Year's morning 1919, 0155 hours, *HMY Iolaire* struck the
    Beasts of Holm due to unknown circumstances.
What do you mean? Someone must take the blame.

Many sea tragedies remain enigmas and in this instance as all the
    officers have perished we cannot prove reasons for the accident.
**But you've just heard from the survivors, why do you not believe
them?**

It was an unfortunate situation but I am glad that, for the sake of the officers' relatives, rumours of drunkenness have been dispelled.

What? You are glad? What about our sake? What if this had happened on your own doorstep in Westminster? There would be plenty grievance and strife then! Questions would be answered. Were we only cannon fodder to you?

May judgement fall upon you!

Scene 14

COLEEN *singing Psalm 46: 1–2 to the tune of "Kilmarnock" throughout the scene.*

Lewis. Over a hundred villages in this island and very few left untouched by this day.

On the east, Sheshader, a woman was waiting for her husband and son. Ten dead. A whole village drowned.

Ness in the north. Twenty-three lost. Two brothers, all neighbours.

The west side, Bragar, six funerals in one day.

Isle of Harris, in the south, seven dead.

Leurbost, eleven deaths. Two from the same family.

Tong. Safe. They boarded the *SS Sheila*.

North Tolsta, eleven lost. One woman lost three of her seven sons to the war; Kenneth Campbell, twenty-nine, was on the *Iolaire*.

Arnol, Coinneach Maois. Sole survivor of the *SS Cambric* and endured days alone in Mediterranean seas. He died on Hogmanay night.

Uig. Ten lost. Six weeks after the tragedy, Càdham found his son's body in the exact spot provided by a premonition.

Breasclete, there was a wedding and they were waiting for young
    Donald to come home and dance a polka. He never made it.

Brothers, fathers, sons
Brothers, fathers, sons . . . (*The* CHORUS *repeat this in the round*)

Scene 15

Lewis shore, 1919. Shortly after the disaster.

PEGGY I can't find him
    Coleen, I can't find him

    so many hands
    hats
    heads
    I lifted.
    I can't find him
    I can't find him.

    a little doll here
    a spinning-top there
    that's all that's left
    on the shore
    now calm

    All day long
    carts passing me by
    with corpses
    covered in Union Jacks.
    They are fortunate.
    I can't find him
    I can't find him.

    I've barely a fingernail left
    I'm begging, begging You
    let me see him
    I have nothing left
    only him

show me his face
I beg you

I haven't slept for a fortnight
please forgive me
for everything
show me his face
and let me embrace him with love
just once.

Coleen?

We have to be strong.
We are doing our very best
day by day
to deal with whatever comes out way
but God will guide us
we have to be strong
together.
I can't cope on my own
I'm begging you Coleen
let me see Ruairidh.

Scene 16

Aboard MV Loch Seaforth. *Arriving in Stornoway harbour.*

CHORUS Bing Bong,
   We will shortly be arriving in Stornoway,
   would all drivers and their passengers please make their way to
      their vehicles (*x 2*)

MAGGIE It sends shivers through me
   seeing the Beasts of Holm
   Imagine those boys
   Rejoicing and full of hope
   Goodness,
   if this ferry sank
   Lewis would be devastated.
   They wouldn't get off with a
   white-wash nowadays.

It was my Art teacher that told me
in P5
about the loss of the *Iolaire*.
I couldn't believe
that such a major disaster could have happened to our wee island
and no-one even told me!
I don't know why
but it's been like an
itchy eyeball to me since then
Not that I had any relatives on board.

Twenty years ago
I went to look at this book
in Waterstone's
"Historic Shipwrecks of Scotland"
and there was no mention of the *Iolaire*
I was raging!
and accidentally I said out loud
"Fuck you!"
in the middle of the shop.
They even didn't get that respect.
Whatever a noble death is.

ELAINE Alasdair, "Two Hondas",
     went out fishing on Loch Langabhat
     Five years ago.
     The midges were really bad that evening.
     Colin used to go with him
     but he was away at a wedding in Inverness at the time.
     Anyway, Alasdair never came home.
     He didn't touch the bait or his sandwiches.
     I don't know why.

     Thankfully,
     after three days
     they found his body.

     I was absolutely certain he was wearing his green jumper
     but no, he was wearing that white woolly one

with a red paint mark on the sleeve
from marking the sheep.

He was found with his hands in his pockets.

I didn't speak for a fortnight.
Not that I remember.
The village carried me.
After a while, I had to sell the house
I couldn't bear the memories surrounding me
and Alasdair's family haven't spoken to me since.

Grief is a form of love
even if they are still alive.
Apparently, women are a little complicated,
we are better at looking after others rather than ourselves.|
The seven stages of grief? Whoever would have thought of such
    a thing.
but I had to be strong
and ask for help
"What you resist, persists."
We will get through this
we have to.
What else can we do?

That's us coming into harbour
Happy New Year when it comes!

The Lewis-woman never realises her loss until it comes to her door.
Song – "Gaol Ise Gaol I".

Am Bàrd: ar tir agus ar teanga (1901–), Edinburgh: Norman MacLeod

Bennett, Michael Y. *Reassessing the Theatre of the Absurd: Camus, Beckett, Ionesco, Genet, and Pinter*. New York: Palgrave MacMillan, 2011.

Brown, Ian (ed.). *Edinburgh Companion to Scottish Drama*. Edinburgh: Edinburgh University Press, 2011.

Brown, Ian. *Scottish Theatre: Diversity, Language, Continuity*. Amsterdam, New York: Rodopi, 2013.

Brown, Ian. 'Theatricality, bilingualism and metatheatricality in Archibald Maclaren's *The Highland Drover*', *International Journal of Scottish Theatre and Screen*, 9 (2016): 13–23.

Butler, Antoinette. *An Outline of Scottish Gaelic Drama before 1945*. Unpublished M.Litt. dissertation, University of Edinburgh, 1994.

Caimbeul, Alasdair. *Trì Dealbhan Cluiche*. Stornoway: Acair, 1990.

Chaimbeul, Catrìona Lexy. *Shrapnel: An Dealbh-Chluich*. Inverness: Leabhraichean Beaga, 2016.

Camus, Albert. *The Myth of Sisyphus and Other Essays* (first published 1942) (trans. Justin O'Brien). London: Hamish Hamilton, 1955.

Craig, Cairns, and Randall Stevenson. *Twentieth-century Scottish Drama*. Edinburgh: Canongate Books, 2001.

Erskine, the Hon. Roderick of Marr. 'Gaelic Drama', *Siubhal air falbh impireachd*. Glascho: A. Mac Labhruinn agus a Mhic, (1913): 294–300.

Erskine, the Hon. Roderick of Marr. 'Gaelic Drama', *Guth na Bliadhna*, 10 (1913): 294–300, 452–62; 11 (1914): 80–90, 206–19.

Erskine, the Hon. Roderick of Marr. 'Crois Tara (The Fiery Cross): Introductory Remarks on Gaelic Drama', in J. MacDonald (ed.) *Guthan o na Beanntaibh / Voices from the Hills: A memento of the Gaelic Rally*. Glasgow: An Comunn Gaidhealach, (1927): 218–24.

Esslin, Martin. *The Theatre of the Absurd* (3rd edition: first published 1961). Middlesex: Penguin Books, 1968.

Fear na Brataich. 'Féill nan Dealbh-Chluichean ann an Uidhist-a-Tuath', *An Gaidheal*, 29 (1934): 166–68.

Findlay, Bill (ed.). *A History of Scottish Theatre*. Edinburgh: Polygon, 1998.

Gifford, Douglas. 'A retrospect: *Calum Tod* and *The Village*', *Lines Review*, 62 (1977): 24.

Henderson, George. *Iain Òg Ìle*. MS Gen.1090/6, University of Glasgow, 1887.

Henderson, A. 'An Drama agus a' Ghàidhlig', *Guth na Bliadhna*, 17:1 (1920): 98–114.

Innes, Sìm. 'Shakespeare's Scottish Play in Scottish Gaelic', *Scottish Language* 33, (2014): 26–50.

Innes, Sìm. 'Translated Drama in Gaelic in Scotland to *c*.1950', *International Journal of Scottish Theatre and Screen*, 9 (2016): 61–88.

Kidd, Sheila. 'Social Control and Social Criticism: the nineteenth-century còmhradh', *Scottish Gaelic Studies* 20 (2000): 67–87.

Kidd, Sheila. *Còmhraidhean nan Cnoc: the nineteenth-century prose dialogue in Gaelic*. Glasgow: Scottish Gaelic Texts Society, 2016.

Mac a' Ghobhainn, Iain. *An Dubh is An Gorm*. Oilthigh Ghlaschu: Glaschu, 1963.

Mac a' Ghobhainn, Iain. *A' Chùirt*. Oban: An Comunn Gàidhealach, 1966.

Mac a' Ghobhainn, Iain. *An Coileach*. Oban: An Comunn Gàidhealach, 1966.

Mac na Ceàrdaich, Dòmhnall. 'Domhnall nan Trioblaid', *Guth na Bliadhna*, 9 (1912): 151–94.

Mac na Ceàrdaich, Dòmhnall. *D.M.N.C. – Sgrìobhaidhean Dhòmhnaill Mhic na Ceàrdaich* (eds Lisa Storey & Aonghas MacLeòid). Inverness: CLÀR, 2014.

Mac'ill'eathain, Donaidh. *Èist: Sia Dealbh-chluichean le Donaidh Mac'ill'eathain*. Edinburgh: Combaist, 2005.

MacAonghais, Pòl. *Solas na Gealaich*. Glasgow: Comunn Dràma Ghàidhlig Ghlaschu, 2001.

MacCormaic, Iain. *Dùn-Àluinn*. Paislig: Alasdair Gardner, 1912.

MacCormaig, Iain. *Am Fear a Chaill a Ghàidhlig* (first published 1911). Glasgow: An Comunn Gàidhealach, 1925.

MacCurdy, Edward. 'The Plays of Donald Sinclair', *Transactions of the Gaelic Society of Inverness*, 41 (1951–2): 68–92.

MacDonald, Norman Malcolm. *Calum Tod*. Inverness: Club Leabhar, 1976.

MacDonald, Norman Malcom. 'Gaelic theatre – the future?'. *Chapman*, 43–44 (1986): 147–49.

MacDonald, Norman Malcolm. *Portrona*. Edinburgh: Birlinn, 2000.

MacIver, Hector. 'Uisge Beatha no Uisge Bàis – Reflections on Gaelic Drama'. In M. MacLean and T. M. Murchison (eds), *Alba: a Scottish Miscellany in Gaelic and English*. Glasgow: William MacLellan for An Comunn Gaidhealach (1948): 40–43.

MacKinnon, Kenneth. *Gaelic: A Past and Future Prospect*. Edinburgh: Saltire Society, 1991.

Maclaren, Archibald. *The Humours of Greenock Fair or the Taylor Made a Man*. Paisley: John Neilson, 1789.

Maclaren, Archibald. *The Highland Drover or Domhnul Dubh M'Na-Beinn, at Carlisle*. Greenock: T. Murray, 1790.

MacLeod, Donald John. *Twentieth Century Gaelic literature: a description, comprising critical study and a comprehensive bibliography*. Unpublished PhD thesis, University of Glasgow. [available theses. gla.ac.uk/5027/], 1969.

MacLeod, Donald John. 'Gaelic Prose', *Transactions of the Gaelic Society of Inverness*, 49 (1977): 198–230.

MacLeod, Donald John. *Twentieth Century Publications in Scottish Gaelic*. Edinburgh: Scottish Academic Press, 1980.

Macleod, Michelle. 'Attitude to language and bilingualism in the Gaelic poetry of Iain Crichton Smith', *Scottish Studies Review*, 2/2 (2001): 105–13.

Macleod, Michelle, and Moray Watson. 'In the Shadow of the Bard: The Gaelic Short Story, Novel and Drama since the Early Twentieth Century'. In Ian Brown et al. (eds), *The Edinburgh History of Scottish Literature: Modern Transformations: New Identities*. Edinburgh: Edinburgh University Press, 2007: 273–82.

Macleod, Michelle. 'The Gaelic Plays of Tormod Calum Dòmhnallach', *Scottish Gaelic Studies*, 24 (2008): 405–18.

Macleod, Michelle. 'Gaelic Drama: The Forgotten Genre in Gaelic Literary Studies'. In Emma Dymock and Wilson McLeod (eds), *Lainnir a' Bhùirn/The Gleaming Water: Essays on Modern Gaelic Literature*. Edinburgh: Dunedin Academic Press, 2011: 55–70.

Macleod, Michelle. 'The public profile: three centuries of Gaelic language manipulation on stage', *Scottish Language*, 33 (2014): 9–25.

Macleod, Michelle. 'The closed room: expressions of existentialism and absurdity in Gaelic drama', *International Journal of Scottish Theatre and Screen*, 9 (2016): 89–112.

MacLeod, Morag. 'Rèiteach', *Tocher*, 30 (1979): 375–99.

MacLeòid, Aonghus. 'The Historical Plays of Donald Sinclair', *International Journal of Scottish Theatre and Screen*, 9 (2016): 24–38.

MacLeòid, Dòmhnall Iain. 'An Sgeilp Leabhraichean', *Gairm*, 59 (1967): 283–87.

MacLeòid, Fionnlagh. *Na Balaich air Rònaidh*. Aberdeen: Roinn an Fhoghlaim Cheiltich, Oilthigh Obar Dheathain, 1972.

MacLeòid, Fionnlagh. *Teaghlach Thormoid Bhuidhe*. Stornoway: Acair, 1990.

MacLeòid, Iain M. *Réiteach Mòraig*. Glaschu: Gilleasbuig Macnaceardadh, 1911.

MacLeòid, Iain M. *Pòsadh Móraig*. Glaschu: A. MacLabhruinn, 1916.

MacLeòid, Iain M. 'Dràma Gàidhlig', *An Gaidheal*, 43 (1948): 87.

Marcel, Gabriel. *The Philosophy of Existence* (trans. Manya Harari). London: The Harvill Press, 1948.

Martin, Neil. *The Form and Function of Ritual Dialogue in the Marriage Traditions of Celtic-Language Cultures*. Lampeter: Edward Mellen Press, 2007.

McCurdy, Edward. 'The Plays of Donald Sinclair', *Transactions of the Gaelic Society of Inverness XLI*, (1951–52): 68–92.

Moireach, Iain. *Snìomh nan Dual: 6 Cluichean*. Stornoway: Acair, 2007.

Newton, Michael. 'Folk Drama in Gaelic Scotland'. In Ian Brown (ed.) *Edinburgh Companion to Scottish Drama*, Edinburgh: Edinburgh University Press, 2011: 41–46.

NicLeòid, Michelle. (ed.) *An Fhìrinn agus A' Bhreug: Deich Dealbhan-cluiche le Tormod Calum Dòmhnallach*. Aberdeen: Aberdeen University Press, 2016.

Ros, Niall. 'Dàn-Cluiche Cinneachail Gàilig'. In *An Solaraiche: Gaelic Essays I*. Glasgow: An Comunn Gaidhealach, 1918: 41–63.

Ross, Neil. 'A National Gaelic Drama', *An Gaidheal*, 21 (1926a): 82–85.

Ross, Neil. 'The Main Essentials for Gaelic Drama', *An Gaidheal*, 21 (1926b): 98–101.

Ross, Neil. 'A Gaelic Theatre', *An Gaidheal*, 27 (1932): 92–93, 103–04, 115–16.

Ross, Neil. 'Drama in Uist', *An Gaidheal*, 29 (1934): 178–79.

Ross, Susan. 'Identity in Gaelic Drama 1900–1949', *International Journal of Scottish Theatre and Screen*, 9 (2016): 39–60.

Sartre, Jean-Paul. *Being and Nothingness: An Essay on Phenomenological Ontology* (first published 1943) (trans. Hazel E. Barnes). London: Routledge, 1996.

'Secretary's Notes'. *An Gaidheal*, 30 (1935), 122.

Smith, Iain Crichton. *Towards the Human*. Lines Review: Edinburgh, 1986.

Smith, Iain Crichton. *Thoughts of Murdo*. Birlinn: Edinburgh, 1993.

Smith, Iain Crichton. *Murdo: The Life and Works*. Birlinn: Edinburgh, 2001.

Suciu, Andreia Irina. 'Absurd Identities or the Identity of the Absurd in Samuel Beckett's *Waiting for Godot*', *Cultural Perspectives – Journal for Literary and British Cultural Studies in Romania*, 12 (2007): 115–39.

Thompson, Frank. 'A Gael in the Modern World: Norman Malcolm MacDonald'. In *Books in Scotland* (1978): 27–28.

Thompson, Frank. *History of An Comunn Gaidhealach – The First Hundred (1891–1991)*. Inverness: An Comunn Gaidhealach, 1992.

Tobin, Terence. *Plays by Scots, 1660–1800*. Iowa City: University of Iowa Press, 1974.

Watson, Moray. 'The Failure of Representation – "Deer on the High Hills" as thesis', *Scottish Studies Review*, 2:2 (2001): 114–26.

Watson, Moray. 'Argyll and the Gaelic Prose Fiction of the Early Twentieth Century', *Scottish Gaelic Studies*, 24 (2008): 573–88.

Watson, Moray. *An Introduction to Gaelic Fiction*. Edinburgh: Edinburgh University Press, 2011.

Whyte, Henry. *The Celtic Garland*. Glasgow: Archibald Sinclair, 1881.

THE ASSOCIATION FOR SCOTTISH LITERARY STUDIES
ANNUAL VOLUMES

Volumes marked * are, at the time of publication, still available.